Biblioteca Era

José Carlos Mariátegui
Siete ensayos de interpretación de la realidad peruana

José Carlos Mariátegui

Siete ensayos de interpretación de la realidad peruana

Ediciones
Era

Edición original: 1928
Primera edición en Ediciones Era:1979
Quinta reimpresión: 2002
ISBN: 968-411-002-2
DR © 1979, Ediciones Era, S. A. de C. V.
Calle del Trabajo 31, 14269 México, D.F.
Impreso y hecho en México
Printed and made in Mexico

www.edicionesera.com.mx

INDICE

Ya no quiero leer a ningún autor en el que se advierta su intención de hacer un libro, sino a aquellos cuyos pensamientos se convirtieron espontáneamente en un libro.

Nietzsche,
Der Wenderer und sein Schatten

ADVERTENCIA

Reúno en este libro, organizados y anotados en siete ensayos, los escritos que he publicado en *Mundial* y *Amauta* sobre algunos aspectos sustantivos de la realidad peruana. Como *La escena contemporánea,* no es éste, pues, un libro orgánico. Mejor así. Mi trabajo se desenvuelve según el querer de Nietzsche, que no amaba al autor contraído a la producción intencional, deliberada, de un libro, sino a aquel cuyos pensamientos formaban un libro espontánea e inadvertidamente. Muchos proyectos de libro visitan mi vigilia; pero sé por anticipado que sólo realizaré los que un imperioso mandato vital me ordene. Mi pensamiento y mi vida constituyen una sola cosa, un único proceso. Y si algún mérito espero y reclamo que me sea reconocido es el de —también conforme un principio de Nietzsche— meter toda mi sangre en mis ideas.

Pensé incluir en este volumen un ensayo sobre la evolución política e ideológica del Perú. Más, a medida que avanzo en él, siento la necesidad de darle desarrollo y autonomía en un libro aparte. El número de páginas de estos *Siete ensayos* me parece ya excesivo, tanto que no me consiente completar algunos trabajos como yo quisiera y debiera. Por otra parte, está bien que aparezcan antes de mi nuevo estudio. De este modo, el público que me lea se habrá familiarizado oportunamente con los materiales y las ideas de mi especulación política e ideológica.

Volveré a estos temas cuantas veces me lo indique el curso de mi investigación y mi polémica. Tal vez hay en cada uno de estos ensayos el esquema, la intención de un libro autónomo. Ninguno de estos ensayos está acabado: no lo estarán mientras yo viva y piense y tenga algo que añadir a lo por mí escrito, vivido y pensado.

Toda esta labor no es sino una contribución a la crítica socialista de los problemas y la historia del Perú. No faltan quienes me suponen un europeizante, ajeno a los hechos y a las cuestiones de mi país. Que mi obra se encargue de justificarme, contra esta barata e interesada conjetura. He hecho en Europa mi mejor aprendizaje. Y creo que no hay salvación para Indo-América sin la ciencia y el pensamiento europeos u occidentales. Sarmiento, que es todavía uno de los creadores de la argentinidad, fue en su época un europeizante. No encontró mejor modo de ser argentino.

Otra vez repito que no soy un crítico imparcial y objetivo. Mis juicios se nutren de mis ideales, de mis sentimientos, de mis pasiones. Tengo una declarada y enérgica ambición: la de concurrir a la creación del socialismo peruano. Estoy lo más lejos posible de la técnica profesoral y del espíritu universitario.

Es todo lo que debo advertir lealmente al lector a la entrada de mi libro.

José Carlos Mariátegui
Lima, 1928

ESQUEMA DE LA EVOLUCION ECONOMICA

I. La economía colonial

En el plano de la economía se percibe mejor que en ningún otro hasta qué punto la Conquista escinde la historia del Perú. La Conquista aparece en este terreno, más netamente que en cualquier otro, como una solución de continuidad. Hasta la Conquista se desenvolvió en el Perú una economía que brotaba espontánea y libremente del suelo y la gente peruanos. En el Imperio de los incas, agrupación de comunas agrícolas y sedentarias, lo más interesante era la economía. Todos los testimonios históricos coinciden en la aserción de que el pueblo incaico —laborioso, disciplinado, panteísta y sencillo— vivía con bienestar material. Las subsistencias abundaban; la población crecía. El Imperio ignoró radicalmente el problema de Malthus. La organización colectivista, regida por los incas, había enervado en los indios el impulso individual; pero había desarrollado extraordinariamente en ellos, en provecho de este régimen económico, el hábito de una humilde y religiosa obediencia a su deber social. Los incas sacaban toda la utilidad social posible de esta virtud de su pueblo, valorizaban el vasto territorio del Imperio construyendo caminos, canales, etcétera, lo extendían sometiendo a su autoridad tribus vecinas. El trabajo colectivo, el esfuerzo común, se empleaban fructuosamente en fines sociales.

Los conquistadores españoles destruyeron, sin poder naturalmente remplazarla, esta formidable máquina de producción. La sociedad indígena, la economía incaica, se descompusieron y anonadaron completamente al golpe de la Conquista. Rotos los vínculos de su unidad, la nación se disolvió en comunidades dispersas. El trabajo indígena cesó de funcionar de un modo solidario y orgánico. Los conquistadores no se ocuparon casi sino de distribuirse y disputarse el pingüe botín de guerra. Despojaron los templos y los palacios de los tesoros que guardaban; se repartieron las tierras y los hombres, sin preguntarse siquiera por su porvenir, como fuerzas y medios de produccion.

El virreinato señala el comienzo del difícil y complejo proceso de formación de una nueva economía. En este periodo, España se esforzó por dar una organización política y económica a su inmensa colonia. Los españoles empezaron a cultivar el suelo y a explotar las minas de oro y plata. Sobre las ruinas y los residuos de una economía socialista, echaron las bases de una economía feudal.

Pero no envió España al Perú, como del resto no envió tampoco a sus otras posesiones, una densa masa colonizadora. La debilidad del imperio español residió precisamente en su carácter y estructura de empresa militar y eclesiástica más que política y económica. En las colonias españolas no desembarcaron como en las costas de Nueva Inglaterra grandes bandadas de *pioneers*. A la América española no vinieron casi sino virreyes, cortesanos, aventureros, clérigos, doctores y soldados. No se formó, por esto, en el Perú una verdadera fuerza de colonización. La población de Lima estaba compuesta por una pequeña corte, una burocracia, algunos conventos, inquisidores, mercaderes, criados y esclavos.[1] El *pioneer* español carecía, además, de aptitud para crear núcleos de trabajo. En lugar de la utilización del indio parecía perseguir su exterminio. Y los colonizadores no se bastaban a sí mismos para crear una economía sólida y orgánica. La organización colonial fallaba por la base. Le faltaba cimiento demográfico. Los españoles y los mestizos eran demasiado pocos para explotar, en vasta escala, las riquezas del territorio. Y, como para el trabajo de las haciendas de la costa se recurrió a la importación de esclavos negros, a los elementos y características de una sociedad feudal se mezclaron elementos y características de una sociedad esclavista.

Sólo los jesuitas, con su orgánico positivismo, mostraron acaso, en el Perú como en otras tierras de América, aptitud de creación económica. Los latifundios que les fueron asignados prosperaron. Los vestigios de su organización restan como una huella duradera. Quien recuerde el vasto experimento de los jesuitas en el Paraguay, donde tan hábilmente aprovecharon y explotaron la tendencia natural de los indígenas al comunismo, no puede sorprenderse absolutamente de que esta congregación de hijos de San Iñigo de Loyola, como los llama Unamuno, fuese capaz de crear en el suelo peruano los centros de trabajo y producción que los nobles, doctores y clérigos, entregados en Lima a una vida muelle y sensual, no se ocuparon nunca de formar.

Los colonizadores se preocuparon casi únicamente de la explotación del oro y la plata peruanos. Me he referido más de una vez a la inclinación de los españoles a instalarse en la tierra baja. Y a la mezcla de respeto y de desconfianza que les inspiraron siempre los Andes, de los cuales no llegaron jamás a sentirse realmente señores. Ahora bien. Se debe, sin duda, al trabajo de las minas la formación de las poblaciones criollas de la sierra. Sin la codicia de los metales encerrados en las entrañas de los Andes, la conquista de la sierra hubiese sido mucho más incompleta.

Estas fueron las bases históricas de la nueva economía peruana. De la economía colonial —colonial desde sus raíces— cuyo proceso no ha terminado todavía. Examinemos ahora los lineamientos de una segunda etapa. La etapa en que una economía feudal deviene, poco a poco, economía burguesa. Pero sin cesar de ser, en el cuadro del mundo, una economía colonial.

II. Las bases económicas de la República

Como la primera, la segunda etapa de esta economía arranca de un hecho político y militar. La primera etapa nace de la Conquista. La segunda etapa se inicia con la Independencia. Pero, mientras la Conquista engendra totalmente el proceso de la formación de nuestra economía colonial, la Independencia parece determinada y dominada por ese proceso.

He tenido ya —desde mi primer esfuerzo marxista por fundamentar en el estudio del hecho económico la historia peruana— ocasión de ocuparme en esta faz de la revolución de la Independencia, sosteniendo la siguiente tesis: "Las ideas de la revolución francesa y de la constitución norteamericana encontraron un clima favorable a su difusión en Sudamérica, a causa de que en Sudamérica existía ya, aunque fuese embrionariamente, una burguesía que, a causa de sus necesidades e intereses económicos, podía y debía contagiarse del humor revolucionario de la burguesía europea. La independencia de Hispanoamérica no se habría realizado, ciertamente, si no hubiese contado con una generación heroica, sensible a la emoción de su época, con capacidad y voluntad para actuar en estos pueblos una verdadera revolución. La Independencia, bajo este aspecto, se presenta como una empresa romántica. Pero esto no contradice la tesis de la trama económica de la revolución emancipadora. Los conductores, los caudillos, los ideólogos de esta revolución no fueron anteriores ni superiores a las premisas y razones económicas de este acontecimiento. El hecho intelectual y sentimental no fue anterior al hecho económico."

La política de España obstaculizaba y contrariaba totalmente el desenvolvimiento económico de las colonias al no permitirles traficar con ninguna otra nación y reservarse como metrópoli, acaparándolo exclusivamente, el derecho de todo comercio y empresa en sus dominios.

El impulso natural de las fuerzas productoras de las

colonias pugnaba por romper este lazo. La naciente economía de las embrionarias formaciones nacionales de América necesitaba imperiosamente, para conseguir su desarrollo, desvincularse de la rígida autoridad y emanciparse de la medieval mentalidad del rey de España. El hombre de estudio de nuestra época no puede dejar de ver aquí el más dominante factor histórico de la revolución de la Independencia sudamericana, inspirada y movida, de modo demasiado evidente, por los intereses de la población criolla y aun de la española, mucho más que por los intereses de la población indígena.

Enfocada sobre el plano de la historia mundial, la Independencia sudamericana se presenta decidida por las necesidades del desarrollo de la civilización occidental o, mejor dicho, capitalista. El ritmo del fenómeno capitalista tuvo en la elaboración de la Independencia una función menos aparente y ostensible, pero sin duda mucho más decisiva y profunda que el eco de la filosofía y la literatura de los enciclopedistas. El Imperio británico destinado a representar tan genuina y trascendentalmente los intereses de la civilización capitalista, estaba entonces en formación. En Inglaterra, sede del liberalismo y el protestantismo, la industria y la máquina preparaban el porvenir del capitalismo, esto es, del fenómeno material del cual aquellos dos fenómenos, político el uno, religioso el otro, aparecen en la historia como la levadura espiritual y filosófica. Por esto le tocó a Inglaterra —con esa clara conciencia de su destino y su misión histórica a que debe su hegemonía en la civilización capitalista—, jugar un papel primario en la independencia de Sudamérica. Y, por esto, mientras el primer ministro de Francia, de la nación que algunos años antes les había dado el ejemplo de su gran revolución, se negaba a reconocer a estas jóvenes repúblicas sudamericanas que podían enviarle "junto con sus productos sus ideas revolucionarias".[2] Mr. Canning, traductor y ejecutor fiel del interés de Inglaterra, consagraba con ese reconocimiento el derecho de estos pueblos a separarse de España y, anexamente, a organizarse republicana y democráticamente. A Mr. Canning, de otro lado, se habían adelantado prácticamente los banqueros de Londres que, con sus préstamos —no por usurarios menos oportunos y eficaces—, habían financiado la fundación de las nuevas repúblicas.

El Imperio español tramontaba por no reposar sino sobre bases militares y políticas y, sobre todo, por representar una economía superada. España no podía abastecer abundantemente a sus colonias sino de eclesiásticos, doctores y nobles. Sus colonias sentían apetencia de cosas más prácticas y necesidad de instrumentos más nuevos. Y, en consecuencia, se volvían hacia Inglaterra, cuyos industriales y cuyos banqueros, colonizadores de nuevo tipo, querían a su turno enseñorearse en estos mercados, cumpliendo su función de agentes de un imperio que surgía como creación de una economía manufacturera y librecambista.

El interés económico de las colonias de España y el interés económico del Occidente capitalista se correspondían absolutamente, aunque de esto, como ocurre frecuentemente en la historia, no se diesen exacta cuenta los protagonistas históricos de una ni otra parte.

Apenas estas naciones fueron independientes, guiadas por el mismo impulso natural que las había conducido a la revolución de la Independencia, buscaron en el tráfico con el capital y la industria de Occidente los elementos y las relaciones que el incremento de su economía requería. Al Occidente capitalista empezaron a enviar los productos de su suelo y su subsuelo. Y del Occidente capitalista empezaron a recibir tejidos, máquinas y mil productos industriales. Se estableció así un contacto continuo y creciente entre la América del Sur y la civilización occidental. Los países más favorecidos por este tráfico fueron, naturalmente, a causa de su mayor proximidad a Europa, los países situados sobre el Atlántico. Argentina y Brasil, sobre todo, atrajeron a su territorio capitales e inmigrantes europeos en gran cantidad. Fuertes y homogéneos aluviones occidentales aceleraron en estos países la transformación de la economía y la cultura que adquirieron gradualmente la función y la estructura de la economía y la cultura europeas. La democracia burguesa y liberal pudo ahí echar raíces seguras, mientras en el resto de la América del Sur se lo impedía la subsistencia de tenaces y extensos residuos de feudalidad.

En este periodo, el proceso histórico general del Perú entra en una etapa de diferenciación y desvinculación del proceso histórico de otros pueblos de Sudamérica. Por su geografía, unos estaban destinados a marchar más de prisa que otros. La independencia los había mancomunado en una empresa común para separarlos más tarde en empresas individuales. El Perú se encontraba a una enorme distancia de Europa. Los barcos europeos, para arribar a sus puertos, debían aventurarse en un viaje larguísimo. Por su posición geográfica, el Perú resulta más vecino y más cercano al Oriente. Y el comercio entre el Perú y Asia comenzó como era lógico a tornarse considerable. La costa peruana recibió aquellos famosos contingentes de inmigrantes chinos destinados a sustituir en las haciendas a los esclavos negros, importados por el virreinato, cuya manumisión fue también en cierto modo una consecuencia del trabajo de transformación de una economía feudal en economía más o menos burguesa. Pero el tráfico con Asia no podía concurrir eficazmente a la formación de la nueva economía peruana. El Perú emergido de la Conquista, afirmado en la Independencia, había menester de las máquinas, de los métodos y de las ideas de los europeos, de los occidentales.

III. El periodo del guano y del salitre

El capítulo de la evolución de la economía que se abre

21

con el descubrimiento de la riqueza del guano y del salitre y se cierra con su pérdida, explica totalmente una serie de fenómenos políticos de nuestro proceso histórico que una concepción anecdótica y retórica más bien que romántica de la historia peruana, se ha complacido tan superficialmente en desfigurar y contrahacer. Pero este rápido esquema de interpretación no se propone ilustrar ni enfocar esos fenómenos, sino fijar o definir algunos rasgos sustantivos de la formación de nuestra economía colonial. Consideremos sólo el hecho económico.

Empecemos por constatar que al guano y al salitre, sustancias humildes y groseras, les tocó jugar en la gesta de la República un rol que había parecido reservado al oro y a la plata en tiempos más caballerescos y menos positivistas. España nos quería y nos guardaba como país productor de guano y salitre. Pero este diferente gesto no acusaba, por supuesto, un móvil diverso. Lo que cambiaba no era el móvil; era la época. El oro del Perú perdía su poder de atracción en una época en que, en América, la vara del *pioneer* descubría el oro de California. En cambio el guano y el salitre —que para anteriores civilizaciones hubieran carecido de valor pero que para una civilización industrial adquirían un precio extraordinario— constituían una reserva casi exclusivamente nuestra. El industrialismo europeo u occidental —fenómeno en pleno desarrollo— necesitaba abastecerse de estas materias en el lejano litoral del sur del Pacífico. A la explotación de los dos productos no se oponía, de otro lado, como a la de otros productos peruanos, el estado rudimentario y primitivo de los transportes terrestres. Mientras que para extraer de las entrañas de los Andes el oro, la plata, el cobre, el carbón, se tenía que salvar ásperas montañas y enormes distancias, el salitre y el guano yacían en la costa casi al alcance de los barcos que venían a buscarlos.

La fácil explotación de este recurso natural dominó todas las otras manifestaciones de la vida económica del país. El guano y el salitre ocuparon un puesto desmesurado en la economía peruana. Sus rendimientos se convirtieron en la principal renta fiscal. El país se sintió rico. El Estado usó sin medida de su crédito. Vivió en el derroche, hipotecando su porvenir a la finanza inglesa.

Esta es a grandes rasgos toda la historia del guano y del salitre para el observador que se siente puramente economista. Lo demás, a primera vista, pertenece al historiador. Pero, en este caso, como en todos, el hecho económico es mucho más complejo y trascendental de lo que parece.

El guano y el salitre, ante todo, cumplieron la función de crear un activo tráfico con el mundo occidental en un periodo en que el Perú, mal situado geográficamente, no disponía de grandes medios de atraer a su suelo las corrientes colonizadoras y civilizadoras que fecundaban ya otros países de la América indoibera. Este tráfico colocó nuestra economía bajo el control del capital británico al cual, a consecuencia de las deudas contraídas con la garantía de ambos productos, debíamos entregar más tarde la administración de los ferrocarriles, esto es, de los resortes mismos de la explotación de nuestros recursos.

Las utilidades del guano y del salitre crearon en el Perú, donde la propiedad había conservado hasta entonces un carácter aristocrático y feudal, los primeros elementos sólidos de capital comercial y bancario. Los *profiteurs* directos e indirectos de las riquezas del litoral empezaron a constituir una clase capitalista. Se formó en el Perú una burguesía, confundida y enlazada en su origen y su estructura con la aristocracia, formada principalmente por los sucesores de los encomenderos y terratenientes de la Colonia, pero obligada por su función a adoptar los principios fundamentales de la economía y la política liberales. Con este fenómeno —al cual me refiero en varios pasajes de los estudios que componen este libro—, se relacionan las siguientes constataciones: "En los primeros tiempos de la Independencia, la lucha de facciones y jefes militares aparece como una consecuencia de la falta de una burguesía orgánica. En el Perú, la revolución hallaba menos definidos, más retrasados que en otros pueblos hispanoamericanos, los elementos de un orden liberal burgués. Para que este orden funcionase más o menos embrionariamente tenía que constituirse una clase capitalista vigorosa. Mientras esta clase se organizaba, el poder estaba a merced de los caudillos militares. El gobierno de Castilla marcó la etapa de solidificación de una clase capitalista. Las concesiones del Estado y los beneficios del guano y del salitre crearon un capitalismo y una burguesía. Y esta clase, que se organizó luego en el 'civilismo', se movió muy pronto a la conquista total del poder."

Otra faz de este capítulo de la historia económica de la República es la afirmación de la nueva economía como economía prevalentemente costeña. La búsqueda del oro y de la plata obligó a los españoles —contra su tendencia a instalarse en la costa— a mantener y ensanchar en la sierra sus puestos avanzados. La minería —actividad fundamantal del régimen económico implantado por España en el territorio sobre el cual prosperó antes una sociedad genuina y típicamente agraria— exigió que se estableciesen en la sierra las bases de la Colonia. El guano y el salitre vinieron a rectificar esta situación. Fortalecieron el poder de la costa. Estimularon la sedimentación del Perú nuevo en la tierra baja. Y acentuaron el dualismo y el conflicto que hasta ahora constituyen nuestro mayor problema histórico.

Este capítulo del guano y del salitre no se deja, por consiguiente, aislar del desenvolvimiento posterior de nuestra economía. Están ahí las raíces y los factores del capítulo que ha seguido. La guerra del Pacífico, consecuencia del guano y del salitre, no canceló las otras consecuencias del descubrimiento y la explotación de estos recursos, cuya pérdida nos reveló trágicamente el peligro de una prosperidad económica apoyada o cimentada casi exclusivamente sobre la posesión de una riqueza natural, expuesta a la codicia y al asalto de un imperialismo extranjero o a la decadencia de sus aplicaciones por efecto de las continuas mutaciones producidas en el campo industrial por los inventos de la ciencia. Caillaux nos habla, con evidente actualidad capitalista, de la inestabilidad económica e industrial que engendra el progreso científico.[3]

En el periodo dominado y caracterizado por el comercio del guano y del salitre, el proceso de la transformación de nuestra economía, de feudal en burguesa, recibió su primera enérgica propulsión. Es, a mi juicio, indiscutible que, si en vez de una mediocre metamorfosis de la antigua clase dominante se hubiese operado el advenimiento de una clase de savia y *élan* nuevos, ese proceso habría avanzado más orgánica y seguramente. La historia de nuestra posguerra lo demuestra. La derrota −que causó, con la pérdida de los territorios del salitre, un largo colapso de las fuerzas productoras− no trajo como una compensación, siquiera en este orden de cosas, una liquidación del pasado.

IV. Carácter de nuestra economía actual

El último capítulo de la evolución de la economía peruana es el de nuestra posguerra. Este capítulo empieza con un periodo de casi absoluto colapso de las fuerzas productoras.

La derrota no sólo significó para la economía nacional la pérdida de sus principales fuentes: el salitre y el guano. Significó, además, la paralización de las fuerzas productoras nacientes, la depresión general de la producción y del comercio, la depreciación de la moneda nacional, la ruina del crédito exterior. Desangrada, mutilada, la nación sufría una terrible anemia.

El poder volvió a caer, como después de la Independencia, en manos de los jefes militares, espiritual y orgánicamente inadecuados para dirigir un trabajo de reconstrucción económica. Pero, muy pronto, la capa capitalista formada en los tiempos del guano y del salitre, reasumió su función y regresó a su puesto. De suerte que la política de reorganización de la economía del país se acomodó totalmente a sus intereses de clase. La solución que se dio al problema monetario, por ejemplo, correspondió típicamente a un criterio de latifundistas o propietarios, indiferentes no sólo al interés del proletariado sino también al de la pequeña y media burguesía, únicas capas sociales a las cuales podía damnificar la súbita anulación del billete.

Esta medida y el contrato Grace fueron, sin duda, los actos más sustantivos y más característicos de una liquidación de las consecuencias económicas de la guerra, inspirada por los intereses y los conceptos de la plutocracia terrateniente.

El contrato Grace, que ratificó el predominio británico en el Perú, entregando los ferrocarriles del Estado a los banqueros ingleses que hasta entonces habían financiado la República y sus derroches, dio al mercado financiero de Londres las prendas y las garantías necesarias para nuevas inversiones en negocios peruanos. En la restauración del crédito del Estado no se obtuvieron los resultados inmediatos. Pero inversiones prudentes y seguras empezaron de nuevo a atraer al capital británico. La economía peruana, mediante el reconocimiento práctico de su condición de economía colonial, consiguió alguna ayuda para su convalecencia. La terminación del ferrocarril a La Oroya abrió al tránsito y al tráfico internacionales el departamento de Junín, permitiendo la explotación en vasta escala de su riqueza minera.

La política económica de Piérola se ajustó plenamente a los mismos intereses. El caudillo demócrata, que durante tanto tiempo agitara estruendosamente a las masas contra la plutocracia, se esmeró en hacer una administración "civilista". Su método tributario, su sistema fiscal, disipan todos los equívocos que pueden crear su fraseario y su metafísica. Lo que confirma el principio de que en el plano económico se percibe siempre con más claridad que en el político el sentido y el contorno de la política, de sus hombres y de sus hechos.

Las fases fundamentales de este capítulo en que nuestra economía, convaleciente de la crisis posbélica, se organiza lentamente sobre bases menos pingües, pero más sólidas que las del guano y del salitre, pueden ser concretadas esquemáticamente en los siguientes hechos:

1o. La aparición de la industria moderna. El establecimiento de fábricas, usinas, transportes, etcétera, que transforman, sobre todo, la vida de la costa. La formación de un proletariado industrial con creciente y natural tendencia a adoptar un ideario clasista, que siega una de las antiguas fuentes del proselitismo caudillista y cambia los términos de la lucha política.

2o. La función del capital financiero. El surgimiento de bancos nacionales que financian diversas empresas industriales y comerciales, pero que se mueven dentro de un ámbito estrecho, enfeudados a los intereses del capital extranjero y de la gran propiedad agraria; y el establecimiento de sucursales de bancos extranjeros que sirven los intereses de la finanza norteamericana e inglesa.

3o. El acortamiento de las distancias y el aumento del tráfico entre el Perú y Estados Unidos y Europa. A consecuencia de la apertura del Canal de Panamá que mejora notablemente nuestra posición geográfica, se acelera el proceso de incorporación del Perú en la civilización occidental.

4o. La gradual superación del poder británico por el poder norteamericano. El Canal de Panamá, más que a Europa, parece haber aproximado el Perú a Estados Unidos. La participación del capital norteamericano en la explotación del cobre y del petróleo peruanos, que se convierten en dos de nuestros mayores productos, proporciona una ancha y durable base al creciente predominio yanqui. La exportación a Inglaterra que en 1898 constituía el 56.7% de la exportación total, en 1923 no llegaba sino al 33.2%. En el mismo periodo la exportación a Estados Unidos subía del 9.5 al 39.7%. Y este movimiento se acentuaba más aún en la importación, pues mientras la de Estados Unidos en dicho periodo de veinticinco años pasaba del 10.0 al 38.9%, la de la Gran Bretaña bajaba del 44.7 al 19.6%.[4]

5o. El desenvolvimiento de una clase capitalista, dentro de la cual cesa de prevalecer como antes la antigua aristocracia. La propiedad agraria conserva su potencia; pero declina la de los apellidos virreinales. Se constata el robustecimiento de la burguesía.

6o. La ilusión del caucho. En los años de su apogeo el país cree haber encontrado El Dorado en la montaña, que adquiere temporalmente un valor extraordinario en la economía y, sobre todo, en la imaginación del país. Afluyen a la montaña muchos individuos de "la fuerte raza de los aventureros". Con la baja del caucho, tramonta esta ilusión bastante tropical en su origen y en sus características.[5]

7o. Las sobreutilidades del periodo europeo. El alza de los productos peruanos causa un rápido crecimiento de la fortuna privada nacional. Se opera un reforzamiento de la hegemonía de la costa en la economía peruana.

8o. La política de los empréstitos. El restablecimiento del crédito peruano en el extranjero ha conducido nuevamente al Estado a recurrir a los préstamos para la ejecución de su programa de obras públicas.[6] También en esta función, Norteamérica ha remplazado a la Gran Bretaña. Pletórico de oro, el mercado de Nueva York es el que ofrece las mejores condiciones. Los banqueros yanquis estudian directamente las posibilidades de colocación de capital en préstamos a los Estados latinoamericanos. Y cuidan, por supuesto, de que sean invertidos con beneficio para la industria y el comercio norteamericanos.

Me parece que éstos son los principales aspectos de la evolución económica del Perú en el periodo que comienza con nuestra posguerra. No cabe en esta serie de sumarios apuntes un examen prolijo de las anteriores comprobaciones o proposiciones. Me he propuesto solamente la definición esquemática de algunos rasgos esenciales de la formación y el desarrollo de la economía peruana.

Apuntaré una constatación final: la de que en el Perú actual coexisten elementos de tres economías diferentes. Bajo el régimen de economía feudal nacido de la Conquista subsisten en la sierra algunos residuos vivos todavía de la economía comunista indígena. En la costa, sobre un suelo feudal, crece una economía burguesa que, por lo menos en su desarrollo mental, da la impresión de una economía retardada.

V. Economía agraria y latifundismo feudal

El Perú mantiene, no obstante el incremento de la minería, su carácter de país agrícola. El cultivo de la tierra ocupa a la gran mayoría de la población nacional. El indio, que representa las cuatro quintas partes de ésta, es tradicional y habitualmente agricultor. Desde 1925, a consecuencia del descenso de los precios del azúcar y el algodón y de la disminución de las cosechas, las exportaciones de la minería han sobrepasado largamente a las de la agricultura. La exportación de petróleo y sus derivados, en rápido ascenso, influye poderosamente en este suceso. (De Lp. 1 387 778 en 1916 se ha elevado a Lp. 7 421 128 en 1926.) Pero la producción agropecuaria no está representada sino en una parte por los productos exportados: algodón, azúcar y derivados, lanas, cueros, gomas. La agricultura y ganadería nacionales proveen al consumo nacional, mientras los productos mineros son casi íntegramente exportados. Las importaciones de sustancias alimenticias y bebidas alcanzaron en 1925 a Lp.4 148 311.El más grueso renglón de estas importaciones, corresponde al trigo, que se produce en el país en cantidad muy insuficiente aún. No existe estadística completa de la producción y el consumo nacionales. Calculando un consumo diario de 50 centavos de sol por habitante en productos agrícolas y pecuarios del país se obtendrá un total de más de Lp. 84 000 000 sobre la población de 4 609 999 que arroja el cómputo de 1896. Si se supone una población de 5 000 000 de habitantes, el valor del consumo nacional sube a Lp. 91 250 000. Estas cifras atribuyen una enorme primacía a la producción agropecuaria en la economía del país.

La minería, de otra parte, ocupa a un número reducido aún de trabajadores. Conforme al *Extracto Estadístico,* en 1926 trabajaban en esta industria 28 592 obreros. La industria manufacturera emplea también un contingente modestos de brazos.[7] Sólo las haciendas de caña de azúcar ocupaban en 1926 en sus faenas de campo 22 367 hombres y 1 173 mujeres. Las haciendas de algodón de la costa, en la campaña de 1922-1923, la última a que alcanza la estadística publicada, se sirvieron de 40 557 braceros; y las haciendas de arroz, en la campaña 1924-1925, de 11 332.

La mayor parte de los productos agrícolas y ganaderos que se consumen en el país proceden de los valles y planicies de la sierra. En las haciendas de la costa, los cultivos alimenticios están por debajo del mínimo obligatorio que señala una ley expedida en el periodo en que el alza del algodón y el azúcar incitó a los terratenientes a suprimir casi totalmente aquellos cultivos, con grave efecto en el encarecimiento de las subsistencias.

La clase terrateniente no ha logrado transformarse en una burguesía capitalista, patrona de la economía nacional.[8] La minería, el comercio, los transportes, se encuentran en manos del capital extranjero. Los latifundistas se han contentado con servir de intermediarios a éste, en la producción de algodón y azúcar. Este sistema económico ha mantenido en la agricultura una organización semifeudal que constituye el más pesado lastre del desarrollo del país.

La supervivencia de la feudalidad en la costa se traduce en la languidez y pobreza de su vida urbana. El número de burgos y ciudades de la costa es insignificante. Y la aldea propiamente dicha no existe casi sino en los pocos retazos de tierra donde la campiña enciende todavía la alegría de sus parcelas en medio del agro feudalizado.

En Europa, la aldea desciende del feudo disuelto.[9] En la costa peruana la aldea no existe casi, porque el feudo, más o menos intacto, subsiste todavía. La hacienda —con su casa más o menos clásica, la ranchería generalmente miserable, y el ingenio y sus colcas— es el tipo dominante de agrupación rural. Todos los puntos de un itinerario están señalados por nombres de haciendas. La ausencia de la aldea, la rareza del burgo, prolonga el desierto dentro del valle, en la tierra cultivada y productiva.

Las ciudades, conforme a una ley de geografía económica, se forman regularmente en los valles, en el punto donde se entrecruzan sus caminos. En la costa peruana, valles ricos y extensos, que ocupan un lugar conspicuo en la estadística de la producción nacional, no han dado vida hasta ahora a una ciudad. Apenas si en sus cruceros o sus estaciones, medra a veces un burgo, un pueblo estagnado, palúdico, maciento, sin salud rural y sin traje urbano. Y, en algunos casos, como en el del valle de Chicama, el latifundio ha empezado a sofocar a la ciudad. La negociación capitalista se torna más hostil a los fueros de la ciudad que el castillo o el dominio feudal. Le disputa su comercio, la despoja de su función.

Dentro de la feudalidad europea los elementos de crecimiento, los factores de la vida del burgo, eran, a pesar de la economía rural, mucho mayores que dentro de la semifeudalidad criolla. El campo necesitaba de los servicios del burgo, por clausurado que se mantuviese. Disponía, sobre todo, de un remanente de productos de la tierra que tenía que ofrecerle. Mientras tanto, la hacienda costeña produce algodón o caña para mercados lejanos. Asegurado el transporte de estos productos, su comunicación con la vecindad no le interesa, sino secundariamente. El cultivo de frutos alimenticios, cuando no ha sido totalmente extinguido por el cultivo del algodón o la caña, tiene por

31

objeto abastecer al consumo de la hacienda. El burgo, en muchos valles, no recibe nada del campo ni posee nada en el campo. Vive, por esto, en la miseria, de uno que otro oficio urbano, de los hombres que suministra al trabajo de las haciendas, de su fatiga triste de estación por donde pasan anualmente muchos miles de toneladas de frutos de la tierra. Una porción de campiña, con sus hombres libres, con su comunidad hacendosa, es un raro oasis en una sucesión de feudos deformados, con máquinas y rieles, sin los timbres de la tradición señorial.

La hacienda, en gran número de casos, cierra completamente sus puertas a todo comercio con el exterior: los "tambos" tienen la exclusiva del aprovisionamiento de su población. Esta práctica que, por una parte, acusa el hábito de tratar al peón como una cosa y no como una persona, por otra parte, impide que los pueblos tengan la función que garantizaría su subsistencia y desarrollo, dentro de la economía rural de los valles. La hacienda, acaparando con la tierra las industrias anexas, el comercio y los transportes, priva de medios de vida al burgo, lo condena a una existencia sórdida y exigua.

Las industrias y el comercio de las ciudades están sujetos a un contralor, reglamentos, contribuciones municipales. La vida y los servicios comunales se alimentan de su actividad. El latifundio, en tanto, escapa a estas reglas y tasas. Puede hacer a la industria y comercio urbanos una competencia desleal. Está en actitud de arruinarlos.

El argumento favorito de los abogados de la gran propiedad es el de la imposibilidad de crear, sin ella, grandes centros de producción. La agricultura moderna —se arguye— requiere costosas maquinarias, ingentes inversiones, administración experta. La pequeña propiedad no se concilia con estas necesidades. Las exportaciones de azúcar y algodón establecen el equilibrio de nuestra balanza .comercial.

Mas los cultivos, los "ingenios" y las exportaciones de que se enorgullecen los latifundistas, están muy lejos de constituir su propia obra. La producción de algodón y azúcar ha prosperado al impulso de créditos obtenidos con este objeto, sobre la base de tierras apropiadas y mano de obra barata. La organización financiera de estos cultivos, cuyo desarrollo y cuyas utilidades están regidas por el mercado mundial, no es un resultado de la previsión ni la cooperación de los latifundistas. La gran propiedad no ha hecho sino adaptarse al impulso que le ha venido de fuera. El capitalismo extranjero, en su perenne búsqueda de tierras, brazos y mercados, ha financiado y dirigido el trabajo de los propietarios, prestándoles dinero con la garantía de sus productos y de sus tierras. Ya muchas propiedades cargadas de hipotecas han empezado a pasar a la administración directa de las firmas exportadoras.

La experiencia más vasta y típica de la capacidad de los terratenientes del país, nos la ofrece el departamento de La Libertad. Las grandes haciendas de sus valles se encontraban en manos de su aristocracia latifundista. El balance de largos años de desarrollo capitalista se resume en los hechos notorios: la concentración de la industria azucarera de la región en dos grandes centrales, la de Cartavio y la de Casa Grande, extranjeras ambas; la absorción de las negociaciones nacionales por estas dos empresas, particularmente por la segunda; el acaparamiento del propio comercio de importación por esta misma empresa; la decadencia comercial de la ciudad de Trujillo y la liquidación de la mayor parte de sus firmas importadoras.[10]

Los sistemas provinciales, los hábitos feudales de los antiguos grandes propietarios de La Libertad no han podido resistir a la expansión de las empresas capitalistas extranjeras. Estas no deben su éxito exclusivamente a sus capitales: lo deben también a su técnica, a sus métodos, a su disciplina. Lo deben a su voluntad de potencia. Lo deben, en general, a todo aquello que ha faltado a los propietaros locales, algunos de los cuales habrían podido hacer lo mismo que la empresa alemana ha hecho si hubiesen tenido condiciones de capitanes de industrias.

33

Pesan sobre el propietario criollo la herencia y educación españolas, que le impiden percibir y entender netamente todo lo que distingue al capitalismo de la feudalidad. Los elementos morales, políticos, psicológicos del capitalismo no parecen haber encontrado aquí su clima.[11] El capitalista, o mejor el propietario, criollo, tiene el concepto de la renta antes que el de la producción. El sentimiento de aventura, el ímpetu de creación, el poder organizador, que caracterizan al capitalista auténtico, son entre nosotros casi desconocidos.

La concentración capitalista ha estado precedida por una etapa de libre concurrencia. La gran propiedad moderna no surge, por consiguiente, de la gran propiedad feudal, como los terratenientes criollos se imaginan probablemente. Todo lo contrario, para que la gran propiedad moderna surgiese, fue necesario el fraccionamiento, la disolución de la gran propiedad feudal. El capitalismo es un fenómeno urbano: tiene el espíritu del burgo industrial, manufacturero, mercantil. Por esto, uno de sus primeros actos fue la liberación de la tierra, la destrucción del feudo. El desarrollo de la ciudad necesitaba nutrirse de la actividad libre del campesino.

En el Perú, contra el sentido de la emancipación republicana, se ha encargado al espíritu del feudo —antítesis y negación del espíritu del burgo— la creación de una economía capitalista.

EL PROBLEMA DEL INDIO

Su nuevo planteamiento

Todas las tesis sobre el problema indígena, que ignoran o eluden a éste como problema económico-social, son otros tantos estériles ejercicios teoréticos —y a veces sólo verbales—, condenados a un absoluto descrédito. No las salva a algunas su buena fe. Prácticamente todas no han servido sino para ocultar o desfigurar la realidad del problema. La crítica socialista lo descubre y esclarece, porque busca sus causas en la economía del país y no en su mecanismo administrativo, jurídico o eclesiástico, ni en su dualidad o pluralidad de razas, ni en sus condiciones culturales y morales. La cuestión indígena arranca de nuestra economía. Tiene sus raíces en el régimen de propiedad de la tierra. Cualquier intento de resolverla con medidas de administración o policía, con métodos de enseñanza con obras de vialidad, constituye un trabajo superficial o adjetivo, mientras subsista la feudalidad de los "gamonales".[1]

El "gamonalismo" invalida inevitablemente toda ley u ordenanza de protección indígena. El hacendado, el latifundista, es un señor feudal. Contra su autoridad, sufragada por el ambiente y el hábito, es impotente la ley escrita. El trabajo gratuito está prohibido por la ley y, sin embargo, el trabajo gratuito, y aun el trabajo forzado, sobreviven en el latifundio. El juez, el subprefecto, el comisario, el maestro, el recaudador, están enfeudados a la gran propiedad. La ley no puede prevalecer contra los gamonales. El funcionario que se obstinase en imponerla sería abandonado y sacrificado por el poder central, cerca del cual son siempre omnipotentes las influencias del gamonalismo, que actúan directamente o a través del parlamento, por una y otra vía con la misma eficacia.

El nuevo examen del problema indígena, por esto, se preocupa mucho menos de los lineamientos de una legislación tutelar que de las consecuencias del régimen de propiedad agraria. El estudio del doctor José A. Encinas (*Contribución a una legislación tutelar indígena*) inicia en 1918 esta tendencia, que de entonces a hoy no ha cesado de acentuarse.[2] Pero, por el carácter mismo de su trabajo, el doctor Encinas no podía formular en él un programa económico-social. Sus proposiciones dirigidas a la tutela de la propiedad, tenían que limitarse a este objetivo jurídico. Esbozando las bases del *Home Stead* indígena, el doctor Encinas recomienda la distribución de tierras del Estado y de la Iglesia. No menciona absolutamente la expropiación de los gamonales latifundistas. Pero su tesis se distingue por una reiterada acusación de los efectos del latifundismo, que sale inapelablemente condenado de esta requisitoria,[3] que en cierto modo preludia la actual crítica económico-social de la cuestión del indio.

Esta crítica repudia y descalifica las diversas tesis que consideran la cuestión como uno u otro de los siguientes criterios unilaterales y exclusivos: administrativo, jurídico, étnico, moral, educacional, eclesiástico.

La derrota más antigua y evidente es, sin duda, la de los que reducen la protección de los indígenas a un asunto de ordinaria administración. Desde los tiempos de la legislación colonial española, las ordenanzas sabias y prolijas, elaboradas después de concienzudas encuestas, se revelan totalmente infructuosas. La fecundidad de la República, desde las jornadas de la Independencia, en decretos, leyes y providencias encaminadas a amparar a los indios contra la exacción y el abuso, no es de las menos considerables. El gamonal de hoy, como el "encomendero" de ayer, tiene sin embargo muy poco que temer de la teoría administrativa. Sabe que la práctica es distinta.

El carácter individualista de la legislación de la República ha favorecido, incuestionablemente, la absorción de la propiedad indígena por el latifundismo. La situación del indio, a este respecto, estaba contemplada con mayor realismo por la legislación española. Pero la reforma jurídica no tiene más valor práctico que la reforma administrativa, frente a un feudalismo intacto en su estructura económica. La apropiación de la mayor parte de la propiedad comunal e individual indígena está ya cumplida. La experiencia de todos los países que han salido de su evo-feudal nos demuestra, por otra parte, que sin la disolución del feudo no ha podido funcionar, en ninguna parte, un derecho liberal.

La suposición de que el problema indígena es un problema étnico se nutre del más envejecido repertorio de ideas imperialistas. El concepto de las razas inferiores sirvió al Occidente blanco para su obra de expansión y conquista. Esperar la emancipación indígena de un activo cruzamiento de la raza aborigen con inmigrantes blancos, es una ingenuidad antisociológica, concebible sólo en la mente rudimentaria de un importador de carneros merinos. Los pueblos asiáticos, a los cuales no es inferior en un ápice el pueblo indio, han asimilado admirablemente la cultura occidental, en lo que tiene de más dinámico y creador, sin transfusiones de sangre europea, La degeneración del indio peruano es una barata invención de los leguleyos de la mesa feudal.

La tendencia a considerar el problema indígena como un problema moral, encarna una concepción liberal, humanitaria, ochocentista, iluminista, que en el orden político de Occidente anima y motiva las ligas de los Derechos del Hombre. Las conferencias y sociedades antiesclavistas, que en Europa han denunciado más o menos infructuosamente los crímenes de los colonizadores, nacen de esta tendencia, que ha confiado siempre con exceso en sus llamamientos al sentido moral de la civilización. González Prada no se encontraba exento de su esperanza cuando escribía que la "condición del indígena puede mejorar de dos maneras: o el corazón de los opresores se conduele al extremo de reconocer el derecho de los oprimidos, o el ánimo de los oprimidos adquiere la virilidad suficiente para escarmentar a los opresores".[4] La

Asociación Pro-Indígena (1909-1917) representó, ante todo, la misma esperanza, aunque su verdadera eficacia estuviera en los fines concretos e inmediatos de defensa del indio que le asignaron sus directores, orientación que debe mucho, seguramente, al idealismo práctico, característicamente sajón, de Dora Mayer.[5] El experimento está ampliamente cumplido, en el Perú y en el mundo. La prédica humanitaria no ha detenido ni embarazado en Europa el imperialismo ni ha bonificado sus métodos. La lucha contra el imperialismo no confía ya sino en la solidaridad y en la fuerza de los movimientos de emancipación de las masas coloniales. Este concepto preside en la Europa contemporánea una acción antimperialista, a la cual se adhieren espíritus liberales como Albert Einstein y Romain Rolland, y que por tanto no puede ser considerada de exclusivo carácter socialista.

En el terreno de la razón y la moral, se situaba hace siglos, con mayor energía, o al menos mayor autoridad, la acción religiosa. Esta cruzada no obtuvo, sin embargo, sino leyes y providencias muy sabiamente inspiradas. La suerte de los indios no varió sustancialmente. González Prada, que como sabemos no consideraba estas cosas con criterio propio o sectariamente socialista, busca la explicación de este fracaso en la entraña económica de la cuestión: "No podía suceder de otro modo: oficialmente se ordenaba la explotación; se pretendía que humanamente se cometieran iniquidades o equitativamente se consumaran injusticias. Para extirpar los abusos, habría sido necesario abolir los repartimientos y las mitas, en dos palabras, cambiar todo el régimen colonial. Sin las faenas del indio americano se habrían vaciado las arcas del tesoro español."[6] Más evidentes posibilidades de éxito que la prédica liberal tenía, con todo, la prédica religiosa. Esta apelaba al exaltado y operante catolicismo español mientras aquélla intentaba hacerse escuchar del exiguo y formal liberalismo criollo.

Pero hoy la esperanza en una solución eclesiástica es indiscutiblemente la más rezagada y antihistórica de todas. Quienes la representan no se preocupan siquiera, como sus distantes —¡tan distantes!— maestros, de obtener una nueva declaración de los derechos del indio, con adecuadas autoridades y ordenanzas, sino de encargar al misionero la función de mediar entre el indio y el gamonal.[7] La obra que la Iglesia no pudo realizar en un orden medieval, cuando su capacidad espiritual e intelectual podía medirse por frailes como el padre de Las Casas, ¿con qué elementos contaría para prosperar ahora? Las misiones adventistas, bajo este aspecto, han ganado la delantera al clero católico, cuyos claustros convocan cada día menor suma de vocaciones de evangelización.

El concepto de que el problema del indio es un problema de educación no aparece sufragado ni aun por un criterio estricta y autónomamente pedagógico. La pedagogía tiene hoy más en cuenta que nunca los factores sociales y económicos. El pedagogo moderno sabe perfectamente que la educación no es una mera cuestión de escuela y métodos didácticos. El medio económico social condiciona inexorablemente la labor del maestro. El gamonalismo es fundamentalmente adverso a la educación del indio: su subsistencia tiene en el mantenimiento de la ignorancia del indio el mismo interés que en el cultivo de su alcoholismo.[8] La escuela moderna —en el supuesto de que, dentro de las circunstancias vigentes, fuera posible multiplicarla en proporción a la población escolar campesina— es incompatible con el latifundio feudal. La mecánica de la servidumbre anularía totalmente la acción de la escuela, si esta misma, por un milagro inconcebible dentro de la realidad social, consiguiera conservar, en la atmósfera del feudo, su pura misión pedagógica. La más eficiente y grandiosa enseñanza normal no podría operar estos milagros. La escuela y el maestro están irremisiblemente condenados a desnaturalizarse bajo la presión del ambiente feudal, inconciliable con la más elemental concepción progresista o evolucionista de las cosas. Cuando se comprende a medias esta verdad, se descubre la fórmula salvadora en los internados indígenas. Mas la insuficiencia clamorosa de esta fórmula se muestra en toda su evidencia, apenas se reflexiona en el insignificante porcentaje de la población escolar indígena que resulta posible alojar en estas escuelas.

La solución pedagógica, propugnada por muchos con perfecta buena fe, está ya hasta oficialmente descartada. Los educacionistas son, repito, los que menos pueden pensar en independizarla de la realidad económico-social. No existe, pues, en la actualidad, sino como una sugestión vaga e informe, de la que ningún cuerpo y ninguna doctrina se hace responsable.

El nuevo planteamiento consiste en buscar el problema indígena en el problema de la tierra.

Sumaria revisión histórica*

La población del Imperio incaico, conforme a cálculos prudentes, no era menor de diez millones. Hay quienes la hacen subir a doce y aun a quince millones. La Conquista fue, ante todo, una tremenda carnicería. Los conquistadores españoles, por su escaso número, no podían imponer su dominio sino aterrorizando a la población indígena, en la cual produjeron una impresión supersticiosa las armas y los caballos de los invasores, mirados como seres sobrenaturales. La organización política y económica de la Colonia, que siguió a la Conquista, no puso

---

* Esta "Sumaria revisión histórica" fue escrita por J. C. M. a pedido de la agencia Tass de Nueva York, traducida y publicada en la revista *The Nation* (vol. 128, 16 de enero de 1929, con el título "The New Peru". Reproducida en *Labor* (año I, n. 1, 1928) con el título "Sobre el problema indígena. Sumaria revisión histórica", fue precedida por una nota de redacción, escrita por el autor, en la que señala que estos apuntes "complementan en cierta forma el capítulo sobre el problema del indio de *Siete ensayos de interpretación de la realidad peruana*". Por este motivo fue agregado al presente ensayo, por los herederos del autor a partir de la 2a. edición de esta obra.

término al exterminio de la raza indígena. El virreinato estableció un régimen de brutal explotación. La codicia de los metales preciosos orientó la actividad económica española hacia la explotación de las minas que, bajo los incas, habían sido trabajadas en muy modesta escala, en razón de no tener el oro y la plata sino aplicaciones ornamentales y de ignorar los indios, que componían un pueblo esencialmente agrícola, el empleo del hierro. Establecieron los españoles, para la explotación de las minas y los "obrajes", un sistema abrumador de trabajos forzados y gratuitos, que diezmó la población aborigen. Esta no quedó así reducida sólo a un estado de servidumbre —como habría acontecido si los españoles se hubiesen limitado a la explotación de las tierras conservando el carácter agrario del país— sino, en gran parte, a un estado de esclavitud. No faltaron voces humanitarias y civilizadoras que asumieron ante el rey de España la defensa de los indios. El padre de Las Casas sobresalió eficazmente en esta defensa. Las Leyes de Indias se inspiraron en propósitos de protección de los indios, reconociendo su organización típica en "comunidades". Pero, prácticamente, los indios continuaron a merced de una feudalidad despiadada que destruyó la sociedad y la economía incaicas, sin sustituirlas con un orden capaz de organizar progresivamente la producción. La tendencia de los españoles a establecerse en la costa ahuyentó de esta región a los aborígenes a tal punto que se carecía de brazos para el trabajo. El virreinato quiso resolver este problema mediante la importación de esclavos negros, gente que resultó adecuada al clima y las fatigas de los valles o llanos cálidos de la costa, e inoperante, en cambio, para el trabajo de las minas, situadas en la sierra fría. El esclavo negro reforzó la dominación española que, a pesar de la despoblación indígena, se habría sentido de otro modo demográficamente demasiado débil frente al indio, aunque sometido, hostil y enemigo. El negro fue dedicado al servicio doméstico y a los oficios. El blanco se mezcló fácilmente con el negro, produciendo este mestizaje uno de los

41

tipos de población costeña con características de mayor adhesión a lo español y mayor resistencia a lo indígena.

La revolución de la Independencia no constituyó, como se sabe, un movimiento indígena. La promovieron y usufructuaron los criollos y aun los españoles de las colonias. Pero aprovechó el apoyo de la masa indígena. Y, además, algunos indios ilustrados como Pumacahua, tuvieron en su gestación parte importante. El programa liberal de la revolución comprendía lógicamente la redención del indio, consecuencia automática de la aplicación de sus postulados igualitarios. Y, así, entre los primeros actos de la República, se contaron varias leyes y decretos favorables a los indios. Se ordenó el reparto de tierras, la abolición de los trabajos gratuitos, etcétera, pero no representando la revolución en el Perú el advenimiento de una nueva clase dirigente, todas estas disposiciones quedaron sólo escritas, faltas de gobernantes capaces de actuarlas. La aristocracia latifundista de la Colonia, dueña del poder, conservó intactos sus derechos feudales sobre la tierra y, por consiguiente, sobre el indio. Todas las disposiciones aparentemente enderezadas a protegerla, no han podido nada contra la feudalidad subsistente hasta hoy.

El virreinato aparece menos culpable que la República. Al virreinato le corresponde, originalmente, toda la responsabilidad de la miseria y la depresión de los indios. Pero, en ese tiempo inquisitorial, una gran voz cristiana, la de fray Bartolomé de Las Casas, defendió vibrantemente a los indios contra los métodos brutales de los colonizadores. No ha habido en la República un defensor tan eficaz y tan porfiado de la raza aborigen.

Mientras el virreinato era un régimen medieval y extranjero, la República es formalmente un régimen peruano y liberal. Tiene, por consiguiente, la República deberes que no tenía el virreinato. A la República le tocaba elevar la condición del indio. Y contrariando este deber, la República ha pauperizado al indio, ha agravado su depresión y ha exasperado su miseria. La República ha significado para los indios la ascensión de una nueva clase dominante que se ha apropiado sistemáticamente de sus tierras. En una raza de costumbre y de alma agrarias, como la raza indígena, este despojo ha constituido una causa de disolución material y moral. La tierra ha sido siempre toda la alegría del indio. El indio ha desposado la tierra. Siente que "la vida viene de la tierra" y vuelve a la tierra. Por ende, el indio puede ser indiferente a todo, menos a la posesión de la tierra que sus manos y su aliento labran y fecundan religiosamente. La feudalidad criolla se ha comportado, a este respecto, más ávida y más duramente que la feudalidad española. En general, en el "encomendero" español había frecuentemente algunos hábitos nobles de señorío. El "encomendero" criollo tiene todos los defectos del plebeyo y ninguna de las virtudes del hidalgo. La servidumbre del indio, en suma, no ha disminuido bajo la República. Todas las revueltas, todas las tempestades del indio, han sido ahogadas en sangre. A las reivindicaciones desesperadas del indio les ha sido dada siempre una respuesta marcial. El silencio de la puna ha guardado luego el trágico secreto de estas respuestas. La República ha restaurado, en fin, bajo el título de conscripción vial, el régimen de las "mitas"

La República, además, es responsable de haber aletargado y debilitado las energías de la raza. La causa de la redención del indio se convirtió, bajo la República, en una especulación demagógica de algunos caudillos. Los partidos criollos la inscribieron en su programa. Disminuyeron así en los indios la voluntad de luchar por sus reivindicaciones.

En la sierra, la región habitada principalmente por los indios, subsiste, apenas modificada en sus lineamientos, la más bárbara y omnipotente feudalidad. El dominio de la tierra coloca en manos de los gamonales la suerte de la raza indígena, caída en un grado extremo de depresión y de ignorancia. Además de la agricultura, trabajada muy primitivamente, la sierra peruana presenta otra actividad económica: la minería, casi totalmente en manos de dos grandes empresas norteamericanas. En las minas rige el salariado; pero la paga es ínfima, la defensa de la vida del obrero casi nula, la ley de accidentes de trabajo burlada. El sistema del "enganche", que por medio de anticipos falaces esclaviza al obrero, coloca a los indios a merced de estas empresas capitalistas. Es tanta la miseria a que los condena la feudalidad agraria, que los indios encuentran preferible, con todo, la suerte que les ofrecen las minas.

La propagación en el Perú de las ideas socialistas ha traído como consecuencia un fuerte movimiento de reivindicación indígena. La nueva generación peruana siente y sabe que el progreso del Perú será ficticio o por lo menos no será peruano, mientras no constituya la obra y no signifique el bienestar de la masa peruana que en sus cuatro quintas partes es indígena y campesina. Este mismo movimiento se manifiesta en el arte y en la literatura nacionales en los cuales se nota una creciente revalorización de las formas y asuntos autóctonos, antes despreciados por el predominio de un espíritu y una mentalidad coloniales españoles. La literatura indigenista parece destinada a cumplir la misma función que la literatura "mujikista" en el periodo prerrevolucionario ruso. Los propios indios empiezan a dar señales de una nueva conciencia. Crece día a día la articulación entre los diversos núcleos indígenas antes incomunicados por las enormes distancias. Inició esta vinculación la reunión periódica de congresos indígenas, patrocinada por el gobierno, pero como el carácter de sus reivindicaciones se hizo pronto revolucionario, fue desnaturalizada luego con la exclusión de los elementos avanzados y a la leva de representaciones apócrifas. La corriente indigenista presiona ya la acción oficial. Por primera vez el gobierno se ha visto obligado a aceptar y proclamar puntos de vista indigenistas, dictando algunas medidas que no tocan los intereses del gamonalismo y que resultan por esto ineficaces. Por primera vez también el problema indígena, escamoteado antes por la retórica de las clases dirigentes, es planteado en sus términos sociales y económicos, identificándosele ante todo con el problema de la tierra. Cada día se impone, con más evidencia, la convicción de que este problema no puede encontrar su solución en una fórmula humanitaria. No puede ser la consecuencia de un movimiento filantrópico. Los patronatos de caciques y de rábulas son una befa. Las ligas del tipo de la extinguida Asociación Pro-Indígena son una voz que clama en el desierto. La Asociación Pro-Indígena no llegó en su tiempo a convertirse en un movimiento. Su acción se redujo gradualmente a la acción generosa, abnegada, nobilísima, personal de Pedro S. Zulen y Dora Mayer. Como experimento, el de la Asociación Pro-Indígena sirvió para contrastar, para medir, la insensibilidad moral de una generación y de una época.

La solución del problema del indio tiene que ser una solución social. Sus realizadores deben ser los propios indios. Este concepto conduce a ver en la reunión de los congresos indígenas un hecho histórico. Los congresos indígenas, desvirtuados en los últimos años por el burocratismo, no representaban todavía un programa; pero sus primeras reuniones señalaron una ruta comunicando a los indios de las diversas regiones. A los indios les falta vinculación nacional. Sus protestas han sido siempre regionales. Esto ha contribuido, en gran parte, a su abatimiento. Un pueblo de cuatro millones de hombres, consciente de su número, no desespera nunca de su porvenir. Los mismos cuatro millones de hombres, mientras no sean sino una masa inorgánica, una muchedumbre dispersa, son incapaces de decidir su rumbo histórico.

EL PROBLEMA DE LA TIERRA

El problema agrario y el problema del indio

Quienes desde puntos de vista socialistas estudiamos y definimos el problema del indio, empezamos por declarar absolutamente superados los puntos de vista humanitarios o filantrópicos, en que, como una prolongación de la apostólica batalla del padre de Las Casas, se apoyaba la antigua campaña pro-indígena. Nuestro primer esfuerzo tiende a establecer su carácter de problema fundamentalmente económico. Insurgimos primeramente, contra la tendencia instintiva —y defensiva— del criollo o "misti", a reducirlo a un problema exclusivamente administrativo, pedagógico, étnico o moral, para escapar a toda costa del plano de la economía. Por esto, el más absurdo de los reproches que se nos pueden dirigir es el de lirismo o literaturismo. Colocando en primer plano el problema económico-social, asumimos la actitud menos lírica y menos literaria posible. No nos contentamos con reivindicar el derecho del indio a la educación, a la cultura, al progreso, al amor y al cielo. Comenzamos por reivindicar, categóricamente, su derecho a la tierra. Esta reivindicación perfectamente materialista debería bastar para que no se nos confundiese con los herederos o repetidores del verbo evangélico del gran fraile español, a quien, de otra parte, tanto materialismo no nos impide admirar y estimar fervorosamente.

Y este problema de la tierra —cuya solidaridad con el problema del indio es demasiado evidente— tampoco nos avenimos a atenuarlo o adelgazarlo oportunamente. Todo lo contrario. Por mi parte, yo trato de plantearlo en términos absolutamente inequívocos y netos.

El problema agrario se presenta, ante todo, como el

problema de la liquidación de la feudalidad en el Perú. Esta liquidación debía haber sido realizada ya por el régimen demoburgués formalmente establecido por la revolución de la Independencia. Pero en el Perú no hemos tenido, en cien años de república, una verdadera clase burguesa, una verdadera clase capitalista. La antigua clase feudal —camuflada o disfrazada de burguesía republicana— ha conservado sus posiciones. La política de desamortización de la propiedad agraria iniciada por la revolución de la Independencia —como una consecuencia lógica de su ideología—, no condujo al desenvolvimiento de la pequeña propiedad. La vieja clase terrateniente no había perdido su predominio. La supervivencia de un régimen de latifundistas produjo, en la práctica, el mantenimiento del latifundio. Sabido es que la desamortización atacó más bien a la comunidad. Y el hecho es que, durante un siglo de república, la gran propiedad agraria se ha reforzado y engrandecido a despecho del liberalismo teórico de nuestra Constitución y de las necesidades prácticas del desarrollo de nuestra economía capitalista.

Las expresiones de la feudalidad sobreviviente son dos: latifundio y servidumbre. Expresiones solidarias y consustanciales, cuyo análisis nos conduce a la conclusión de que no se puede liquidar la servidumbre, que pesa sobre la raza indígena, sin liquidar el latifundio.

Planteado así el problema agrario del Perú, no se presta a deformaciones equívocas. Aparece en toda su magnitud de problema económico-social —y por tanto político— del dominio de los hombres que actúan en este plano de hechos e ideas. Y resulta vano todo empeño de convertirlo, por ejemplo, en un problema técnico-agrícola del dominio de los agrónomos.

Nadie ignora que la solución liberal de este problema sería, conforme a la ideología individualista, el fraccionamiento de los latifundios para crear la pequeña propiedad. Es tan desmesurado el desconocimiento, que se constata a cada paso, entre nosotros, de los principios

47

elementales del socialismo, que no será nunca obvio ni ocioso insistir en que esta fórmula —fraccionamiento de los latifundios en favor de la pequeña propiedad— no es utopista, ni herética, ni revolucionaria, ni bolchevique, ni vanguardista, sino ortodoxa, constitucional, democrática, capitalista y burguesa. Y que tiene su origen en el ideario liberal en que se inspiran los estatutos constitucionales de todos los Estados demoburgueses. Y que en los países de la Europa central y oriental —donde la crisis bélica trajo por tierra las últimas murallas de la feudalidad, con el consenso del capitalismo de Occidente que desde entonces opone precisamente a Rusia este bloque de países antibolcheviques— en Checoslovaquia, Rumania, Polonia, Bulgaria, etcétera, se ha sancionado leyes agrarias que limitan, en principio, la propiedad de la tierra, al máximo de 500 hectáreas.

Congruentemente con mi posición ideológica, yo pienso que la hora de ensayar en el Perú el método liberal, la fórmula individualista, ha pasado ya. Dejando aparte las razones doctrinales, considero fundamentalmente este factor incontestable y concreto que da un carácter peculiar a nuestro problema agrario: la supervivencia de la comunidad, y de elementos de socialismo práctico en la agricultura y la vida indígenas.

Pero quienes se mantienen dentro de la doctrina demoliberal —si buscan de veras una solución al problema del indio, que redima a éste, ante todo, de su servidumbre— pueden dirigir la mirada a la experiencia checa o rumana, dado que la mexicana, por su inspiración y su proceso, les parece un ejemplo peligroso. Para ellos es aún tiempo de propugnar la fórmula liberal. Si lo hicieran, lograrían, al menos, que en el debate del problema agrario provocado por la nueva generación, no estuviese del todo ausente el pensamiento liberal, que, según la historia escrita, rige la vida del Perú desde la fundación de la República.

Colonialismo-feudalismo

El problema de la tierra esclarece la actitud vanguardista o socialista, ante las supervivencias del virreinato. El "perricholismo" literario no nos interesa sino como signo o reflejo del colonialismo económico. La herencia colonial que queremos liquidar no es, fundamentalmente, la de "tapadas" y celosías, sino la del régimen económico feudal, cuyas expresiones son el gamonalismo, el latifundio y la servidumbre. La literatura colonialista —evocación nostálgica del virreinato y de sus fastos— no es para mí sino el mediocre producto de un espíritu engendrado y alimentado por ese régimen. El virreinato no sobrevive en el "perricholismo" de algunos trovadores y algunos cronistas. Sobrevive en el feudalismo, en el cual se asienta, sin imponerle todavía su ley, un capitalismo larvado e incipiente. No renegamos, propiamente, la herencia española; renegamos la herencia feudal.

España nos trajo el medievo: inquisición, feudalidad, etcétera. Nos trajo, luego la contrarreforma: espíritu reaccionario, método jesuítico, casuismo escolástico. De la mayor parte de estas cosas nos hemos ido liberando, penosamente, mediante la asimilacion de la cultura occidental, obtenida a veces a través de la propia España. Pero de su cimiento económico, arraigado en los intereses de una clase cuya hegemonía no canceló la revolución de la Independencia, no nos hemos liberado todavía. Los raigones de la feudalidad están intactos. Su subsistencia es responsable, por ejemplo, del retardamiento de nuestro desarrollo capitalista.

El régimen de propiedad de la tierra determina el régimen político y administrativo de toda nación. El problema agrario —que la República no ha podido hasta ahora resolver—, domina todos los problemas de la nuestra. Sobre una economía semifeudal no pueden prosperar ni funcionar instituciones democráticas y liberales.

En lo que concierne al problema indígena, la subordinación al problema de la tierra resulta más absoluta aún, por razones especiales. La raza indígena es una raza de agricultores. El pueblo incaico era un pueblo de campesinos, dedicados ordinariamente a la agricultura y el pastoreo. Las industrias, las artes, tenían un carácter doméstico y rural. En el Perú de los incas era más cierto que en pueblo alguno el principio de que "la vida viene de la tierra". Los trabajos públicos, las obras colectivas, más admirables del Tawantinsuyo, tuvieron un objeto militar, religioso o agrícola. Los canales de irrigación de la sierra y de la costa, los andenes y terrazas de cultivo de los Andes, quedan como los mejores testimonios del grado de organización económica alcanzado por el Perú incaico. Su civilización se caracterizaba, en todos sus rasgos dominantes, como una civilización agraria. "La tierra —escribe Valcárcel estudiando la vida económica del Tawantinsuyo— en la tradición regnícola es la madre común: de sus entrañas no sólo salen los frutos alimenticios, sino el hombre mismo. La tierra depara todos los bienes. El culto de la Mama Pacha es par de la heliolatría, y como el sol no es de nadie en particular, tampoco el planeta lo es. Hermanados los dos conceptos en la ideología aborigen, nació el agrarismo, que es propiedad comunitaria de los campos y religión universal del astro del día."[1]

Al comunismo incaico —que no puede ser negado ni disminuido por haberse desenvuelto bajo el régimen autocrático de los incas— se le designa por esto como comunismo agrario. Los caracteres fundamentales de la economía incaica —según César Ugarte, que define en general los rasgos de nuestro proceso con suma ponderación— eran los siguientes: "Propiedad colectiva de la tierra cultivable por el *ayllu* o conjunto de familias emparentadas, aunque dividida en lotes individuales intransferibles; propiedad colectiva de las aguas, tierras de pasto y bosques por la *marca* o tribu, o sea la federación de *ayllus* establecidos alrededor de una misma aldea; cooperación común en el trabajo; apropiación individual de las cosechas y frutos."[2]

La destrucción de esta economía —y por ende de la cultura que se nutría de su savia— es una de las responsabilidades menos discutibles del coloniaje, no por haber constituido la destrucción de las formas autóctonas, sino por no haber traído consigo su sustitución por formas superiores. El régimen colonial desorganizó y aniquiló la economía agraria incaica, sin remplazarla por una economía de mayores rendimientos. Bajo una aristocracia indígena, los nativos componían una nación de diez millones de hombres, con un Estado eficiente y orgánico cuya acción arribaba a todos los ámbitos de su soberanía; bajo una aristocracia extranjera los nativos se redujeron a una dispersa y anárquica masa de un millón de hombres, caídos en la servidumbre y el "fellahismo".

El dato demográfico es, a este respecto, el más fehaciente y decisivo. Contra todos los reproches que —en el nombre de conceptos liberales, esto es, modernos, de libertad y justicia— se puedan hacer al régimen incaico, está el hecho histórico —positivo, material— de que aseguraba la subsistencia y el crecimiento de una población que, cuando arribaron al Perú los conquistadores, ascendía a diez millones y que, en tres siglos de dominio español, descendió a un millón. Este hecho condena al coloniaje y no desde los puntos de vista abstractos o teóricos o morales —o como quiera calificárseles— de la justicia, sino desde los puntos de vista prácticos, concretos y materiales de la utilidad.

El coloniaje, impotente para organizar en el Perú al menos una economía feudal, injertó en ésta elementos de economía esclavista.

La política del coloniaje: despoblación y esclavitud

Que el régimen colonial español resultara incapaz de organizar en el Perú una economía de puro tipo feudal se explica claramente. No es posible organizar una economía sin claro entendimiento y segura estimación, si no de sus

51

principios, al menos de sus necesidades. Una economía indígena, orgánica, nativa se forma sola. Ella misma determina espontáneamente sus instituciones. Pero una economía colonial se establece sobre bases en parte artificiales y extranjeras, subordinada al interés del colonizador. Su desarrollo regular depende de la aptitud de éste para adaptarse a las condiciones ambientales o para transformarlas.

El colonizador español carecía radicalmente de esta aptitud. Tenía una idea, un poco fantástica, del valor económico de los tesoros de la naturaleza, pero no tenía casi idea alguna del valor económico del hombre.

La práctica de exterminio de la población indígena y de destrucción de sus instituciones —en contraste muchas veces con las leyes y providencias de la metrópoli— empobrecía y desangraba al fabuloso país ganado por los conquistadores para el rey de España, en una medida que éstos no eran capaces de percibir y apreciar. Formulando un principio de la economía de su época, un estadista sudamericano del siglo XIX debía decir más tarde, impresionado por el espectáculo de un continente semidesierto: "Gobernar es poblar". El colonizador español, infinitamente lejano de este criterio, implantó en el Perú un régimen de despoblación.

La persecución y esclavizamiento de los indios deshacía velozmente un capital subestimado en grado inverosímil por los colonizadores: el capital humano. Los españoles se encontraron cada día más necesitados de brazos para la explotación y aprovechamiento de las riquezas conquistadas. Recurrieron entonces al sistema más antisocial y primitivo de colonización: el de la importación de esclavos. El colonizador renunciaba así, de otro lado, a la empresa para la cual antes se sintió apto el conquistador: la de asimilar al indio. La raza negra traída por él tenía que servir, entre otras cosas, para reducir el desequilibrio demográfico entre el blanco y el indio.

La codicia de los metales preciosos —absolutamente

lógica en un siglo en que tierras tan distantes casi no podían mandar a Europa otros productos— empujó a los españoles a ocuparse preferentemente en la minería. Su interés pugnaba por convertir en un pueblo minero al que, bajo los incas y desde sus más remotos orígenes, había sido un pueblo fundamentalmente agrario. De este hecho nació la necesidad de imponer al indio la dura ley de la esclavitud. El trabajo del agro, dentro de un régimen naturalmente feudal, hubiera hecho del indio un siervo vinculándolo a la tierra. El trabajo de las minas y las ciudades, debía hacer de él un esclavo. Los españoles establecieron, con el sistema de las "mitas", el trabajo forzado, arrancando al indio de su suelo y de sus costumbres.

La importación de esclavos negros que abasteció de braceros y domésticos a la población española de la costa, donde se encontraba la sede y la corte del virreinato, contribuyó a que España no advirtiera su error económico y político. El esclavismo se arraigó en el régimen viciándolo y enfermándolo.

El profesor Javier Prado, desde puntos de vista que no son naturalmente los míos, arribó en su estudio sobre el estado social del Perú del coloniaje a conclusiones que contemplan precisamente un aspecto de este fracaso de la empresa colonizadora: "Los negros —dice— considerados como mercancía comercial, e importados a la América, como máquinas humanas de trabajo, debían regar la tierra con el sudor de su frente; pero sin fecundarla, sin dejar frutos provechosos. Es la liquidación constante, siempre igual que hace la civilización en la historia de los pueblos: el esclavo es improductivo en el trabajo, como lo fue en el Imperio romano y como lo ha sido en el Perú; y es en el organismo social un cáncer que va corrompiendo los sentimientos y los ideales nacionales. De esta suerte ha desaparecido el esclavo en el Perú, sin dejar los campos cultivados; y después de haberse vengado de la raza blanca, mezclando su sangre con la de ésta, y rebajando en ese contubernio el criterio

53

moral e intelectual, de los que fueron al principio sus crueles amos, y más tarde sus padrinos, sus compañeros y sus hermanos."[3]

La responsabilidad de que se puede acusar hoy al coloniaje no es la de haber traído una raza inferior —éste era el reproche esencial de los sociólogos de hace medio siglo—, sino la de haber traído, con los esclavos, la esclavitud, destinada a fracasar como medio de explotación y organización económicas de la colonia, a la vez que a reforzar un régimen fundado sólo en la conquista y en la fuerza.

El carácter colonial de la agricultura de la costa, que no consigue aún liberarse de esta tara, proviene en gran parte del sistema esclavista. El latifundista costeño no ha reclamado nunca, para fecundar sus tierras, hombres sino brazos. Por esto, cuando le faltaron los esclavos negros, les buscó un sucedáneo en los *coolíes* chinos. Esta otra importación típica de un régimen de "encomenderos" contrariaba y entrababa como la de los negros la formación regular de una economía liberal congruente con el orden político establecido por la revolución de la Independencia. César Ugarte lo reconoce en su estudio ya citado sobre la economía peruana, afirmando resueltamente que lo que el Perú necesitaba no eran "brazos" sino "hombres".[4]

El colonizador español

La incapacidad del coloniaje para organizar la economía peruana sobre sus naturales bases agrícolas, se explica por el tipo de colonizador que nos tocó. Mientras en Norteamérica la colonización depositó los gérmenes de un espíritu y una economía que se plasmaban entonces en Europa y a los cuales pertenecía el porvenir, a la América española trajo los efectos y los métodos de un espíritu y una economía que declinaban ya y a los cuales no pertenecía sino el pasado. Esta tesis puede parecer

emasiado simplista a quienes consideran sólo su aspecto de tesis económica y, supérstites, aunque lo ignoren,
el viejo escolasticismo retórico, muestran esa falta de
aptitud para entender el hecho económico que constituye el defecto capital de nuestros aficionados a la historia. Me complace por esto encontrar en el reciente libro
de José Vasconcelos, *Indología,* un juicio que tiene el valor de venir de un pensador a quien no se puede atribuir
ni mucho marxismo ni poco hispanismo. "Si no hubiese
tantas otras causas de orden moral y de orden físico
—escribe Vasconcelos—, que explican perfectamente el
espectáculo aparentemente desesperado del enorme
progreso de los sajones en el norte y el lento paso deso-
rientado de los latinos del sur, sólo la comparación de
los dos sistemas, de los dos regímenes de propiedad,
bastaría para explicar las razones del contraste. En el
norte no hubo reyes que estuviesen disponiendo de la
tierra ajena como de cosa propia. Sin mayor gracia de
parte de sus monarcas y más bien, en cierto estado de rebelión moral contra el monarca inglés, los colonizadores del norte fueron desarrollando un sistema de propiedad privada en el cual cada quien pagaba el precio de su
tierra y no ocupaba sino la extensión que podía cultivar.
Así fue que en lugar de encomiendas hubo cultivos. Y
a vez de una aristocracia guerrera y agrícola, con timbres de turbio abolengo real, abolengo cortesano de ab-
yección y homicidio, se desarrolló una aristocracia de la
aptitud que es lo que se llama democracia, una democracia que en sus comienzos no reconoció más preceptos
que los del lema francés: libertad, igualdad, fraternidad.
Los hombres del norte fueron conquistando la selva virgen, pero no permitían que el general victorioso en la lucha contra los indios se apoderase, a la manera antigua
nuestra, 'hasta donde alcanza la vista'. Las tierras recién
conquistadas no quedaban tampoco a merced del soberano para que las repartiese a su arbitrio y crease nobleza de doble condición moral: lacayuna ante el soberano
insolente y opresora del más débil. En el norte la Re-

pública coincidió con el gran movimiento de expansión y la República apartó una buena cantidad de las tierras buenas, creó grandes reservas sustraídas al comercio privado, pero no las empleó en crear ducados, ni en premiar servicios patrióticos, sino que las destinó al fomento de la instrucción popular. Y así, a medida que una población crecía, el aumento del valor de las tierras bastaba para asegurar el servicio de la enseñanza. Y cada vez que se levantaba una nueva ciudad en medio del desierto no era el régimen de concesión, el régimen de favor el que primaba, sino el remate público de los lotes en que previamente se subdividía el plano de la futura urbe. Y con la limitación de que una sola persona no pudiera adquirir muchos lotes a la vez. De este sabio, de este justiciero régimen social procede el gran poderío norteamericano. Por no haber procedido en forma semejante, nosotros hemos ido caminando tantas veces para atrás."[5]

La feudalidad es, como resulta del juicio de Vasconcelos, la tara que nos dejó el coloniaje. Los países que, después de la Independencia, han conseguido curarse de esa tara son los que han progresado; los que no lo han logrado todavía, son los retardados. Ya hemos visto cómo a la tara de la feudalidad, se juntó la tara del esclavismo.

El español no tenía las condiciones de colonización del anglosajón. La creación de Estados Unidos se presenta como la obra del *pioneer*. España, después de la epopeya de la conquista, no nos mandó casi sino nobles, clérigos y villanos. Los conquistadores eran de una estirpe heroica; los colonizadores, no. Se sentían señores, no se sentían *pioneers*. Los que pensaron que la riqueza del Perú eran sus metales preciosos, convirtieron a la minería, con la práctica de las mitas, en un factor de aniquilamiento del capital humano y de decadencia de la agricultura. En el propio repertorio civilista encontramos testimonios de acusación. Javier Prado escribe que "el estado que presenta la agricultura en el virreinato del Perú es del todo lamentable debido al absurdo sistema económico mantenido por los españoles", y que de la despoblación del país era culpable su régimen de explotación.[6]

El colonizador, que en vez de establecerse en los campos se estableció en las minas, tenía la psicología del buscador de oro. No era, por consiguiente, un creador de riqueza. Una economía, una sociedad, son la obra de los que colonizan y vivifican la tierra; no de los que precariamente extraen los tesoros de su subsuelo. La historia del florecimiento y decadencia de no pocas poblaciones coloniales de la sierra, determinados por el descubrimiento y el abandono de minas prontamente agotadas o relegadas, demuestra ampliamente entre nosotros esta ley histórica.

Tal vez las únicas falanges de verdaderos colonizadores que nos envió España fueron las misiones de jesuitas y dominicos. Ambas congregaciones, especialmente la de jesuitas, crearon en el Perú varios interesantes núcleos de producción. Los jesuitas asociaron en su empresa los factores religioso, político y económico, no en la misma medida que en el Paraguay, donde realizaron su más famoso y extenso experimento, pero sí de acuerdo con los mismos principios.

Esta función de las congregaciones no sólo se conforma con toda la política de los jesuitas en la América española, sino con la tradición misma de los monasterios en el medievo. Los monasterios tuvieron en la sociedad medieval, entre otros, un rol económico. En una época guerrera y mística, se encargaron de salvar la técnica de los oficios y las artes, disciplinando y cultivando elementos sobre los cuales debía constituirse más tarde la industria burguesa. Georges Sorel es uno de los economistas modernos que mejor remarca y define el papel de los monasterios en la economía europea, estudiando a la orden benedictina como el prototipo del monasterio-empresa industrial. "Hallar capitales —apunta Sorel— era en ese tiempo un problema muy difícil de resolver;

para los monjes era asaz simple. Muy rápidamente las donaciones de ricas familias les prodigaron grandes cantidades de metales preciosos; la acumulación primitiva resultaba muy facilitada. Por otra parte los conventos gastaban poco y la estricta economía que imponían las reglas recuerda los hábitos parsimoniosos de los primeros capitalistas. Durante largo tiempo los monjes estuvieron en grado de hacer operaciones excelentes para aumentar su fortuna." Sorel nos expone, cómo "después de haber prestado a Europa servicios eminentes que todo el mundo reconoce, estas instituciones declinaron rápidamente" y cómo los benedictinos "cesaron de ser obreros agrupados en un taller casi capitalista y se convirtieron en burgueses retirados de los negocios en la campiña".[7]

Este aspecto de la colonización, como otros muchos de nuestra economía, no ha sido aún estudiado. Me ha correspondido a mí, marxista convicto y confeso, su constatación. Juzgo este estudio, fundamental para la justificación económica de las medidas que, en la futura política agraria, concernirán a los fundos de los conventos y congregaciones, porque establecerá concluyentemente la caducidad práctica de su dominio y de los títulos reales en que reposaba.

La "comunidad" bajo el coloniaje

Las leyes de Indias amparaban la propiedad indígena y reconocían su organización comunista. La legislación relativa a las "comunidades" indígenas, se adaptó a la necesidad de no atacar las instituciones ni las costumbres indiferentes al espíritu religioso y al carácter político del coloniaje. El comunismo agrario del *ayllu,* una vez destruido el Estado incaico, no era incompatible con el uno ni con el otro. Todo lo contrario. Los jesuitas aprovecharon precisamente el comunismo indígena en el Perú, en México y en mayor escala aún en el Paraguay, para sus fines de catequización. El régimen medieval, teórica y prácticamente, conciliaba la propiedad feudal con la propiedad comunitaria.

El reconocimiento de las comunidades y de sus costumbres económicas por las leyes de Indias, no acusa simplemente sagacidad realista de la política colonial sino se ajusta absolutamente a la teoría y la práctica feudales. Las disposiciones de las leyes coloniales sobre la comunidad, que mantenían sin inconveniente el mecanismo económico de ésta, reformaban, en cambio, lógicamente, las costumbres contrarias a la doctrina católica (la prueba matrimonial, etcétera) y tendían a convertir la comunidad en una rueda de su maquinaria administrativa y fiscal. La comunidad podía y debía subsistir, para la mayor gloria y provecho del rey y de la Iglesia.

Sabemos bien que esta legislación en gran parte quedó únicamente escrita. La propiedad indígena no pudo ser suficientemente amparada, por razones dependientes de la práctica colonial. Sobre este hecho están de acuerdo todos los testimonios. Ugarte hace las siguientes constataciones: "Ni las medidas previsoras de Toledo ni las que en diferentes oportunidades trataron de ponerse en práctica, impidieron que una gran parte de la propiedad indígena pasara legal o ilegalmente a manos de los españoles o criollos. Una de las instituciones que facilitó este despojo disimulado fue la de las 'encomiendas'. Conforme al concepto legal de la institución, el encomendero era un encargado del cobro de los tributos y de la organización y cristianización de sus tributarios. Pero en la realidad de las cosas, era un señor feudal, dueño de vidas y haciendas, pues disponía de los indios como si fueran árboles del bosque y muertos ellos o ausentes, se apoderaba por uno u otro medio de sus tierras. En resumen, el régimen agrario colonial determinó la sustitución de una gran parte de las comunidades agrarias indígenas por latifundios de propiedad individual, cultivados por los indios bajo una organización feudal. Estos grandes feudos, lejos de dividirse con el transcurso del tiempo, se concentraron y consolidaron en pocas manos a causa de que la propiedad inmueble estaba sujeta a innumerables trabas y gravámenes perpetuos que la inmovilizaron tales como los mayorazgos, las capellanías, las fundaciones, los patronatos y demás vinculaciones de la propiedad."[8]

La feudalidad dejó análogamente subsistentes las comunas rurales en Rusia, país con el cual es siempre interesante el paralelo porque a su proceso histórico se aproxima el de estos países agrícolas y semifeudales mucho más que al de los países capitalistas de Occidente. Eugène Schkaff, estudiando la evolución del *mir* en Rusia, escribe: "Como los señores respondían por los impuestos, quisieron que cada campesino tuviera más o menos la misma superficie de tierra para que cada uno contribuyera con su trabajo a pagar los impuestos; y para que la efectividad de éstos estuviera asegurada, establecieron la responsabilidad solidaria. El gobierno la extendió a los demás campesinos. Los repartos tenían lugar cuando el número de siervos había variado. El feudalismo y el absolutismo transformaron poco a poco la organización comunal de los campesinos en instrumento de explotación. La emancipación de los siervos no aportó, bajo este aspecto, ningún cambio."[9] Bajo el régimen de propiedad señorial, el *mir* ruso, como la comunidad peruana, experimentó una completa desnaturalización. La superficie de tierras disponibles para los comuneros resultaba cada vez más insuficiente y su repartición cada vez más defectuosa. El *mir* no garantizaba a los campesinos la tierra necesaria para su sustento; en cambio garantizaba a los propietarios la provisión de brazos indispensables para el trabajo de sus latifundios. Cuando en 1861 se abolió la servidumbre, los propietarios encontraron el modo de subrogarla reduciendo los lotes concedidos a sus campesinos a una extensión que no les consintiese subsistir de sus propios productos. La agricultura rusa conservó, de este modo, su carácter feudal. El latifundista empleó en su provecho la reforma.

Se había dado cuenta ya de que estaba en su interés otorgar a los campesinos una parcela, siempre que no bastara para la subsistencia de él y de su familia. No había medio más seguro para vincular el campesino a la tierra, limitando al mismo tiempo, al mínimo, su emigración. El campesino se veía forzado a prestar sus servicios al propietario, quien contaba para obligarlo al trabajo en su latifundio —si no hubiese sido suficiente la miseria a que lo condenaba la ínfima parcela— con el dominio de prados, bosques, molinos, aguas, etcétera.

La convivencia de "comunidad" y latifundio en el Perú está pues, perfectamente explicada, no sólo por las características del régimen del coloniaje, sino también por la experiencia de la Europa feudal. Pero la comunidad, bajo este régimen, no podía ser verdaderamente amparada sino apenas tolerada. El latifundista le imponía la ley de su fuerza despótica sin control posible del Estado. La comunidad sobrevivía, pero dentro de un régimen de servidumbre. Antes había sido la célula misma del Estado que le aseguraba el dinamismo necesario para el bienestar de sus miembros. El coloniaje la petrificaba dentro de la gran propiedad, base de un Estado nuevo, extraño a su destino.

El liberalismo de las leyes de la República, impotente para destruir la feudalidad y para crear el capitalismo, debía, más tarde, negarle el amparo formal que le había concedido el absolutismo de las leyes de la Colonia.

La revolución de la Independencia y la propiedad agraria

Entremos a examinar ahora cómo se presenta el problema de la tierra bajo la República. Para precisar mis puntos de vista sobre este periodo, en lo que concierne a la cuestión agraria, debo insistir en un concepto que ya he expresado respecto al carácter de la revolución de la Independencia en el Perú. La revolución encontró al Perú retrasado en la formación de su burguesía. Los elementos de una economía capitalista eran en nuestro país más embrionarios que en otros países de América donde la revolución contó con una burguesía menos larvada, menos incipiente.

Si la revolución hubiese sido un movimiento de las masas indígenas o hubiese representado sus reivindicaciones, habría tenido necesariamente una fisonomía agrarista. Está ya bien estudiado cómo la revolución francesa benefició particularmente a la clase rural, en la cual tuvo que apoyarse para evitar el retorno del antiguo régimen. Este fenómeno, además, parece peculiar en general así a la revolución burguesa como a la revolución socialista, a juzgar por las consecuencias mejor definidas y más estables del abatimiento de la feudalidad en la Europa central y del zarismo en Rusia. Dirigidas y actuadas principalmente por la burguesía urbana y el proletariado urbano, una y otra revolución han tenido como inmediatos usufructuarios a los campesinos. Particularmente en Rusia, ha sido ésta la clase que ha cosechado los primeros frutos de la revolución bolchevique, debido a que en ese país no se había operado aún una revolución burguesa que a su tiempo hubiera liquidado la feudalidad y el absolutismo e instaurado en su lugar un régimen demoliberal.

Pero, para que la revolución demoliberal haya tenido estos efectos, dos premisas han sido necesarias: la existencia de una burguesía consciente de los fines y los intereses de su acción y la existencia de un estado de ánimo revolucionario en la clase campesina y, sobre todo, su reivindicación del derecho a la tierra en términos incompatibles con el poder de la aristocracia terrateniente. En el Perú, menos todavía que en otros países de América, la revolución de la Independencia no respondía a estas premisas. La revolución había triunfado por la obligada solidaridad continental de los pueblos que se rebelaban contra el dominio de España y porque las circunstancias políticas y económicas del mundo trabajaban a su favor.

El nacionalismo continental de los revolucionarios hispanoamericanos se juntaba a esa mancomunidad forzosa de sus destinos, para nivelar a los pueblos más avanzados en su marcha al capitalismo con los más retrasados en la misma vía.

Estudiando la revolución argentina y, por ende, la americana, Echeverría clasifica las clases en la siguiente forma: "La sociedad americana —dice— estaba dividida en tres clases opuestas en intereses, sin vínculo alguno de sociabilidad moral y política. Componían la primera los togados, el clero y los mandones; la segunda los enriquecidos por el monopolio y el capricho de la fortuna; la tercera los villanos, llamados 'gauchos' y 'compadritos' en el Río de la Plata, 'cholos' en el Perú, 'rotos' en Chile, 'leperos' en México. Las castas indígenas y africanas eran esclavas y tenían una existencia extrasocial. La primera gozaba sin producir y tenía el poder y fuero del hidalgo; era la aristocracia compuesta en su mayor parte de españoles y de muy pocos americanos. La segunda que gozaba, ejerciendo tranquilamente su industria y comercio, era la clase media que se sentaba en los cabildos; la tercera, única productora por el trabajo manual, componíase de artesanos y proletarios de todo género. Los descendientes americanos de las dos primeras clases que recibían alguna educación en América o en la Península, fueron los que levantaron el estandarte de la revolución."[10]

La revolución americana, en vez del conflicto entre la nobleza terrateniente y la burguesía comerciante, produjo en muchos casos su colaboración, ya por la impregnación de ideas liberales que acusaba la aristocracia, ya porque ésta en muchos casos no veía en esa revolución sino un movimiento de emancipación de la corona de España. La población campesina, que en el Perú era indígena, no tenía en la revolución una presencia directa, activa. El programa revolucionario no representaba sus reivindicaciones.

Mas este programa se inspiraba en el ideario liberal.

La revolución no podía prescindir de principios que consideraban existentes reivindicaciones agrarias, fundadas en la necesidad práctica y en la justicia teórica de liberar el dominio de la tierra de las trabas feudales. La República insertó en su estatuto estos principios. El Perú no tenía una clase burguesa que los aplicase en armonía con sus intereses económicos y su doctrina política y jurídica. Pero la República —porque éste era el curso y el mandato de la historia— debía constituirse sobre principios liberales y burgueses. Sólo que las consecuencias prácticas de la revolución en lo que se relacionaba con la propiedad agraria, no podían dejar de detenerse en el límite que les fijaban los intereses de los grandes propietarios.

Por esto, la política de desvinculación de la propiedad agraria, impuesta por los fundamentos políticos de la República, no atacó al latifundio. Y —aunque en compensación las nuevas leyes ordenaban el reparto de tierras a los indígenas— atacó, en cambio, en el nombre de los postulados liberales, a la "comunidad".

Se inauguró así un régimen que, cualesquiera que fuesen sus principios, empeoraba en cierto grado la condición de los indígenas en vez de mejorarla. Y esto no era culpa del ideario que inspiraba la nueva política y que, rectamente aplicado, debía haber dado fin al dominio feudal de la tierra convirtiendo a los indígenas en pequeños propietarios.

La nueva política abolía formalmente las "mitas", encomiendas, etcétera. Comprendía un conjunto de medidas que significaban la emancipación del indígena como siervo. Pero como, de otro lado, dejaba intactos el poder y la fuerza de la propiedad feudal, invalidaba sus propias medidas de protección de la pequeña propiedad y del trabajador de la tierra.

La aristocracia terrateniente, si no sus privilegios de principio, conservaba sus posiciones de hecho. Seguía siendo en el Perú la clase dominante. La revolución no había realmente elevado al poder a una nueva clase. La burguesía profesional y comerciante era muy débil para gobernar. La abolición de la servidumbre no pasaba, por esto, de ser una declaración teórica. Porque la revolución no había tocado el latifundio. Y la servidumbre no es sino una de las caras de la feudalidad misma.

Política agraria de la República

Durante el periodo de caudillaje militar que siguió a la revolución de la Independencia, no pudo lógicamente desarrollarse, ni esbozarse siquiera, una política liberal sobre la propiedad agraria. El caudillaje militar era el producto natural de un periodo revolucionario que no había podido crear una nueva clase dirigente. El poder, dentro de esta situación, tenía que ser ejercido por los militares de la revolución que, de un lado gozaban del prestigio marcial de sus laureles de guerra y, de otro lado, estaban en grado de mantenerse en el gobierno por la fuerza de las armas. Por supuesto, el caudillo no podía sustraerse al influjo de los intereses de clase o de las fuerzas históricas en contraste. Se apoyaba en el liberalismo inconsistente y retórico del *demos* urbano o el conservadurismo colonialista de la casta terrateniente. Se inspiraba en la clientela de tribunos y abogados de la democracia citadina o de literatos y retores de la aristocracia latifundista. Porque, en el conflicto de intereses entre liberales y conservadores, faltaba una directa y activa reivindicación campesina que obligase a los primeros a incluir en su programa la redistribución de la propiedad agraria.

Este problema básico habría sido advertido y apreciado de todos modos por un estadista superior. Pero ninguno de nuestros caciques militares de este periodo lo era.

El caudillaje militar, por otra parte, parece orgánicamente incapaz de una reforma de esta envergadura que requiere ante todo un avisado criterio jurídico y económico. Sus violencias producen una atmósfera adversa a

65

la experimentación de los principios de un derecho y de una economía nuevas. Vasconcelos observa a este repecto lo siguiente: "En el orden económico es constantemente el caudillo el principal sostén del latifundio. Aunque a veces se proclamen enemigos de la propiedad, casi no hay caudillo que no remate en hacendado. Lo cierto es que el poder militar trae fatalmente consigo el delito de apropiación exclusiva de la tierra; llámese el soldado, caudillo, rey o emperador: despotismo y latifundio son términos correlativos. Y es natural, los derechos económicos, lo mismo que los políticos, sólo se pueden conservar y defender dentro de un régimen de libertad. El absolutismo conduce fatalmente a la miseria de los muchos y al boato y al abuso de los pocos. Sólo la democracia, a pesar de todos sus defectos, ha podido acercarnos a las mejores realizaciones de la justicia social, por lo menos la democracia antes de que degenere en los imperialismos de las repúblicas demasiado prósperas que se ven rodeadas de pueblos en decadencia. De todas maneras, entre nosotros el caudillo y el gobierno de los militares han cooperado al desarrollo del latifundio. Un examen siquiera superficial de los títulos de propiedad de nuestros grandes terratenientes, bastaría para demostrar que casi todos deben su haber, en un principio, a la merced de la Corona española, después a concesiones y favores ilegítimos acordados a los generales influyentes de nuestras falsas repúblicas. Las mercedes y las concesiones se han acordado, a cada paso, sin tener en cuenta los derechos de poblaciones enteras de indígenas o de mestizos que carecieron de fuerza para hacer valer su dominio."[11]

Un nuevo orden jurídico y económico no puede ser, en todo caso, la obra de un caudillo sino de una clase. Cuando la clase existe, el caudillo funciona como su intérprete y su fiduciario. No es ya su arbitrio personal, sino un conjunto de intereses y necesidades colectivas lo que decide su política. El Perú carecía de una clase burguesa capaz de organizar un Estado fuerte y apto. El miitarismo representaba un orden elemental y provisorio, que apenas dejase de ser indispensable, tenía que ser sustituido por un orden más avanzado y orgánico. No era posible que comprendiese ni considerase siquiera el problema agrario. Problemas rudimentarios y momentáneos acaparaban su limitada acción. Con Castilla rindió su máximo fruto el caudillaje militar. Su oportunismo sagaz, su malicia aguda, su espíritu mal cultivado, su empirismo absoluto, no le consintieron practicar hasta el fin una política liberal. Castilla se dio cuenta de que los liberales de su tiempo constituían un cenáculo, una agrupación, mas no una clase. Esto le indujo a evitar con cautela todo acto seriamente opuesto a los intereses y principios de la clase conservadora. Pero los méritos de su política residen en lo que tuvo de reformadora y progresista. Sus actos de mayor significación histórica, la abolición de la esclavitud de los negros y de la contribución de indígenas, representaban su actitud liberal.

Desde la promulgación del Código Civil se entró en el Perú en un periodo de organización gradual. Casi no hace falta remarcar que esto acusaba entre otras cosas la decadencia del militarismo. El Código, inspirado en los mismos principios que los primeros decretos de la República sobre la tierra, reforzaba y continuaba la política de desvinculación y movilización de la propiedad agraria. Ugarte, registrando las consecuencias de este progreso de la legislación nacional, en lo que concierne a la tierra, anota que el Código "confirmó la abolición legal de las comunidades indígenas y de las vinculaciones de dominio; innovando la legislación precedente, estableció la ocupación como uno de los modos de adquirir los inmuebles sin dueño; en las reglas sobre sucesiones, trató de favorecer la pequeña propiedad".[12]

Francisco García Calderón atribuye al Código Civil efectos que en verdad no tuvo o que, por lo menos, no tuvieron el alcance radical y absoluto que su optimismo les asigna: "La constitución —escribe— había destruido los privilegios y la ley civil dividía las propieda-

67

des y arruinaba la igualdad de derecho en las familias. Las consecuencias de esta disposición eran, en el orden político, la condenación de toda oligarquía, de toda aristocracia de los latifundios: en el orden social, la ascensión de la burguesía y del mestizaje." "Bajo el aspecto económico, la participación igualitaria de las sucesiones favoreció la formación de la pequeña propiedad antes entrabada por los grandes dominios señoriales."[13]

Esto estaba sin duda en la intención de los codificadores del derecho en el Perú. Pero el Código Civil no es sino uno de los instrumentos de la política liberal y de la práctica capitalista. Como lo reconoce Ugarte, en la legislación peruana "se ve el propósito de favorecer la democratización de la propiedad rural, *pero por medios puramente negativos* aboliendo las trabas más bien que prestando a los agricultores una protección positiva".[14] En ninguna parte la división de la propiedad agraria, o mejor, su redistribución, ha sido posible sin leyes especiales de expropiación que han transferido el dominio del suelo a la clase que lo trabaja.

No obstante el Código, la pequeña propiedad no ha prosperado en el Perú. Por el contrario, el latifundio se ha consolidado y extendido. Y la propiedad de la comunidad indígena ha sido la única que ha sufrido las consecuencias de este liberalismo deformado.

La gran propiedad y el poder político

Los dos factores que se opusieron a que la revolución de la Independencia planteara y abordara en el Perú el problema agrario —extrema incipiencia de la burguesía urbana y situación extrasocial, como la define Echeverría, de los indígenas—, impidieron más tarde que los gobiernos de la República desarrollasen una política dirigida en alguna forma a una distribución menos desigual e injusta de la tierra.

Durante el periodo del caudillaje militar, en vez de

fortalecerse el *demos* urbano, se robusteció la aristocracia latifundista. En poder de extranjeros el comercio y la finanza, no era posible económicamente el surgimiento de una vigorosa burguesía urbana. La educación española, extraña radicalmente a los fines y necesidades del industrialismo y del capitalismo, no preparaba comerciantes ni técnicos sino abogados, literatos, teólogos, etcétera. Estos, a menos de sentir una especial vocación por el jacobinismo o la demagogia, tenían que constituir la clientela de la casta propietaria. El capital comercial, casi exclusivamente extranjero, no podía a su vez hacer otra cosa que entenderse y asociarse con esta aristocracia que, por otra parte, tácita o explícitamente, conservaba su predominio político. Fue así como la aristocracia terrateniente y sus *ralliés* resultaron usufructuarios de la política fiscal y de la explotación del guano y del salitre. Fue así también como esta casta, forzada por su rol económico, asumió en el Perú la función de clase burguesa, aunque sin perder sus resabios y prejuicios coloniales y aristocráticos. Fue así, en fin, como las categorías burguesas urbanas —profesionales, comerciantes— concluyeron por ser absorbidas por el civilismo.

El poder de esta clase —civilistas o "neogodos"— procedía en buena cuenta de la propiedad de la tierra. En los primeros años de la Independencia, no era precisamente una clase de capitalistas sino una clase de propietarios. Su condición de clase propietaria —y no de clase ilustrada— le había consentido solidarizar sus intereses con los de los comerciantes y prestamistas extranjeros y traficar a este título con el Estado y la riqueza pública. La propiedad de la tierra, debida al virreinato, le había dado bajo la República la posesión del capital comercial. Los privilegios de la colonia habían engendrado los privilegios de la República.

Era, por consiguiente, natural e instintivo en esta clase el criterio más conservador respecto al dominio de la tierra. La subsistencia de la condición extrasocial de los indígenas, de otro lado, no oponía a los intereses feudales del latifundismo las reivindicaciones de masas campesinas conscientes.

Estos han sido los factores principales del mantenimiento y desarrollo de la gran propiedad. El liberalismo de la legislación republicana, inerte ante la propiedad feudal, se sentía activo sólo ante la propiedad comunitaria. Si no podía nada contra el latifundio, podía mucho contra la "comunidad". En un pueblo de tradición comunista, disolver la "comunidad" no servía a crear la pequeña propiedad. No se transforma artificialmente a una sociedad. Menos aún a una sociedad campesina, profundamente adherida a su tradición y a sus instituciones jurídicas. El individualismo no ha tenido su origen en ningún país ni en la Constitución del Estado ni en el Código Civil. Su formación ha tenido siempre un proceso a la vez más complicado y más espontáneo. Destruir las comunidades no significaba convertir a los indígenas en pequeños propietarios y ni siquiera en asalariados libres, sino entregar sus tierras a los gamonales y a su clientela. El latifundista encontraba así, más fácilmente, el modo de vincular el indígena al latifundio.

Se pretende que el resorte de la concentración de la propiedad agraria en la costa ha sido la necesidad de los propietarios de disponer pacíficamente de suficiente cantidad de agua. La agricultura de riego, en valles formados por ríos de escaso caudal, ha determinado, según esta tesis, el florecimiento de la gran propiedad y el sofocamiento de la media y la pequeña. Pero ésta es una tesis especiosa y sólo en mínima parte exacta. Porque la razón técnica o material que superestima, únicamente influye en la concentración de la propiedad desde que se han establecido y desarrollado en la costa vastos cultivos industriales. Antes de que esto prosperara, antes de que la agricultura de la costa adquiriera una organización capitalista, el móvil de los riesgos era demasiado débil para decidir la concentración de la propiedad. Es cierto que la escasez de las aguas de regadío, por las dificultades de su distribución entre múltiples regantes, fa-

vorece a la gran propiedad. Mas no es cierto que ésta
sea el origen de que la propiedad no se haya subdividi-
do. Los orígenes del latifundio costeño se remontan al
régimen colonial. La despoblación de la costa, a consecuencia de la práctica colonial, he ahí, a la vez que una
de las consecuencias, una de las razones del régimen de
la gran propiedad. El problema de los brazos, el único
que ha sentido el terrateniente costeño, tiene todas sus
raíces en el latifundio. Los terratenientes quisieron resolverlo con el esclavo negro en los tiempos de la Colonia, con el *coolí* chino en los de la República. Vano empeño. No se puebla ya la tierra con esclavos. Y sobre todo, no se la fecunda. Debido a su política, los grandes
propietarios tienen en la costa toda la tierra que se puede poseer; pero en cambio, no tienen hombres bastantes
para vivificarla y explotarla. Esta es la defensa de la
gran propiedad. Mas es también su miseria y su tara.

La situación agraria de la sierra demuestra, por otra
parte, lo artificioso de la tesis antecitada. En la sierra no
existe el problema del agua. Las lluvias abundantes per-
miten al latifundista, como al comunero, los mismos
cultivos. Sin embargo, también en la sierra se constata el
fenómeno de concentración de la propiedad agraria.
Este hecho prueba el carácter esencialmente político-
social de la cuestión.

El desarrollo de cultivos industriales, de una agricultura de exportación, en las haciendas de la costa, aparece íntegramente subordinado a la colonización económica de los países de América Latina por el capitalismo
occidental. Los comerciantes y prestamistas británicos
se interesaron por la explotación de estas tierras cuando
comprobaron la posibilidad de dedicarlas con ventaja a
la producción de azúcar primero y de algodón después.
Las hipotecas de la propiedad agraria las colocaban, en
buena parte, desde época muy lejana, bajo el control de
las firmas extranjeras. Los hacendados, deudores a los
comerciantes, prestamistas extranjeros, servían de intermediarios, casi de "yanacones", al capitalismo anglosa-

71

jón para asegurarle la explotación de campos cultivados a un costo mínimo por braceros esclavizados y miserables, curvados sobre la tierra bajo el látigo de los "negreros" coloniales.

Pero en la costa el latifundio ha alcanzado un grado más o menos avanzado de técnica capitalista, aunque su explotación repose aún sobre prácticas y principios feudales. Los coeficientes de producción de algodón y caña corresponden al sistema capitalista. Las empresas cuentan con capitales poderosos y las tierras son trabajadas con máquinas y procedimientos modernos. Para el beneficio de los productos funcionan poderosas plantas industriales. Mientras tanto, en la sierra las cifras de producción de las tierras de latifundio no son generalmente mayores que las de tierras de la comunidad. Y, si la justificación de un sistema de producción está en sus resultados, como lo quiere un criterio económico objetivo, este solo dato condena en la sierra de manera irremediable el régimen de propiedad agraria.

La "comunidad" bajo la República

Hemos visto ya cómo el liberalismo formal de la legislación republicana no se ha mostrado activo sino frente a la "comunidad" indígena. Puede decirse que el concepto de propiedad individual casi ha tenido una función antisocial en la República a causa de su conflicto con la subsistencia de la "comunidad". En efecto, si la disolución y expropiación de ésta hubiese sido decretada y realizada por un capitalismo en vigoroso y autónomo crecimiento, habría aparecido como una imposición del progreso económico. El indio entonces habría pasado de un régimen mixto de comunismo y servidumbre a un régimen de salario libre. Este cambio lo habría desnaturalizado un poco; pero lo habría puesto en grado de organizarse y emanciparse como clase, por la vía de los demás proletariados del mundo. En tanto, la expropiació y absorción graduales de la "comunidad" por el latifundismo, de un lado lo hundía más en la servidumbre y de otro destruía la institución económica y jurídica que salvaguardaba en parte el espíritu y la materia de su antigua civilización.[15]

Durante el periodo republicano, los escritores y legisladores nacionales han mostrado una tendencia más o menos uniforme a condenar la "comunidad" como un rezago de una sociedad primitiva o como una supervivencia de la organización colonial. Esta actitud ha respondido en unos casos al interés del gamonalismo terrateniente y en otros al pensamiento individualista y liberal que dominaba automáticamente una cultura demasiado verbalista y extática.

Un estudio del doctor M. V. Villarán, uno de los intelectuales que con más aptitud crítica y mayor coherencia doctrinal representa este pensamiento en nuestra primera centuria, señaló el principio de una revisión prudente de sus conclusiones respecto a la "comunidad" indígena. El doctor Villarán mantenía teóricamente su posición liberal, propugnando en principio la individualización de la propiedad, pero prácticamente aceptaba la protección de las comunidades contra el latifundismo, reconociéndoles una función a la que el Estado debía su tutela.

Mas la primera defensa orgánica y documentada de la "comunidad" indígena tenía que inspirarse en el pensamiento socialista y reposar en un estudio concreto de su naturaleza, efectuado conforme a los métodos de investigación de la sociología y la economía modernas. El libro de Hildebrando Castro Pozo, *Nuestra comunidad indígena,* así lo comprueba. Castro Pozo, en este interesante estudio, se presenta exento de preconceptos liberales. Esto le permite abordar el problema de la "comunidad" con una mente apta para valorarla y entenderla. Castro Pozo, no sólo nos descubre que la "comunidad" indígena, malgrado los ataques del formalismo liberal puesto al servicio de un régimen de feudalidad, es todavía un organismo viviente, sino que, a pesar del medio hostil dentro del cual vegeta sofocada y deformada, manifiesta espontáneamente evidentes posibilidades de evolución y desarrollo.

Sostiene Castro Pozo que "el *ayllu* o comunidad, ha conservado su natural idiosincrasia, su carácter de institución casi familiar en cuyo seno continuaron subsistentes, después de la conquista, sus principales factores constitutivos".[16]

En esto se presenta, pues, de acuerdo con Valcárcel, cuyas proposiciones respecto del *ayllu* parecen a algunos excesivamente dominadas por su ideal de resurgimiento indígena.

¿Qué son y cómo funcionan las "comunidades" actualmente? Castro Pozo cree que se las puede distinguir conforme a la siguiente clasificación: "Primero: comunidades agrícolas; segundo: comunidades agrícolas ganaderas; tercero: comunidades de pastos y aguas; y cuarto: comunidades de usufructuación. Debiendo tenerse en cuenta que en un país como el nuestro, donde una misma institución adquiere diversos caracteres, según el medio en que se ha desarrollado, ningún tipo de los que en esta clasificación se presume se encuentra en la realidad, tan preciso y distinto de los otros que, por sí solo, pudiera objetivarse en un modelo. Todo lo contrario, en el primer tipo de las comunidades agrícolas se encuentran caracteres correspondientes a los otros y, en éstos, algunos concernientes a aquél; pero como el conjunto de factores externos ha impuesto a cada uno de estos grupos un determinado género de vida en sus costumbres, usos y sistemas de trabajo, en sus propiedades e industrias, priman los caracteres agrícolas, ganaderos, ganaderos en pastos y aguas comunales o sólo los dos últimos y los de falta absoluta o relativa de propiedad de las tierras y la usufructuación de éstas por el *ayllu* que, indudablemente, fue su único propietario."[17]

Estas diferencias se han venido elaborando no por evolución o degeneración natural de la antigua "comunidad", sino al influjo de una legislación dirigida a la individualización de la propiedad y, sobre todo, por efecto de la expropiación de las tierras comunales en favor del latifundismo. Demuestran, por ende, la vitalidad del comunismo indígena que impulsa invariablemente a los aborígenes a variadas formas de cooperación y asociación. El indio, a pesar de las leyes de cien años de régimen republicano, no se ha hecho individualista. Y esto no proviene de que sea refractario al progreso como pretende el simplismo de sus interesados detractores. Depende, más bien, de que el individualismo, bajo un régimen feudal, no encuentra las condiciones necesarias para afirmarse y desarrollarse. El comunismo, en cambio, ha seguido siendo para el indio su única defensa. El individualismo no puede prosperar, y ni siquiera existe efectivamente, sino dentro de un régimen de libre concurrencia. Y el indio no se ha sentido nunca menos libre que cuando se ha sentido solo.

Por esto, en las aldeas indígenas donde se agrupan familias entre las cuales se han extinguido los vínculos del patrimonio y del trabajo comunitarios, subsisten aún, robustos y tenaces, hábitos de cooperación y solidaridad que son la expresión empírica de un espíritu comunista. La "comunidad" corresponde a este espíritu. Es su órgano. Cuando la expropiación y el reparto parecen liquidar la "comunidad", el socialismo indígena encuentra siempre el medio de rehacerla, mantenerla o subrogarla. El trabajo y la propiedad en común son remplazados por la cooperación en el trabajo individual. Como escribe Castro Pozo: "la costumbre ha quedado reducida a las *mingas* o reuniones de todo el *ayllu* para hacer gratuitamente un trabajo en el cerco, acequia o casa de algún comunero, el cual quehacer efectúan al son de arpas y violines, consumiendo algunas arrobas de aguardientes de caña, cajetillas de cigarros y mascadas de coca". Estas costumbres han llevado a los indígenas a la práctica —incipiente y rudimentaria por supuesto— del contrato colectivo de trabajo, más bien que del contrato individual. No son los individuos aislados los que alquilan su trabajo a un propietario o contratista son mancomunadamente todos los hombres útiles de la "parcialidad".

La "comunidad" y el latifundio

La defensa de la "comunidad" indígena no reposa en principios abstractos de justicia ni en sentimentales consideraciones tradicionalistas, sino en razones concretas y prácticas de orden económico y social. La propiedad comunal no representa en el Perú una economía primitiva a la que haya remplazado gradualmente una economía progresiva fundada de la propiedad individual. No; las "comunidades" han sido despojadas de sus tierras en provecho del latifundio feudal o semifeudal, constitucionalmente incapaz de progreso técnico.[18]

En la costa, el latifundio ha evolucionado —desde el punto de vista de los cultivos—, de la rutina feudal a la técnica capitalista, mientras la comunidad indígena ha desaparecido como explotación comunista de la tierra. Pero en la sierra, el latifundio ha conservado íntegramente su carácter feudal, oponiendo una resistencia mucho mayor que la "comunidad" al desenvolvimiento de la economía capitalista. La "comunidad", en efecto, cuando se ha articulado, por el paso de un ferrocarril, con el sistema comercial y las vías de transporte centrales, ha llegado a transformarse espontáneamente, en una cooperativa. Castro Pozo, que como jefe de la sección de asuntos indígenas del Ministerio de Fomento acopió abundantes datos sobre la vida de las comunidades, señala y destaca el sugestivo caso de la parcialidad de Muquiyauyo, de la cual dice que representa los caracteres de las cooperativas de producción, consumo y crédito. "Dueña de una magnífica instalación o planta eléctrica en las orillas del Mantaro, por medio de la cual proporciona luz y fuerza motriz, para pequeñas industrias a los distritos de Jauja, Concepción, Mito, Muqui, Sincos, Huaripampa y Muquiyauyo, se ha transformado en la institución comunal por excelencia; en la que no se han relajado sus costumbres indígenas, y antes bien ha aprovechado de ellas para llevar a cabo la obra de la empresa; han sabido disponer del dinero que poseían empleándolo en la adquisición de las grandes maquinarias y ahorrado el valor de la mano de obra que la 'parcialidad' ha ejecutado, lo mismo que si se tratara de la construcción de un edificio comunal: por *mingas* en las que hasta las mujeres y niños han sido elementos útiles en el acarreo de los materiales de construcción."[19]

La comparación de la "comunidad" y el latifundio como empresa de producción agrícola es desfavorable para el latifundio. Dentro del régimen capitalista, la gran propiedad sustituye y desaloja a la pequeña propiedad agrícola por su aptitud para intensificar la producción mediante el empleo de una técnica avanzada de cultivo. La industrialización de la agricultura trae aparejada la concentración de la propiedad agraria. La gran propiedad aparece entonces justificada por el interés de la producción, identificado, teóricamente por lo menos, con el interés de la sociedad. Pero el latifundio no tiene el mismo efecto, ni responde, por consiguiente, a una necesidad económica. Salvo los casos de las haciendas de caña —que se dedican a la producción de aguardiente con destino a la intoxicación y embrutecimiento del campesino indígena—, los cultivos de los latifundios serranos, son generalmente los mismos de las comunidades. Y las cifras de la producción no difieren. La falta de estadística agrícola no permite establecer con exactitud las diferencias parciales; pero todos los datos disponibles autorizan a sostener que los rendimientos de los cultivos

77

de las comunidades, no son, en su promedio, inferiores a los cultivos de los latifundios. La única estadística de producción de la sierra, la del trigo, sufraga esta conclusión. Castro Pozo, resumiendo los datos de esta estadística en 1917-1918, escribe lo siguiente: "La cosecha resultó, término medio, en 450 y 580 kilos por cada hectárea para la propiedad comunal e individual, respectivamente. Si se tiene en cuenta que las mejores tierras de producción han pasado a poder de los terratenientes, pues la lucha por aquéllas en los departamentos del sur ha llegado hasta el extremo de eliminar al poseedor indígena por la violencia o masacrándolo, y que la ignorancia del comunero lo lleva de preferencia a ocultar los datos exactos relativos al monto de la cosecha, disminuyéndola por temor de nuevos impuestos o exacciones de parte de las autoridades políticas subalternas o recaudadores de éstos, se colegirá fácilmente que la diferencia en la producción por hectárea a favor del bien de la propiedad individual no es exacta y que, razonablemente, se la debe dar por no existente, por cuanto los medios de producción y de cultivo, en una y otras propiedades, son idénticos"[20]

En la Rusia feudal del siglo pasado, el latifundio tenía rendimientos mayores que los de la pequeña propiedad. Las cifras en hectolitros y por hectárea eran las siguientes: para el centeno, 11.5 contra 9.4; para el trigo: 11 contra 9.1; para la avena: 15.4 contra 12.7; para la cebada: 11.5 contra 10.5; para las patatas: 92.3 contra 72.[21]

El latifundio de la sierra peruana resulta, pues, por debajo del execrado latifundio de la Rusia zarista como factor de producción.

La "comunidad", en cambio, de una parte acusa capacidad efectiva de desarrollo y transformación y de otra parte se presenta como un sistema de producción que mantiene vivos en el indio los estímulos morales necesarios para su máximo rendimiento como trabajador. Castro Pozo hace una observación muy justa cuando scribe que *"la comunidad indígena conserva dos grandes principios económicos sociales que hasta el presente ni la ciencia sociológica ni el empirismo de los grandes industrialistas han podido resolver satisfactoriamente: el contrato múltiple del trabajo y la realización de éste con menor desgaste fisiológico y en un ambiente de agradabilidad, emulación y compañerismo"*.[22]

Disolviendo o relajando la "comunidad", el régimen del latifundio feudal no sólo ha atacado una institución económica, sino también, y sobre todo, una institución social que defiende la tradición indígena, que conserva la función de la familia campesina y que traduce ese sentimiento jurídico popular al que tan alto valor asignan Proudhon y Sorel.[23]

El régimen de trabajo. Servidumbre y salariado

El régimen de trabajo está determinado principalmente, en la agricultura, por el régimen de propiedad. No es posible, por tanto, sorprenderse de que en la misma medida en que sobrevive en el Perú el latifundio feudal, sobreviva también, bajo diversas formas y con distintos nombres, la servidumbre. La diferencia entre agricultura de la costa y agricultura de la sierra aparece menos en lo que concierne al trabajo que en lo que respecta a la técnica. La agricultura de la costa ha evolucionado con más o menos prontitud hacia una técnica capitalista en el cultivo del suelo y la transformación y comercio de los productos. Pero, en cambio, se ha mantenido demasiado estacionaria en su criterio y conducta respecto al trabajo. Acerca del trabajador, el latifundio colonial no ha renunciado a sus hábitos feudales sino cuando las circunstancias se lo han exigido de modo perentorio.

Este fenómeno se explica, no sólo por el hecho de haber conservado la propiedad de la tierra los antiguos señores feudales, que han adoptado, como intermediarios del capital extranjero, la práctica, mas no el espíritu del

79

capitalismo moderno. Se explica además por la mentalidad colonial de esta casta de propietarios, acostumbrados a considerar el trabajo con el criterio de esclavistas y "negreros". En Europa, el señor feudal encarnaba, hasta cierto punto, la primitiva tradición patriarcal, de suerte que respecto de sus siervos se sentía naturalmente superior, pero no étnica ni nacionalmente diverso. Al propio terrateniente aristócrata de Europa le ha sido dable aceptar un nuevo concepto y una nueva práctica en sus relaciones con el trabajador de la tierra. En la América colonial, mientras tanto, se ha opuesto a esta evolución, la orgullosa y arraigada convicción del blanco, de la inferioridad de los hombres de color.

En la costa peruana el trabajador de la tierra, cuando no ha sido el indio, ha sido el negro esclavo, el *coolí* chino, mirados, si cabe, con mayor desprecio. En el latifundista costeño, han actuado a la vez los sentimientos del aristócrata medieval y del colonizador blanco, saturados de prejuicios de raza.

El yanaconazgo y el "enganche" no son la única expresión de la subsistencia de métodos más o menos feudales en la agricultura costeña. El ambiente de la hacienda se mantiene íntegramente señorial. Las leyes del Estado no son válidas en el latifundio, mientras no obtienen el consenso tácito o formal de los grandes propietarios. La autoridad de los funcionarios políticos o administrativos, se encuentra de hecho sometida a la autoridad del terrateniente en el territorio de su dominio. Este considera prácticamente a su latifundio fuera de la potestad del Estado, sin preocuparse mínimamente de los derechos civiles de la población que vive dentro de los confines de su propiedad. Cobra arbitrios, otorga monopolios, establece sanciones contrarias siempre a la libertad de los braceros y de sus familias. Los transportes, los negocios y hasta las costumbres están sujetas al control del propietario dentro de la hacienda. Y con frecuencia las rancherías que alojan a la población obrera no difieren grandemente de los galpones que albergaban a la población esclava.

Los grandes propietarios costeños no tienen legalmente este orden de derechos feudales o semifeudales; pero su condición de clase dominante y el acaparamiento ilimitado de la propiedad de la tierra en un territorio sin industrias y sin transportes les permite prácticamente un poder casi incontrolable. Mediante el "enganche" y el yanaconazgo, los grandes propietarios resisten al establecimiento del régimen del salario libre, funcionalmente necesario en una economía liberal y capitalista. El "enganche", que priva al bracero del derecho de disponer de su persona y su trabajo, mientras no satisfaga las obligaciones contraídas con el propietario, desciende inequívocamente del tráfico semiesclavista de *coolíes*; el yanaconazgo es una variedad del sistema de servidumbre a través del cual se ha prolongado la feudalidad hasta nuestra edad capitalista en los pueblos política y económicamente retardados. El sistema peruano del yanaconazgo se identifica, por ejemplo, con el sistema ruso del *polovnischestvo* dentro del cual los frutos de la tierra, en unos casos, se dividían en partes iguales entre el propietario y el campesino y en otros casos este último no recibía sino una tercera parte.[24]

La escasa población de la costa representa para las empresas agrícolas una constante amenaza de carencia o insuficiencia de brazos. El yanaconazgo vincula a la tierra a la poca población agrícola, que sin esta mínima garantía de usufructo de tierra, tendería a disminuir y emigrar. El "enganche" asegura a la agricultura de la costa el concurso de los braceros de la sierra que, si bien encuentran en las haciendas costeñas un suelo y un medio extraños, obtienen al menos un trabajo remunerado.

Esto indica que, a pesar de todo, y aunque no sea sino aparente o parcialmente,[25] la situación del bracero en los fundos de la costa es mejor que en los feudos de la sierra, donde el feudalismo mantiene intacta su omnipotencia. Los terratenientes costeños, se ven obligados a admitir, aunque sea restringido y atenuado, el régimen del salario y del trabajo libres. El carácter capitalista de sus empresas los constriñe a la concurrencia. El bracero conserva, aunque sólo sea relativamente, su libertad de emigrar así como de rehusar su fuerza de trabajo al patrón que lo oprime demasiado. La vecindad de puertos y ciudades, la conexión con las vías modernas de tráfico y comercio, ofrecen, de otro lado, al bracero, la posibilidad de escapar a su destino rural y de ensayar otro medio de ganar su subsistencia.

Si la agricultura de la costa hubiera tenido otro carácter, más progresista, más capitalista, habría tendido a resolver de manera lógica, el problema de los brazos sobre el cual tanto se ha declamado. Propietarios más avisados, se habrían dado cuenta de que, tal como funciona hasta ahora, el latifundio es un agente de despoblación y de que, por consiguiente, el problema de los brazos constituye una de sus más claras y lógicas consecuencias.[26]

En la misma medida en que progresa en la agricultura de la costa la técnica capitalista, el salariado remplaza al yanaconazgo. El cultivo científico —empleo de máquinas, abonos, etcétera— no se aviene con un régimen de trabajo peculiar de una agricultura rutinaria y primitiva. Pero el factor demográfico —el "problema de los brazos"— opone una resistencia seria a este proceso de desarrollo capitalista. El yanaconazgo y sus variedades sirven para mantener en los valles una base demográfica que garantice a las negociaciones el mínimo de brazos necesarios para las labores permanentes. El jornalero inmigrante no ofrece las mismas seguridades de continuidad en el trabajo que el colono nativo o el yanacón regnícola. Este último representa, además, el arraigo de una familia campesina, cuyos hijos mayores se encontrarán más o menos forzados a alquilar sus brazos al hacendado.

La constatación de este hecho conduce ahora a los propios grandes propietarios a considerar la conveniencia de establecer muy gradual y prudentemente, sin sombra de ataque a sus intereses, colonias o núcleos de pequeños propietarios. Una parte de las tierras irrigadas en el Imperial han sido reservadas así a la pequeña propiedad. Hay el propósito de aplicar el mismo principio en las otras zonas donde se realizan trabajos de irrigación. Un rico propietario inteligente y experimentado que conversaba conmigo últimamente, me decía que la existencia de la pequeña propiedad, al lado de la gran propiedad, era indispensable a la formación de una población rural, sin la cual la explotación de la tierra, estará siempre a merced de las posibilidades de la inmigración o del "enganche". El programa de la Compañía de Subdivisión Agraria es otra de las expresiones de una política agraria tendiente al establecimiento paulatino de la pequeña propiedad.[27]

Pero, como esta política evita sistemáticamente la expropiación, o, más precisamente, la expropiación en vasta escala por el Estado, por razón de utilidad pública o justicia distributiva, y sus restringidas posibilidades de desenvolvimiento están por el momento circunscritas a pocos valles, no resulta probable que la pequeña propiedad remplace oportuna y ampliamente al yanaconazgo en su función demográfica. En los valles a los cuales el "enganche" de braceros de la sierra no sea capaz de abastecer de brazos, en condiciones ventajosas para los hacendados, el yanaconazgo subsistirá, pues, por algún tiempo, en sus diversas variedades, junto con el salariado.

Las formas de yanaconazgo, aparcería o arrendamiento, varían en la costa y en la sierra según las regiones, los usos o los cultivos. Tienen también diversos nombres. Pero en su misma variedad se identifican en general con los métodos precapitalistas de explotación de la tierra observados en otros países de agricultura semifeudal. Verbigracia, en la Rusia zarista. El sistema del *otrabotki* ruso presentaba todas las variedades del arrendamiento por trabajo, dinero o frutos existentes en el Perú. Para comprobarlo no hay sino que leer lo que acerca de ese sistema escribe Schkaff en su documentado libro sobre la cuestión agraria en Rusia: "Entre el antiguo trabajo servil en que la violencia o la coacción juegan un rol tan grande y el trabajo libre en que la única coacción que subsiste es una coacción puramente económica, aparece todo un sistema transitorio de formas extremadamente variadas que unen los rasgos de la *barchtchina* y del salariado. Es el *otrabototschnaía* sistema. El salario es pagado sea en dinero en caso de locación de servicios, sea en productos, sea en tierra; en este último caso (*otrabotki* en el sentido estricto de la palabra) el propietario presta su tierra al campesino a guisa de salario por el trabajo efectuado por éste en los campos señoriales)." "El pago del trabajo, en el sistema de *otrabotki*, es siempre inferior al salario de libre alquiler capitalista. La retribución en productos hace a los propietarios más independientes de las variaciones de precios observados en los mercados del trigo y del trabajo. Encuentran en los campesinos de su vecindad una mano de obra más barata y gozan así de un verdadero monopolio local." "El arrendamiento pagado por el campesino reviste formas diversas: a veces, además de su trabajo, el campesino debe dar dinero y productos. Por una deciatina que recibirá, se comprometerá a trabajar una y media deciatina de tierra señorial, a dar diez huevos y una gallina. Entregará también el estiércol de su ganado, pues todo, hasta el estiércol, se vuelve objeto de pago. Frecuentemente aún el campesino se obliga 'a hacer todo lo que exigirá el propietario', a transportar las cosechas, a cortar la leña, a cargar los fardos."[28]

En la agricultura de la sierra se encuentran particular y exactamente estos rasgos de propiedad y trabajo feudales. El régimen del salario libre no se ha desarrollado ahí. El hacendado no se preocupa de la productividad de las tierras. Sólo se preocupa de su rentabilidad. Los factores de la producción se reducen para él casi únicamente a dos: la tierra y el indio. La propiedad de la tierra le permite explotar ilimitadamente la fuerza de trabajo del indio. La usura practicada sobre esta fuerza de trabajo —que se traduce en la miseria del indio—, se suma a la renta de la tierra, calculada al tipo usual de arrendamiento. El hacendado se reserva las mejores tierras y reparte las menos productivas entre sus braceros indios, quienes se obligan a trabajar de preferencia y gratuitamente las primeras y a contentarse para su sustento con los frutos de las segundas. El arrendamiento del suelo es pagado por el indio en trabajo o frutos, muy rara vez en dinero (por ser la fuerza del indio lo que mayor valor tiene para el propietario), más comúnmente en formas combinadas o mixtas. Un estudio del doctor Ponce de León, de la Universidad del Cuzco, que entre otros informes tengo a la vista, y que revista con documentación de primera mano todas las variedades de arrendamiento y yanaconazgo en ese vasto departamento, presenta un cuadro bastante objetivo —a pesar de las conclusiones del autor, respetuosas a los privilegios de los propietarios— de la explotación feudal. He aquí algunas de sus constataciones: "En la provincia de Paucartambo el propietario concede el uso de sus terrenos a un grupo de indígenas con la condición de que hagan todo el trabajo que requiere el cultivo de los terrenos de la hacienda, que se ha reservado el dueño o patrón. Generalmente trabajan tres días alternativos por semana durante todo el año. Tienen además los arrendatarios o 'yanaconas', como se les llama en esta provincia, la obligación de acarrear en sus propias bestias la cosecha del hacendado a esta ciudad sin remuneración; y la de servir de pongos en la misma hacienda o más comúnmente en el Cuzco, donde preferentemente residen los propietarios." "Cosa igual ocurre en Chumbivilcas. Los arrendatarios cultivan la extensión que pueden, debiendo en cambio trabajar para el patrón cuantas veces lo exija. Esta forma de arrendamiento puede simplificarse así: el propietario propone al arrendatario: utiliza la extensión de terreno que 'puedas', con la condición de trabajar en mi provecho siempre que yo lo necesite." "En la provincia de Anta el propietario cede el uso de sus terrenos en las siguientes condiciones: el arrendatario pone de su parte el capital (semilla, abonos) y el trabajo necesario para que el cultivo se realice hasta sus últimos momentos (cosecha). Una vez concluido, el arrendatario y el propietario se dividen por partes iguales todos los productos. Es decir que cada uno de ellos recoge el cincuenta por ciento de la producción sin que el propietario haya hecho otra cosa que ceder el uso de sus terrenos sin abonarlos siquiera. Pero no es esto todo. El aparcero está obligado a concurrir personalmente a los trabajos del propietario si bien con la remuneración acostumbrada de 25 centavos diarios."[29]

La confrontación entre estos datos y los de Schkaff basta para persuadir de que ninguna de las sombrías fases de la propiedad y el trabajo precapitalista falta en la sierra feudal.

"Colonialismo" de nuestra agricultura costeña

El grado de desarrollo alcanzado por la industrialización de la agricultura, bajo un régimen y una técnica capitalistas, en los valles de la costa, tiene su principal factor en el interesamiento del capital británico y norteamericano en la producción peruana de azúcar y algodón. De la extensión de estos cultivos no es un agente primario la aptitud industrial ni la capacidad capitalista de los terratenientes. Estos dedican sus tierras a la producción de algodón y caña financiados o habilitados por fuertes firmas exportadoras.

Las mejores tierras de los valles de la costa están sembradas de algodón y caña, no precisamente porque sean apropiadas sólo a estos cultivos, sino porque únicamente ellos importan, en la actualidad, a los comerciantes ingleses y yanquis. El crédito agrícola —subordinado absolutamente a los intereses de estas firmas, mientras no se establezca el Banco Agrícola Nacional— no impulsa ningún otro cultivo. Los de frutos alimenticios, destinados al mercado interno, están generalmente en manos de pequeños propietarios y arrendatarios. Sólo en los valles de Lima, por la vecindad de mercados urbanos de importancia, existen fondos extensos dedicados por sus propietarios a la producción de frutos alimenticios. En las haciendas algodoneras o azucareras, no se cultiva estos frutos, en muchos casos, ni en la medida necesaria para el abastecimiento de la propia población rural.

El mismo pequeño propietario, o pequeño arrendatario, se encuentra empujado al cultivo del algodón por esta corriente que tan poco tiene en cuenta las necesidades particulares de la economía nacional. El desplazamiento de los tradicionales cultivos alimenticios por el del algodón en las campiñas de la costa donde subsiste la pequeña propiedad, ha constituido una de las causas más visibles del encarecimiento de las subsistencias en las poblaciones de la costa.

Casi únicamente para el cultivo del algodón, el agricultor encuentra facilidades comerciales. Las habilitaciones están reservadas, de arriba a abajo, casi exclusivamente al algodonero. La producción de algodón no está regida por ningún criterio de economía nacional. Se produce para el mercado mundial, sin un control que prevea en el interés de esta economía, las posibles bajas de los precios derivados de periodos de crisis industrial o de superproducción algodonera.

Un ganadero me observaba últimamente que, mientras sobre una cosecha de algodón el crédito que se puede conseguir no está limitado sino por las fluctuaciones de los precios, sobre un rebaño o un criadero, el crédito es completamente convencional o inseguro. Los ganaderos de la costa no pueden contar con préstamos bancarios considerables para el desarrollo de sus negocios. En la misma condición, están todos los agricultores que no pueden ofrecer como garantía de sus empréstitos, cosechas de algodón o caña de azúcar.

Si las necesidades del consumo nacional estuviesen satisfechas por la producción agrícola del país, este fenómeno no tendría ciertamente tanto de artificial. Pero no es así. El suelo del país no produce aún todo lo que la población necesita para su subsistencia. El capítulo más alto de nuestras importaciones es el de "víveres y especias": Lp. 3 620 235, en el año 1924. Esta cifra, dentro de una importación total de dieciocho millones de libras, denuncia uno de los problemas de nuestra economía. No es posible la supresión de todas nuestras importaciones de víveres y especias, pero sí de sus más fuertes renglones. El más grueso de todos es la importación de trigo y harina, que en 1924 ascendió a más de doce millones de soles.

Un interés urgente y claro de la economía peruana exige, desde hace mucho tiempo, que el país produzca el trigo necesario para el pan de su población. Si este objetivo hubiese sido alcanzado, el Perú no tendría ya que seguir pagando al extranjero doce o más millones de soles al año por el trigo que consumen las ciudades de la costa.

¿Por qué no se ha resuelto este problema de nuestra economía? No es sólo porque el Estado no se ha preocupado aún de hacer una política de subsistencias. Tampoco es, repito, porque el cultivo de la caña y el algodón son los más adecuados al suelo y al clima de la costa. Uno solo de los valles, uno solo de los llanos interandinos —que algunos kilómetros de ferrocarriles y caminos abrirían al tráfico— puede abastecer superabundantemente de trigo, cebada, etcétera, a toda la población del Perú. En la misma costa, los españoles cultivaron trigo en los primeros tiempos de la colonia, hasta el cataclismo que mudó las condiciones climatéricas del litoral. No se estudió posteriormente, en forma científica y orgánica, la posibilidad de establecer ese cultivo. Y el experimento practicado en el norte, en tierras del "Salamanca", demuestra que existen variedades de trigo resistentes a las plagas que atacan en la costa este cereal y que la pereza criolla, hasta este experimento, parecía haber renunciado a vencer.[30]

El obstáculo, la resistencia a una solución, se encuentra en la estructura misma de la economía peruana. La economía del Perú, es una economía colonial. Su movimiento, su desarrollo, están subordinados a los intereses y a las necesidades de los mercados de Londres y de Nueva York. Estos mercados miran en el Perú un depósito de materias primas y una plaza para sus manufacturas. La agricultura peruana obtiene, por eso, créditos y transportes sólo para los productos que puede ofrecer con ventaja en los grandes mercados. La finanza extranjera se interesa un día por el caucho, otro día por el algodón, otro día por el azúcar. El día en que Londres puede recibir un producto a mejor precio y en cantidad suficiente de la India o de Egipto, abandona instantáneamente a su propia suerte a sus proveedores del Perú. Nuestros latifundistas, nuestros terratenientes cualesquiera que sean las ilusiones que se hagan de su independencia, no actúan en realidad sino como intermediarios o agentes del capitalismo extranjero.

Proposiciones finales

A las proposiciones fundamentales, expuestas ya en este estudio, sobre los aspectos presentes de la cuestión agraria en el Perú, debo agregar las siguientes:

1o. El carácter de la propiedad agraria en el Perú se presenta como una de las mayores trabas del propio desarrollo del capitalismo nacional. Es muy elevado el porcentaje de las tierras, explotadas por arrendatarios grandes o medios, que pertenecen a terratenientes que jamás han manejado sus fundos. Estos terratenientes, por completo extraños y ausentes de la agricultura y de sus problemas, viven de su renta territorial sin dar ningún aporte de trabajo ni de inteligencia a la actividad económica del país. Corresponden a la categoría del aristócrata o del rentista, consumidor improductivo. Por sus hereditarios derechos de propiedad perciben un arrendamiento que se puede considerar como un canon feudal. El agricultor arrendatario corresponde, en cambio, con más o menos propiedad, al tipo de jefe de empresa capitalista. Dentro de un verdadero sistema capitalista, la plusvalía obtenida por su empresa, debería beneficiar a este industrial y al capital que financiase sus trabajos. El dominio de la tierra por una clase de rentistas, impone a la producción la pesada carga de sostener una renta que no está sujeta a los eventuales descensos de los productos agrícolas. El arrendamiento no encuentra, generalmente en este sistema, todos los estímulos indispensables para efectuar los trabajos de perfecta valorización de las tierras y de sus cultivos e instalaciones. El temor a un aumento de la locación, al vencimiento de su escritura, lo induce a una gran parsimonia en las inversiones. La ambición del agricultor arrendatario es, por supuesto, convertirse en propietario; pero su propio empeño contribuye al encarecimiento de la propiedad agraria en provecho de los latifundistas. Las condiciones incipientes del crédito agrícola en el Perú impiden una más intensa expropiación capitalista de la tierra para esta clase de industriales. La explotación capitalista e industrialista de la tierra, que requiere para su libre y pleno desenvolvimiento de eliminación de todo canon feudal, avanza por esto en nuestro país con suma lentitud. Hay aquí un problema, evidente no sólo para un criterio socialista sino también para un criterio capitalista. Formulando un principio que integra el programa agrario de la burguesía liberal francesa, Edouard Herriot afirma que *"la tierra exige la presencia real"*.[31] No está de más remarcar que a este respecto el Occidente no aventaja por cierto al Oriente, puesto que la ley mahometana establece, como lo observa Charles Gide, que "la tierra pertenece al que la fecunda y vivifica".

2o. El latifundismo subsistente en el Perú se acusa, de otro lado, como la más grave barrera para la inmigración blanca. La inmigración que podemos esperar es, por obvias razones, de campesinos provenientes de Italia, de Europa central y de los Balkanes. La población urbana occidental emigra en mucha menor escala y los obreros industriales saben, además, que tienen muy poco que hacer en la América Latina. Y bien. El campesino europeo no viene a América para trabajar como bracero, sino en los casos en que el alto salario le consiente ahorrar largamente. Y éste no es el caso del Perú. Ni el más miserable labrador de Polonia o de Rumania aceptaría el tenor de vida de nuestros jornaleros de las haciendas de caña o de algodón. Su aspiración es devenir pequeño propietario. Para que nuestros campos estén en grado de atraer esta inmigración es indispensable que puedan brindarle tierras dotadas de viviendas, animales y herramientas y comunicadas con ferrocarriles y mercados. Un funcionario o propagandista del fascismo, que visitó el Perú hace aproximadamente tres años, declaró en los diarios locales que nuestro régimen de gran propiedad era incompatible con un programa de colonización e inmigración capaz de atraer al campesino italiano.

3o. El endeudamiento de la agricultura de la costa a los intereses de los capitales y los mercados británicos y norteamericanos, se opone no sólo a que se organice y desarrolle de acuerdo con las necesidades específicas de la economía nacional —esto es, asegurando primeramente el abastecimiento de la población— sino también a que ensaye y adopte nuevos cultivos. La mayor empresa acometida en este orden en los últimos años —la de las plantaciones de tabaco de Tumbes— ha sido posible sólo por la intervención del Estado. Este hecho abona mejor que ningún otro la tesis de que la política liberal del *laisser faire,* que tan pobres frutos ha dado en el Perú, debe ser definitivamente remplazada por una política social de nacionalización de las grandes fuentes de riqueza.

4o. La propiedad agraria de la costa, no obstante los tiempos prósperos de que ha gozado, se muestra hasta ahora incapaz de atender los problemas de la salubridad rural, en la medida que el Estado exige y que es, desde luego, asaz modesta. Los requerimientos de la Dirección de Salubridad Pública a los hacendados no consiguen aún el cumplimiento de las disposiciones vigentes contra el paludismo. No se ha obtenido siquiera un mejoramiento general dé las rancherías. Está probado que la población rural de la costa arroja los más altos índices de mortalidad y morbilidad del país. (Exceptúanse naturalmente los de las regiones excesivamente mórbidas de la selva.) La estadística demográfica del distrito rural de Pativilca acusaba hace tres años una mortalidad superior a la natalidad. La obras de irrigación, como lo observa el ingeniero Sutton a propósito de la de Olmos, comportan posiblemente la más radical solución del problema de las paludes o pantanos. Pero, sin las obras de aprovechamiento de las aguas sobrantes del río Chancay realizadas en Huacho por el señor Antonio Graña, a quien se debe también un interesante plan de colonización, y sin las obras de aprovechamiento de las aguas del subsuelo practicadas en Chiclín y alguna otra negociación del norte, la acción del capital privado en la irrigación de la costa peruana resultaría verdaderamente insignificante en los últimos años.

5o. En la sierra, el feudalismo agrario sobreviviente se muestra del todo inepto como creador de riqueza y de progreso. Excepción hecha de las negociaciones ganaderas que exportan lana y alguna otra, en los valles y planicies serranos el latifundio tiene una producción miserable. Los rendimientos del suelo son ínfimos; los métodos de trabajo, primitivos. Un órgano de la prensa local decía una vez que en la sierra peruana el gamonal aparece relativamente tan pobre como el indio. Este argumento —que resulta completamente nulo dentro de un criterio de relatividad— lejos de justificar al gamonal, lo condena inapelablemente. Porque para la economía moderna —entendida como ciencia objetiva y concreta— la única justificación del capitalismo y de sus capitanes de industria y de finanza está en su función de creadores de riqueza. En el plano económico, el señor feudal o gamonal es el primer responsable del poco valor de sus dominios. Ya hemos visto cómo este latifundista no se preocupa de la productividad, sino de la rentabilidad de la tierra. Ya hemos visto también cómo, a pesar de ser sus tierras las mejores, sus cifras de producción no son mayores que la obtenidas por el indio, con su primitivo equipo de labranza, en sus magras tierras comunales. El gamonal, como factor económico, está pues, completamente descalificado.

60. Como explicación de este fenómeno se dice que la situación económica de la agricultura de la sierra depende absolutamente de las vías de comunicación y transporte. Quienes así razonan no entienden sin duda la diferencia orgánica, fundamental, que existe entre una economía feudal o semifeudal y una economía capitalista. No comprenden que el tipo patriarcal primitivo de terrateniente feudal es sustancialmente distinto del tipo del moderno jefe de empresa. De otro lado el gamonalismo y el latifundismo aparecen también como un obstáculo hasta para la ejecución del propio programa vial que el Estado sigue actualmente. Los abusos e intereses de los gamonales se oponen totalmente a una recta aplicación de la ley de conscripción vial. El indio la mira instintivamente como un arma del gamonalismo. Dentro del régimen incaico, el servicio vial debidamente establecido sería un servicio público obligatorio, del todo compatible con los principios del socialismo moderno; dentro del régimen colonial de latifundio y servidumbre, el mismo servicio adquiere el carácter odioso de una "mita".

EL PROCESO DE LA INSTRUCCION PUBLICA

La herencia colonial y las influencias francesa y norteamericana

Tres influencias se suceden en el proceso de la instrucción en la República: la influencia o, mejor, la herencia española, la influencia francesa y la influencia norteamericana. Pero sólo la española logra en su tiempo un dominio completo. Las otras dos se insertan mediocremente en el cuadro español, sin alterar demasiado sus líneas fundamentales.

La historia de la instrucción pública en el Perú se divide así en los tres periodos que señalan estas tres influencias.[1] Los límites de cada periodo no son muy precisos. Pero en el Perú éste es un defecto común a casi todos los fenómenos y a casi todas las cosas. Hasta en los hombres rara vez se observa un contorno neto, un perfil categórico. Todo aparece siempre un poco borroso, un poco confuso.

En el proceso de la instrucción pública, como en otros aspectos de nuestra vida, se constata la superposición de elementos extranjeros combinados, insuficientemente aclimatados. El problema está en las raíces mismas de este Perú hijo de la conquista. No somos un pueblo que asimila las ideas y los hombres de otras naciones, impregnándolas de su sentimiento y su ambiente, y que de esta suerte enriquece, sin deformarlo, su espíritu nacional. Somos un pueblo en el que conviven, sin fusionarse aún, sin entenderse todavía, indígenas y conquistadores. La República se siente y hasta se confiesa solidaria con el virreinato. Como el virreinato, la República es el Perú de los colonizadores, más que de los regnícolas. El sentimiento y el interés de las cuatro quintas partes de la población no juegan casi ningún rol en la formación de la nacionalidad y de sus instituciones.

La educación nacional, por consiguiente, no tiene un espíritu nacional: tiene más bien un espíritu colonial y colonizador. Cuando en sus programas de instrucción pública el Estado se refiere a los indios, no se refiere a ellos como a peruanos iguales a todos los demás. Los considera como una raza inferior. La República no se diferencia en este terreno del virreinato.

España nos legó, de otro lado, un sentido aristocrático y un concepto eclesiástico y literario de la enseñanza. Dentro de este concepto, que cerraba las puertas de la Universidad a los mestizos, la cultura era un privilegio de casta. El pueblo no tenía derecho a la instrucción. La enseñanza tenía por objeto formar clérigos y doctores.

La revolución de la independencia, alimentada de ideología jacobina, produjo temporalmente la adopción de principios igualitarios. Pero este igualitarismo verbal no tenía en mira, realmente, sino al criollo. Ignoraba al indio. La República, además, nacía en la miseria. No podía permitirse el lujo de una amplia política educacional.

La generosa concepción de Condorcet no se contó entre los pensamientos tomados en préstamo por nuestros liberales a la gran revolución. Prácticamente subsistió, en ésta como en casi todas las cosas, la mentalidad colonial. Disminuida la efervescencia de la retórica y el sentimiento liberales, reapareció netamente el principio de privilegio. El gobierno de 1831, que declaró la gratuidad de la enseñanza, fundaba esta medida que no llegó a actuarse, en "la notoria decadencia de las fortunas particulares que había reducido a innumerables padres de familia a la amarga situación de no serles posible dar a sus hijos educación ilustrada, malográndose muchos jóvenes de talento".[2] Lo que preocupaba a ese gobierno, no era la necesidad de poner este grado de instrucción al alcance del pueblo. Era, según sus propias palabras, la urgencia de resolver un problema de las familias que habían sufrido desmedro en su fortuna.

La persistencia de la orientación literaria y retórica se manifiesta con la misma acentuación. Felipe Barreda y Laos señala como fundaciones típicas de los primeros lustros de la República las siguientes: el Colegio de la Trinidad de Huancayo, la Escuela de Filosofía y Latinidad de Huamachuco y las catedras de filosofía, de teología dogmática y de jurisprudencia del Colegio de Moquegua.[3]

En el culto de las humanidades se confundían los liberales, la vieja aristocracia terrateniente y la joven burguesía urbana. Unos y otros se complacían en concebir las universidades y los colegios como unas fábricas de gentes de letras y de leyes. Los liberales no gustaban menos de la retórica que los conservadores. No había quien reclamase una orientación práctica dirigida a estimular el trabajo, a empujar a los jóvenes al comercio y la industria (Menos aún había quien reclamase una orientación democrática, destinada a franquear el acceso a la cultura a todos los individuos.)

La herencia española no era exclusivamente una herencia psicológica e intelectual. Era ante todo, una herencia económica y social. El privilegio de la educación persistía por la simple razón de que persistía el privilegio de la riqueza y de la casta. El concepto aristocrático y literario de la educación correspondía absolutamente a un régimen y a una economía feudales. La revolución de la independencia no había liquidado en el Perú este régimen y esta economía.[4] No podía, por ende, haber cancelado sus ideas peculiares sobre la enseñanza.

El doctor Manuel Vicente Villarán, que representa en el proceso y el debate de la instrucción pública peruana el pensamiento demoburgués, deplorando esta herencia dijo en su discurso sobre las profesiones liberales hace un cuarto de siglo: "El Perú debería ser por mil causas económicas y sociales, como han sido los Estados Unidos tierra de labradores, de colonos, de mineros, de comerciantes, de hombres de trabajo; pero las fatalidades de la historia y la voluntad de los hombres han resuelto otra cosa, convirtiendo al país en centro literario, patria de intelectuales y semillero de burócratas. Pasemos la vista en torno de la sociedad y fijemos la atención en cualquier familia: será una gran fortuna si logramos hallar entre sus miembros algún agricultor, comerciante, industrial o marino; pero es indudable que habrá en ella algún abogado o médico, militar o empleado, magistrado o político, profesor o literato, periodista o poeta. Somos un pueblo donde ha entrado la manía de las naciones viejas y decadentes, la enfermedad de hablar y de escribir y no de obrar, de 'agitar palabras y no cosas', dolencia lamentable que constituye un signo de laxitud y de flaqueza. Casi todos miramos con horror las profesiones activas que exigen voluntad enérgica y espíritu de lucha, porque no queremos combatir, sufrir, arriesgar y abrirnos paso por nosotros mismos hacia el bienestar y la independencia. ¡Qué pocos se deciden a soterrarse en la montaña, a vivir en las punas, a recorrer nuestros mares, a explorar nuestros ríos, a irrigar nuestros campos, a aprovechar los tesoros de nuestras minas! Hasta las manufacturas y el comercio, con sus riesgos y preocupaciones, nos atemorizan, y en cambio contemplamos engrosar año por año la multitud de los que anhelan a todo precio la tranquilidad, la seguridad, el semirreposo de los empleos públicos y las profesiones literarias. En ello somos estimulados, empujados por la sociedad entera. Todas las preferencias de los padres de familia son para los abogados, los doctores, los oficinistas, los literatos y los maestros. Así es que el saber se halla triunfante, la palabra y la pluma están en su edad de oro, y si el mal no es corregido pronto, el Perú va a ser como la China, la tierra prometida de los funcionarios y de los letrados."[5]

El estudio de la historia de la civilización capitalista esclarece ampliamente las causas del estado social peruano, considerado por el doctor Villarán en el párrafo copiado.

España es una nación rezagada en el progreso capitalista. Hasta ahora, España no ha podido emanciparse del

97

medievo. Mientras en Europa central y oriental han sido abatidos como consecuencia de la guerra los últimos bastiones de la feudalidad, en España se mantienen todavía en pie, defendidos por la monarquía. Quienes ahondan hoy en la historia de España, descubren que a este país le ha faltado una cumplida revolución liberal y burguesa. En España el tercer estado no ha logrado nunca una victoria definitiva. El capitalismo aparece cada vez más netamente como un fenómeno consustancial y solidario con el liberalismo y con el protestantismo. Esto no es, propiamente, un principio ni una teoría, sino más bien una observación experimental, empírica. Se constata que los pueblos en los cuales el capitalismo —industrialismo y maquinismo— ha alcanzado todo su desarrollo, son los pueblos anglosajones: liberales y protestantes.[6] Sólo en estos países la civilización capitalista se ha desarrollado plenamente. España es entre las naciones latinas la que menos ha sabido adaptarse al capitalismo y al liberalismo. La famosa decadencia española, a la cual exégetas románticos atribuyen los más diversos y extraños orígenes, consiste simplemente en esta incapacidad. El clamor por la europeización de España ha sido un clamor por su asimilación a la Europa demoburguesa y capitalista. Lógicamente, las colonias formadas por España en América tenían que resentirse de la misma debilidad. Se explica perfectamente el que las colonias de Inglaterra, nación destinada a la hegemonía en la edad capitalista, recibiesen los fermentos y las energías espirituales y materiales de un apogeo, mientras las colonias de España, nación encadenada a la tradición de la edad aristocrática, recibían los gérmenes y las taras de una decadencia.

El español trajo a la empresa de la colonización de América su espíritu medieval. Fue sólo un conquistador; no fue realmente un colonizador. Cuando España terminó de mandarnos conquistadores, empezó a mandarnos únicamente virreyes, clérigos y doctores.

Se piensa ahora que España experimentó su revolución burguesa en América. Su clase liberal y burguesa, sofocada en la metrópoli, se organizó en las colonias. La revolución española por esto se cumplió en las colonias y no en la metrópoli. En el proceso histórico abierto por esta revolución, les tocó en consecuencia la mejor parte a los países donde los elementos de esa clase liberal y burguesa y de una economía congruente, eran más vitales y sólidos. En el Perú eran demasiado incipientes. Aquí, sobre los residuos dispersos, sobre los materiales disueltos de la economía y la sociedad incaicas, el virreinato había edificado un régimen aristocrático y feudal que reproducía, con sus vicios y sin sus raíces, el de la decaída metrópoli.

La responsabilidad del estado social denunciado por el doctor Villarán en su discurso académico de 1900, corresponde, pues, fundamentalmente, a la herencia española. El doctor Villarán lo admitió en su tesis aunque su filiación civilista no le consentía excesiva independencia mental frente a una clase, como la representada por su partido, que tan inequívocamente desciende del virreinato y se siente heredera de sus privilegios. "La América —escribía el doctor Villarán— no era colonia de trabajo y poblamiento sino de explotación. Los colonos españoles venían a buscar la riqueza fácil, ya formada, descubierta, que se obtiene sin la doble pena del trabajo y el ahorro, esa riqueza que es la apetecida por el aventurero, por el noble, por el soldado, por el soberano. Y en fin ¿para qué trabajar si no era necesario? ¿No estaban allí los indios? No eran numerosos, mansos, diligentes, sobrios, acostumbrados a la tierra y al clima? Ahora bien, el indio siervo produjo al rico ocioso y dilapidador. Pero lo peor de todo fue que una fuerte asociación de ideas se estableció entre el trabajo y la servidumbre, porque de hecho no había trabajador que no fuera siervo. Un instinto, una repugnancia natural manchó toda labor pacífica y se llegó a pensar que trabajar era malo y deshonroso. Este instinto nos ha sido legado por nuestros abuelos como herencia orgánica. Tenemos, pues, por raza y nacimiento, el desdén al trabajo, el amor a la adquisición del dinero sin esfuerzo propio, la afición a la ociosidad agradable, el gusto a las fiestas y la tendencia al derroche."[7]

Estados Unidos es la obra del *pioneer,* el puritano y el judío, espíritus poseídos de una poderosa voluntad de potencia y orientados además hacia fines utilitarios y prácticos. En el Perú se estableció, en cambio, una raza que en su propio suelo no pudo ser más que una raza indolente y soñadora, pésimamente dotada para las empresas del industrialismo y del capitalismo. Los descendientes de esta raza, por otra parte, más que sus virtudes heredaron sus defectos.

Esta tesis de la deficiencia de la raza española para liberarse del medievo y adaptarse a un siglo liberal y capitalista resulta cada día más corroborada por la interpretación científica de la historia.[8] Entre nosotros, demasiado inclinados siempre a un idealismo ramplón en la historiografía, se afirma ahora un criterio realista a este respecto. César A. Ugarte —en su *Bosquejo de la historia económica del Perú*— escribe lo que sigue: "¿Cuál fue el contingente de energías que dio al Perú la nueva raza? La psicología del pueblo español del siglo XVI no era la más apropiada para el desenvolvimiento económico de una tierra abrupta e inexplorada. Pueblo guerrero y caballeresco, que acababa de salir de ocho siglos de lucha por la reconquista de su suelo y que se hallaba en pleno proceso de unificación política, carecía en el siglo XVI de las virtudes económicas, especialmente de la constancia para el trabajo y del espíritu del ahorro. Sus prejuicios nobiliarios y sus aficiones burocráticas le alejaban de los campos y de las industrias por juzgarlas ocupaciones de esclavos y villanos. La mayor parte de los conquistadores y descubridores del siglo XVI, era gente desvalida; pero no les inspiraba el móvil de encontrar una tierra libre y rica para prosperar en ella con su esfuerzo paciente; guiábalos sólo la codicia de riquezas fáciles y fabulosas y el espíritu de aventura para alcanzar gloria y poderío. Y si al lado de esta masa ignorante y aventurera, venían algunos hombres de mayor cultura y valía, impulsaba a éstos la fe religiosa y el propósito de catequizar a los naturales."[9]

El espíritu religioso en sí, a mi juicio, no fue un obstáculo para la organización económica de las colonias. Más espíritu religioso hubo en los puritanos de la Nueva Inglaterra. De él sacó precisamente Norteamérica la savia espiritual de su engrandecimiento económico. En cuanto a religiosidad, la colonización española no pecó de exceso.[10]

■

La República, que heredó del virreinato, esto es, de un régimen feudal y aristocrático, sus instituciones y métodos de instrucción pública, buscó en Francia los modelos de la reforma de la enseñanza tan luego como, esbozada la organización de una economía y una clase capitalista, la gestión del nuevo Estado adquirió cierto impulso progresista y cierta aptitud ordenadora.

De este modo, a los vicios originales de la herencia española se añadieron los defectos de la influencia francesa que, en vez de venir a atenuar y corregir el concepto literario y retórico de la enseñanza transmitido a la República por el virreinato, vino más bien a acentuarlo y complicarlo.

La civilización capitalista no ha logrado en Francia, como en Inglaterra, Alemania y Estados Unidos, un cabal desarrollo, entre otras razones, por lo inadecuado del sistema educacional francés. Todavía no se ha resuelto en esa nación —de la cual hemos copiado anacrónicamente tantas cosas—, problemas fundamentales como el de la escuela única primaria y el de la enseñanza técnica. Estudiando detenidamente esta cuestión en su obra *Creer,* Herriot hace las siguientes constataciones: "En verdad, conscientemente o no, hemos permanecido fieles a ese gusto de la cultura universal que parecía a nuestros padres el mejor medio de alcanzar la distinción del espíritu. El francés ama la idea general sin saber siempre lo que entiende por ese término. Nuestra prensa, nuestra elocuencia, se nutren de lugares comunes."[11] "En pleno siglo XX no tenemos aún un plan de educación nacional. Las experiencias políticas a las que hemos estado condenados han reaccionado cada una a su manera sobre la enseñanza. Si se le mira desde un poco de altura, la mediocridad del esfuerzo tentado aparece lamentable."[12]

Y, más adelante, después de recordar que Renan atribuía en parte la responsabilidad de las desventuras de 1870 *a una instrucción pública cerrada a todo progreso, convencida de haber dejado que el espíritu de Francia se malograse en la nulidad,* Herriot agrega: "Los hombres de 1848 habían concebido para nuestro país un programa de instrucción que no ha sido jamás ejecutado y ni siquiera comprendido. Nuestro maestro Constantin Pecqueur lamentaba que la instrucción pública no fuese aún organizada socialmente, que el privilegio de nacimiento se prolongase en la educación de los niños."[13]

Herriot, cuya ponderación democrática no puede ser contestada, suscribe a este respecto juicios sustentados por los Compagnons de l'Université Nouvelle y otros propugnadores de una radical reforma de la enseñanza. Conforme a su esquema de la historia de la instrucción pública de Francia, la revolución tuvo un amplio y nuevo ideario educacional. "Con un vigor y una decisión de espíritu remarcables, Condorcet reclamaba para todos los ciudadanos todas las posibilidades de instrucción, la gratuidad de todos los grados, la triple cultura de las facultades físicas, intelectuales y morales." Pero después de Condorcet, vino Napoleón. "La obra de 1808 —escribe Herriot— es la antítesis del esfuerzo de 1792. En adelante los dos principios antagónicos no cesarán de luchar. Los encontraremos, así al uno como al otro, en la base de nuestras instituciones tan mal coordinadas todavía. Napoleón se ocupó sobre todo de la enseñanza secundaria que debía darle a sus funcionarios y oficiales. Nosotros lo estimamos en gran parte responsable de la larga ignorancia de nuestro pueblo en el curso del siglo XIX. Los hombres de 1793 habían tenido otras esperanzas. Hasta en los colegios y los liceos, nada que pueda despertar la libertad de la inteligencia; hasta en la enseñanza superior, ninguna parte para el culto desinteresado de la ciencia o las letras. La Tercera República ha podido desprender a las universidades de esta tutela y volver a la tradición de los pretendidos sectarios que crearon la Escuela Normal, el Conservatorio de Artes y Oficios o el Instituto. Pero no ha podido romper completamente con la concepción estrecha tendiente a aislar la cooperación universitaria del resto de la nación. Ha conservado del Imperio una afición exagerada a los grados, un respeto excesivo por los procedimientos que habían constituido la fuerza pero también el peligro de la educación de los jesuitas."[14]

Esta es, según un estadista demoliberal de la burguesía francesa, la situación de la enseñanza en la nación de la cual, con desorientación deplorable, hemos importado métodos y textos durante largos años. Le debemos este desacierto a la aristocracia virreinal que, disfrazada de burguesía republicana, ha mantenido en la República los fueros y los principios de orden colonial. Esta clase quiso para sus hijos ya que no la educación acremente dogmática de los colegios reales de la metrópoli, la educación elegantemente conservadora de los colegios jesuitas de la Francia de la restauración.

El doctor M. V. Villarán, propugnador de la orientación norteamericana, denunció en 1908, en su tesis sobre la influencia extranjera en la educación, el error de inspirarse en Francia. "Con toda su admirable intelectualidad –decía–, ese país no ha podido aún modernizar, democratizar y unificar suficientemente su sistema y sus métodos de educación. Los escritores franceses de más nota son los primeros en reconocerlo."[15] Se apoya el doctor Villarán en la opinión de Taine, de autoridad incontestable para los intelectuales civilistas a quienes le tocaba dirigirse.

La influencia francesa no está aún liquidada. Quedan aún de ella demasiados rezagos en los programas y, sobre todo, en el espíritu de la enseñanza secundaria y superior. Pero su ciclo ha concluido con la adopción de modelos norteamericanos que caracteriza las últimas reformas. Su balance, pues, puede ser hecho. Ya sabemos por anticipado que arroja un pasivo enorme. Hay que poner en su cuenta la responsabilidad del predominio de las profesiones liberales. Impotente para preparar una clase dirigente apta y sana, la enseñanza ha tenido en el Perú, para un criterio rigurosamente histórico, el vicio fundamental de su incongruencia con las necesidades de la evolución de la economía nacional y de su olvido de la existencia del factor indígena. Vale decir el mismo vicio que encontramos en casi todo proceso político de la República.

■

El periodo de reorganización económica del país sobre bases civilistas, inaugurado en 1895 por el gobierno de Piérola, trajo un periodo de revisión del régimen y métodos de la enseñanza. Recomenzaba el trabajo de formación de una economía capitalista interrumpido por la guerra del 79 y sus consecuencias y, por tanto, se planteaba el problema de adaptar gradualmente la instrucción pública a las necesidades de esta economía en desenvolvimiento.

El Estado, que en sus tiempos de miseria o falencia abandonó obligadamente la enseñanza primaria a los municipios, reasumió este servicio. Con la fundación de la Escuela Normal de Preceptores se preparó el cimiento de la escuela primaria pública o, mejor, popular, que hasta entonces no era sino rutinarismo y diletantismo criollos. Con el restablecimiento de la Escuela de Artes y Oficios se diseñó una ruta en orden a la enseñanza técnica.

Este periodo se caracteriza en la historia de la instrucción pública por su progresivo orientamiento hacia el modelo anglosajón. La reforma de la segunda enseñanza en 1902 fue el primer paso en tal sentido. Pero, limitada a un solo plano de la enseñanza, constituyó un paso falso. El régimen civilista restablecido por Piérola no supo n pudo dar una dirección segura a su política educacional. Sus intelectuales, educados en un gárrulo e hinchado verbalismo o en un erudicionismo linfático y académico, no tenían sino una mediocre habilidad de tinterillos. Sus caciques o capataces, cuando se elevaban sobre el nivel mental de un mero traficante de *coolíes* y caña de azúcar, permanecían demasiado adheridos a los más caducos prejuicios aristocráticos.

El doctor M. V. Villarán, aparece desde 1900 como el preconizador de una reforma coherente con el embrionario desarrollo capitalista del país. Su discurso de ese año sobre las profesiones liberales fue la primera requisitoria eficaz contra el concepto literario y aristocrático de la enseñanza transmitido a la República por el virreinato. Ese discurso condenaba al gaseoso y arcaico idealismo extranjero que hasta entonces había prevalecido en la enseñanza pública —reducida a la educación de los jóvenes "decentes"—, en el nombre de una concepción francamente materialista, o sea capitalista, del progreso. Y concluía con la aserción de que era "urgente rehacer el sistema de nuestra educación en forma tal que produzca pocos diplomados y literatos y en cambio eduque hombres útiles, creadores de riqueza". "Los grandes pueblos europeos —agregaba—, reforman hoy sus planes de instrucción adoptando generalmente el tipo de la educación yanqui, porque comprenden que las necesidades de la época exigen, ante todo, hombres de empresa, y no literatos ni eruditos, y porque todos esos pueblos se hallan empeñados más o menos en la gran obra humana de extender a todas partes su comercio, su civilización y su raza. Así también nosotros, siguiendo el ejemplo de las grandes naciones de Europa, debemos enmendar el equivocado rumbo que hemos dado a la educación nacional, a fin de producir hombres prácticos, industriosos y enérgicos porque ellos son los que necesita la patria para hacerse rica y por lo mismo fuerte."[16]

La reforma de 1920 señala la victoria de la orientación preconizada por el doctor Villarán y, por tanto, el predominio de la influencia norteamericana. De un lado, la ley orgánica de enseñanza, en convencional vigor desde ese año, tiene su origen en un proyecto elaborado primero por una comisión que presidió Villarán y asesoró un técnico yanqui, el doctor Bard, destilado y refinado luego por otra comisión que encabezó también el doctor Villarán y rectificado finalmente por el doctor Bard, en su calidad de jefe de la misión norteamericana traído por el gobierno para reorganizar la instrucción pública. De otro lado, la aplicación de los principios de la misma ley fue confiada por algún tiempo a este equipo de técnicos yanquis.

La importación del método norteamericano no se explica, fundamentalmente, por el cansancio del verbalismo latinista sino por el impulso espiritual que determinaban la afirmación y el crecimiento de una economía capitalista. Este proceso histórico —que en el plano político produjo la caída de la oligarquía representativa de la casta feudal a causa de su ineptitud para devenir clase capitalista— en el plano educacional impuso la definitiva adopción de una reforma pedagógica inspirada en el ejemplo de la nación de más próspero desarrollo industrial.

Se aborda, pues, con la reforma de 1920, una empresa congruente con el rumbo de la evolución histórica del país. Pero, como el movimiento político que canceló el dominio del viejo civilismo aristocrático, el movimiento educacional —paralelo y solidario a aquél— estaba destinado a detenerse. La ejecución de un programa demoliberal resultaba en la práctica entrabada y saboteada por la subsistencia de un régimen de feudalidad en la mayor parte del país. No es posible democratizar la enseñanza de un país sin democratizar su economía y sin democratizar, por ende, su superestructura política.

En un pueblo que cumple conscientemente su proceso histórico, la reorganización de la enseñanza tiene que estar dirigida por sus propios hombres. La intervención de especialistas extranjeros no puede rebasar los límites de una colaboración.

Por estas razones, fracasó el experimento de la misión norteamericana. Por estas razones, sobre todo, la nueva ley orgánica quedó más bien como un programa teórico que como una pauta de acción.

Ni la organización ni la existencia de la enseñanza se conforman a la ley orgánica. El contraste, la distancia entre la ley y la práctica no pueden ser atenuados en sus puntos capitales. El doctor Bouroncle en un estudio que nadie supondrá inspirado en propósitos negativos ni polémicos, apunta varias de las fallas y remiendos que se han sucedido en la accidentada historia de esta reforma. "Un ligero análisis —escribe— de las actuales disposiciones legales y reglamentarias en materia de instrucción nos hace ver el gran número de las que no han tenido ni podían tener aplicación en la práctica. En primer término, la organización de la Dirección General y del Consejo Nacional de Enseñanza ha sido reformada a mérito de una autorización legislativa, suprimiéndose las direcciones regionales que eran las entidades ejecutivas con mayores atribuciones técnicas y administrativas en el ramo. Las direcciones y secciones han sido modificadas y los planes de estudio de enseñanza primaria y secundaria han tenido que ser revisados. Las distintas clases de escuelas consideradas en la ley no se han tomado en cuenta y los exámenes y títulos preceptorales han necesitado ya una total reforma. Las categorías de escuelas no se han considerado, ni tampoco la complicada clasificación de los colegios que preconizó el reglamento de enseñanza secundaria. La junta examinadora nacional ha sido remplazada en sus funciones por la Dirección de Exámenes y Estudios y el sistema total ha sido modificado. Y por último, la enseñanza superior, la que con más detalles organiza la ley, ha dado sólo parcial cumplimiento a sus mandatos. La Universidad de Escuelas Técnicas fracasó a las primeras tentativas de organización y las escuelas superiores de agricultura, ciencias pedagógicas, artes industriales y comercio, no han sido fundadas. El plan de estudios para la Universidad de San Marcos no ha tenido total aplicación y el Centro Estudiantil Universitario, para cuya dirección se contrató personal especial, no ha podido ni siquiera crearse. Y si examinamos los actuales reglamentos de enseñanza primaria y secundaria veremos asimismo un sinnúmero de disposiciones reformadas o sin aplicación. Pocas leyes y reglamentos de los que se han dado en el Perú, han tenido tan pronta y diversa modificación al extremo de que los preceptos reformatorios y aquellos que no se aplican están hoy en mayor número en la práctica escolar que los que aún se conservan en vigencia en la ley y sus reglamentos."[17]

Esta es la crítica ponderada y prudente de un funcionario a quien mueve, como es natural, un espíritu de colaboración; pero no hacen falta otras constataciones, ni aun la de que no se consigue todavía dedicar a la enseñanza primaria el diez por ciento de los ingresos fiscales ordenado por la ley, para declarar la quiebra de la reforma de 1920.[18] Por otra parte, esta declaración ha sido implícitamente pronunciada por el Consejo Nacional de Enseñanza al acometer la revisión de la Ley orgánica.

A los que en este debate ocupamos una posición ideológica revolucionaria, nos toca constatar, ante todo, que la quiebra de la reforma de 1920 no depende de ambición excesiva ni de idealismo ultramoderno de sus postulados. Bajo muchos aspectos, esa reforma se presenta restringida en su aspiración y conservadora en su alcance. Mantiene en la enseñanza, sin la menor atenuación sustancial, todos los privilegios de clase y de fortuna. No franquea los grados superiores de la enseñanza a los niños seleccionados por la escuela primaria, pues no encarga absolutamente a ésta dicha selección. Confina a los niños de la clase proletaria en la instrucción primaria dividida, sin ningún fin selectivo, en común y profesional, y conserva a la escuela primaria privada, que separa desde la niñez, con rígida barrera, a las clases sociales y hasta a sus categorías. Establece únicamente la gratuidad de la primera enseñanza sin sentar por lo menos el principio de que el acceso a la instrucción secundaria, que el Estado ofrece a un pequeño porcentaje con su antiguo sistema de becas, está reservado expresamente a los mejores. La ley orgánica, en cuanto a las becas, se expresa en términos extremadamente vagos, además de que no reconoce prácticamente el derecho de ser sostenidos por el Estado sino a los estudiantes que han ingresado ya a los colegios de segunda enseñanza. Dice, en efecto, el artículo 254: "Por disposición reglamentaria, podrá exonerarse de derechos de enseñanza y de pensión en los internados de los colegios nacionales, como premio, a los jóvenes pobres, que se distingan por su capacidad, moralidad y dedicación al estudio. Estas becas serán otorgadas por el director regional a propuesta de la junta de profesores del colegio respectivo."[19]

Tantas limitaciones impiden considerar la reforma de 1920 aun como la reforma democrática, propugnada por el doctor Villarán en nombre de principios demoburgueses.

La reforma universitaria

Ideología y reivindicaciones

El movimiento estudiantil que se inició con la lucha de los estudiantes de Córdoba, por la reforma de la universidad, señala el nacimiento de la nueva generación latinoamericana. La inteligente compilación de documentos de la reforma universitaria en la América Latina realizada por Gabriel del Mazo, cumpliendo un encargo de la Federación Universitaria de Buenos Aires, ofrece una serie de testimonios fehacientes de la unidad espiritual de este movimiento.[20] El proceso de la agitación universitaria en Argentina, Uruguay, Chile, Perú, etcétera, acusa el mismo origen y el mismo impulso. La chispa de la agitación es casi siempre un incidente secundario; pero la fuerza que la propaga y la dirige viene de ese estado de ánimo, de esa corriente de ideas que se designa —no sin

109

riesgo de equívoco— con el nombre de "nuevo espíritu". Por esto, el anhelo de la reforma se presenta, con idénticos caracteres, en todas las universidades latinoamericanas. Los estudiantes de toda la América Latina aunque movidos a la lucha por protestas peculiares de su propia vida, parecen hablar el mismo lenguaje.

De igual modo, este movimiento se presenta íntimamente conectado con la recia marejada posbélica. Las esperanzas mesiánicas, los sentimientos revolucionarios, las pasiones místicas propias de la posguerra, repercutían particularmente en la juventud universitaria de Latinoamérica. El concepto difuso y urgente de que el mundo entraba en un ciclo nuevo, despertaba en los jóvenes la ambición de cumplir una función heroica y de realizar una obra histórica. Y, como es natural, en la constatación de todos los vicios y fallas del régimen económico social vigente, la voluntad y el anhelo de renovación encontraban poderosos estímulos. La crisis mundial invitaba a los pueblos latinoamericanos, con insólito apremio, a revisar y resolver sus problemas de organización y crecimiento. Lógicamente la nueva generación sentía estos problemas con una intensidad y un apasionamiento que las anteriores generaciones no habían conocido. Y mientras la actitud de las pasadas generaciones, como correspondía al ritmo de su época, había sido evolucionista —a veces con un evolucionismo completamente pasivo— la actitud de la nueva generación era espontáneamente revolucionaria.

La ideología del movimiento estudiantil careció, al principio, de homogeneidad y autonomía. Acusaba demasiado la influencia de la corriente wilsoniana. Las ilusiones demoliberales y pacifistas que la predicación de Wilson puso en boga en 1918-1919 circulaban entre la juventud latinoamericana como buena moneda revolucionaria. Este fenómeno se explica perfectamente. También en Europa no sólo las izquierdas burguesas sino los viejos partidos socialistas reformistas aceptaron como nuevas las ideas demoliberales elocuente y apostólicamente remozadas por el presidente norteamericano.

Unicamente a través de la colaboración cada día más estrecha con los sindicatos obreros, de la experiencia del combate contra las fuerzas conservadoras y de la crítica concreta de los intereses y principios en que se apoya el orden establecido, podían alcanzar las vanguardias universitarias una definida orientación ideológica.

Este es el concepto de los más autorizados portavoces de la nueva generación estudiantil, al juzgar los orígenes y las consecuencias de la lucha por la reforma. Todos convienen en que este movimiento, que apenas ha formulado su programa, dista mucho de proponerse objetivos exclusivamente universitarios y en que, por su estrecha y creciente relación con el avance de las clases trabajadoras y con el abatimiento de viejos privilegios económicos, no puede ser entendido sino como uno de los aspectos de una profunda renovación latinoamericana. Así Palcos, aceptando íntegramente las últimas consecuencias de la lucha empeñada, sostiene que "mientras subsista el actual régimen social, la reforma no podrá tocar las raíces recónditas del problema educacional". "Habrá llenado su objeto —agrega— si depura a las universidades de los malos profesores, que toman el cargo como un empleo burocrático; si permite —como sucede en otros países— que tengan acceso al profesorado todos los capaces de serlo, sin excluirlos por sus convicciones sociales, políticas o filosóficas; si neutraliza en parte, por lo menos, el chovinismo y fomenta en los educandos el hábito de las investigaciones y el sentimiento de la propia responsabilidad. En el mejor de los casos, la reforma rectamente entendida y aplicada puede contribuir a evitar que la universidad sea, como es en rigor en todos los países, como lo fue en la misma Rusia —país donde se daba, sin embargo, como en ninguna otra parte, una intelectualidad avanzada que en la hora de la acción saboteó escandalosamente a la revolución— una Bastilla de la reacción, esforzándose por ganar las alturas del siglo."[21]

No coinciden rigurosamente —y esto es lógico— las diversas interpretaciones del significado del movimiento. Pero, con excepción de las que proceden del sector reaccionario, interesado en limitar los alcances de la reforma, localizándola en la universidad y la enseñanza, todas las que se inspiran sinceramente en sus verdaderos ideales, la definen como la afirmación del "espíritu nuevo", entendido como espíritu revolucionario.

Desde sus puntos de vista filosóficos, Ripa Alberdi se inclinaba a considerar esta afirmación como una victoria del idealismo novecentista sobre el positivismo del siglo XIX. "El renacimiento del espíritu argentino —decía— se opera por virtud de las jóvenes generaciones, que al cruzar por los campos de la filosofía contemporánea han sentido aletear en su frente el ala de la libertad." Mas el propio Ripa Alberdi se daba cuenta de que el objeto de la reforma era capacitar a la universidad para el cumplimiento de "esa función social que es la razón misma de su existencia".[22]

Julio V. González, que ha reunido en dos volúmenes sus escritos de la campaña universitaria, arriba a conclusiones más precisas: "La reforma universitaria —escribe— acusa el aparecer de una nueva generación que llega desvinculada de la anterior, que trae sensibilidad distinta e ideales propios y una misión diversa para cumplir. No es aquélla un hecho simple o aislado, si los hay; está vinculada en razón de causa a efecto con los últimos acontecimientos de que fuera teatro nuestro país, como consecuencia de los producidos en el mundo. Significaría incurrir en una apreciación errónea hasta lo absurdo considerar a la reforma universitaria como un problema de aulas y, aún así, radicar toda su importancia en los efectos que pudiera surtir exclusivamente en los círculos de cultura. Error semejante llevaría sin remedio a una solución del problema que no consultaría la realidad en que él está planteado. Digámoslo claramente entonces: la reforma universitaria es parte de una cuestión que el desarrollo material y moral de nuestra sociedad ha impuesto a raíz de la crisis producida por la guerra."[23] González señala en seguida la guerra europea, la revolución rusa y el advenimiento del radicalismo al poder como los factores decisivos de la reforma en la Argentina.

José Luis Lanuza indica otro factor: la evolución de la clase media. La mayoría de los estudiantes pertenecen a esta clase en todas sus gradaciones. Y bien. Una de las consecuencias sociales y económicas de la guerra es la proletarización de la clase media. Lanuza sostiene la siguiente tesis: "Un movimiento colectivo estudiantil de tan vastas proyecciones sociales como la reforma universitaria no hubiera podido estallar antes de la guerra europea. Se sentía la necesad de renovar los métodos de estudio y se ponía de manifiesto al atraso de la universidad respecto a las corrientes contemporáneas del pensamiento universal desde la época de Alberdi, en la que empieza a desarrollarse nuestra industria embrionaria. Pero entonces la clase media universitaria se mantenía tranquila con sus títulos de privilegio. Desgraciadamente para ella, esta holgura disminuye a medida que crece la gran industria, se acelera la diferenciación de las clases y sobreviene la proletarización de los intelectuales. Los maestros, los periodistas y empleados de comercio se organizan gremialmente. Los estudiantes no podían escapar al movimiento general."[24]

Mariano Hurtado de Mendoza coincide sustancialmente con las observaciones de Lanuza. "La reforma universitaria —escribe— es, antes que nada y por sobre todo, un fenómeno social que resulta de otro más general y extenso, producido a consecuencia del grado de desarrollo económico de nuestra sociedad. Fuera entonces error estudiarla únicamente bajo la faz universitaria, como problema de renovación del gobierno de la universidad, o bajo la faz pedagógica, como ensayo de aplicación de nuevos métodos de investigación en la adquisición de la cultura. Incurriríamos también en error si la consideráramos como el resultado exclusivo de una corriente de ideas nuevas provocadas por la gran guerra y por la revolución rusa, o como la obra de la nueva gene-

113

ración que aparece y 'llega desvinculada de la anterior, que trae sensibilidad distinta e ideales propios y una misión diversa por cumplir'." Y, precisando su concepto, agrega más adelante: "La reforma universitaria no es más que una consecuencia del fenómeno general de proletarización de la clase media que forzosamente ocurre cuando una sociedad capitalista llega a determinadas condiciones de su desarrollo económico. Significa esto que en nuestra sociedad se está produciendo el fenómeno de proletarización de la clase media y que la universidad, poblada en su casi totalidad por ésta, ha sido la primera en sufrir sus efectos, porque era el tipo ideal de institución capitalista."[25]

Es, en todo caso, un hecho uniformemente observado la formación, al calor de la reforma, de núcleos de estudiantes que, en estrecha solidaridad con el proletariado, se han entregado a la difusión de avanzadas ideas sociales y al estudio de las teorías marxistas. El surgimiento de las universidades populares, concebidas con un criterio bien diverso del que inspiraba en otros tiempos tímidos tanteos de extensión universitaria, se ha efectuado en toda la América Latina en visible concomitancia con el movimiento estudiantil. De la universidad han salido, en todos los países latinoamericanos, grupos de estudiosos de economía y sociología que han puesto sus conocimientos al servicio del proletariado, dotando a éste, en algunos países, de una dirección intelectual de que antes había generalmente carecido. Finalmente, los propagandistas y fautores más entusiastas de la unidad política de la América Latina son, en gran parte, los antiguos líderes de la reforma universitaria que conservan así su vinculación continental, otro de los signos de la realidad de la "nueva generación".

Cuando se confronta este fenómeno con el de las universidades de China y del Japón, se comprueba su rigurosa justificación histórica. En el Japón, la universidad ha sido la primera cátedra de socialismo. En la China, por razones obvias, ha tenido una función todavía más activa en la formación de una nueva conciencia nacional. Los estudiantes chinos componen la vanguardia del movimiento nacionalista revolucionario que, dando a la inmensa nación asiática una nueva alma y una nueva organización, le asigna una influencia considerable en los destinos del mundo. En este punto se muestran concordes los observadores occidentales de más reconocida autoridad intelectual.

Pero no me propongo aquí el estudio de todas las consecuencias y relaciones de la reforma universitaria con los grandes problemas de la evolución política de la América Latina. Constatada la solidaridad del movimiento estudiantil con el movimiento histórico general de estos pueblos, tratemos de examinar y definir sus rasgos propios y específicos.

¿Cuáles son las proposiciones o postulados fundamentales de la reforma?

El Congreso Internacional de Estudiantes de México de 1921 propugnó: 1o. la participación de los estudiantes en el gobierno de las universidades; 2o. la implantación de la docencia libre y la asistencia libre. Los estudiantes de Chile declararon su adhesión a los siguientes principios: 1o. autonomía de la universidad, entendida como institución de los alumnos, profesores y diplomados; 2o. reforma del sistema docente, mediante el establecimiento de la docencia libre y, por consiguiente, de la asistencia libre de los alumnos a las cátedras, de suerte que en caso de enseñar dos maestros una misma materia la preferencia del alumnado consagre libremente la excelencia del mejor; 3o. revisión de los métodos y del contenido de los estudios; y 4o. extensión universitaria, actuada como medio de vinculación efectiva de la universidad con la vida social. Los estudiantes de Cuba concretaron en 1923 sus reivindicaciones en esta fórmula: a] una verdadera democracia universitaria; b] una verdadera renovación pedagógica y científica; c] una verdadera popularización de la enseñanza. Los estudiantes de Colombia reclamaron, en su programa de 1924, la organización de la uni-

115

versidad sobre bases de independencia, de participación de los estudiantes en su gobierno y de nuevos métodos de trabajo. "Que al lado de la cátedra —dice ese programa— funcione el seminario, se abran cursos especiales, se creen revistas. Que al lado del maestro titular haya profesores agregados y que la carrera del magisterio exista sobre bases que aseguren su porvenir y den acceso a cuantos sean dignos de tener una silla en la universidad." Los estudiantes de vanguardia de la universidad de Lima, leales a los principios proclamados en 1919 y 1923, sostuvieron en 1926 las siguientes plataformas: defensa de la autonomía de las universidades; participación de los estudiantes en la dirección y orientación de sus respectivas universidades o escuelas especiales; derecho de voto por los estudiantes en la elección de rectores de las universidades; renovación de los métodos pedagógicos; voto de honor de los estudiantes en la provisión de las cátedras; incorporación a la universidad de los valores extrauniversitarios; socialización de la cultura: universidades populares, etcétera. Los principios sostenidos por los estudiantes argentinos son, probablemente, más conocidos por su extensa influencia en el movimiento estudiantil de América desde su primera enunciación en la Universidad de Córdoba. Prácticamente, además, son a grandes rasgos los mismos que proclaman los estudiantes de las demás universidades latinoamericanas.

Resulta de esta rápida revisión que como postulados cardinales de la reforma universitaria puede considerarse: *primero,* la intervención de los alumnos en el gobierno de las universidades y *segundo,* el funcionamiento de cátedras libres, al lado de las oficiales, con idénticos derechos, a cargo de enseñantes de acreditada capacidad en la materia.

El sentido y el origen de estas dos reivindicaciones nos ayudan a esclarecer la significación de la reforma.

El régimen económico y político determinado por el predominio de las aristocracias coloniales —que en algunos países hispanoamericanos subsiste todavía aunque en irreparable y progresiva disolución—, ha colocado por mucho tiempo las universidades de la América Latina bajo la tutela de estas oligarquías y de su clientela. Convertida la enseñanza universitaria en un privilegio del dinero, si no de la casta, o por lo menos de una categoría social absolutamente ligada a los intereses de uno y otra, las universidades han tenido una tendencia inevitable a la burocratización académica. Era éste un destino al cual no podían escapar ni aun bajo la influencia episódica de alguna personalidad de excepción.

El objeto de las universidades parecía ser, principalmente, el de proveer de doctores o rábulas a la clase dominante. El incipiente desarrollo, el mísero radio de la instrucción pública, cerraban los grados superiores de la enseñanza a las clases pobres. (La misma enseñanza elemental no llegaba —como no llega ahora—, sino a una parte del pueblo.) Las universidades, acaparadas intelectual y materialmente por una casta generalmente desprovista de impulso creador, no podían aspirar siquiera a una función más alta de formación y selección de capacidades. Su burocratización las conducía, de un modo fatal, al empobrecimiento espiritual y científico.

Este no era un fenómeno exclusivo ni peculiar del Perú. Entre nosotros se ha prolongado más por la supervivencia obstinada de una estructura económica semifeudal. Pero, aun en los países que más prontamente se han industrializado y democratizado, como la República Argentina, a la universidad es a donde ha arribado más tarde esa corriente de progreso y trasformación. El doctor Florentino V. Sanguinetti resume así la historia de la Universidad de Buenos Aires antes de la reforma: "Durante la primera parte de la vida argentina, movió modestas iniciativas de cultura y formó núcleos urbanos que dieron a la montonera el pensamiento de la unidad política y del orden institucional. Su provisión científica era muy escasa, pero bastaba para las necesidades del medio y para imponer las conquistas lentas y sordas del genio civil. Afirmada más tarde nuestra organización nacional, la universidad aristocrática y conservadora creó un nuevo tipo social: el doctor. Los doctores constituyeron el patriciado de la segunda república, sustituyendo poco a poco a las charreteras y a los caciques rurales, en el manejo de los negocios, pero salían de las aulas sin la jerarquía intelectual necesaria para actuar con criterio orgánico en la enseñanza o para dirigir el despertar improvisado de las riquezas que rendían la pampa y el trópico. A lo largo de los últimos cincuenta años, nuestra nobleza agropecuaria fue desplazada, primero, del campo económico por la competencia progresista del inmigrante, técnicamente más capaz, y luego del campo político por el advenimiento de los partidos de la clase media. Necesitando entonces escenario para mantener su influencia, se apoderó de la universidad que fue pronto un órgano de casta, cuyos directores vitalicios turnaban los cargos de mayor relieve y cuyos docentes, reclutados por leva hereditaria, impusieron una verdadera servidumbre educacional de huella estrecha y sin filtraciones renovadoras."[26]

El movimiento de la reforma tenía lógicamente que atacar, ante todo, esta estratificación conservadora de las universidades. La provisión arbitraria de las cátedras, el mantenimiento de profesores ineptos, la exclusión de la enseñanza de los intelectuales independientes y renovadores, se presentaban claramente como simples consecuencias de la docencia oligárquica. Estos vicios no podían ser combatidos sino por medio de la intervención de los estudiantes en el gobierno de las universidades y el establecimiento de las cátedras y la asistencia libres, destinadas a asegurar la eliminación de los malos profesores a través de una concurrencia leal con hombres más aptos para ejercer su magisterio.

118

Toda la historia de la reforma registra invariablemente estas dos reacciones de la oligarquías conservadoras: *primera,* su solidaridad recalcitrante con los profesores incompetentes, tachados por los alumnos, cuando ha habido de por medio un interés familiar oligárquico; y *segunda,* su resistencia, no menos tenaz, a la incorporación en la docencia de valores no universitarios o simplemente independientes. Las dos reivindicaciones sustantivas de la reforma resultan así inconfundiblemente dialécticas, pues no arrancan de puras concepciones doctrinales sino de las reales y concretas enseñanzas de la acción estudiantil.

Las mayorías docentes adoptaron una actitud de rígida e impermeable intransigencia contra los grandes principios de la reforma universitaria, el primero de los cuales había quedado proclamado teóricamente desde el Congreso Estudiantil de Montevideo, y así en la Argentina como en el Perú, lograron el reconocimiento oficial debido a favorables circunstancias políticas, cambiadas las cuales se inició, por parte de los elementos conservadores de la docencia, un movimiento de reacción, que en el Perú ha anulado ya prácticamente casi todos los triunfos de la reforma, mientras en la Argentina encuentra la oposición vigilante del alumnado, según lo demuestran las recientes agitaciones contra las tentativas reaccionarias.

Pero no es posible la realización de los ideales de la reforma sin la recta y leal aceptación de los dos principios aquí esclarecidos. El voto de los alumnos —aunque no esté destinado sino a servir de contralor moral de la política de los profesores— es el único impulso de vida, el solo elemento de progreso de la universidad, en la que de otra suerte prevalecerían sin remedio fuerzas de estancamiento y regresión. Sin esta premisa, el segundo de los postulados de la reforma —las cátedras libres— no puede absolutamente cumplirse. Más aún, la "leva hereditaria", de que nos habla con tan evidente exactitud el doctor Sanguinetti, torna a ser el sistema de reclutamiento de nuevos catedráticos. Y el mismo progreso científico pierde su principal estímulo, ya que nada empobrece tanto el nivel de la enseñanza y de la ciencia como la burocratización oligárquica.

La Universidad de Lima

En el Perú, por varias razones, el espíritu de la Colonia ha tenido su hogar en la universidad. La primera razón es la prolongación o supervivencia, bajo la República, del dominio de la vieja aristocracia colonial.

Pero este hecho no ha sido desentrañado sino desde que la ruptura con el criterio colonialista —vale decir con la historiografía "civilista"— ha consentido a la nueva generación enjuiciar libremente la realidad peruana. Ha sido necesaria, para su entendimiento cabal, la quiebra de la antigua casta, denunciada por el carácter de "secesión" que quiso asumir el cambio de gobierno de 1919.

Cuando el doctor V. A. Belaúnde calificó a la universidad como "el lazo de unión entre la República y la Colonia" —con la mira de enaltecerla cual único y esencial órgano de continuidad histórica—, tenía casi el aire de hacer un descubrimiento valioso. La clase dirigente había sabido hasta entonces mantener la ilusión intelectual de la República distinta e independiente de la Colonia, no obstante una instintiva inclinación al culto nostálgico de lo virreinal, que traicionaba con demasiada evidencia su verdadero sentimiento. La universidad que, según un concepto de clisé, era el *alma mater* nacional, había sido siempre oficialmente definida como la más alta cátedra de los principios e ideales de la República.

Mientras tanto, tal vez con la sola excepción del instante en que Gálvez y Lorente la tiñeron de liberalismo, restableciendo y continuando la orientación ideológica de Rodríguez de Mendoza, la universidad había seguido fiel a su tradición escolástica, conservadora y española.

120

El divorcio entre la obra universitaria y la realidad nacional, constatado melancólicamente por Belaúnde —pero que no lo había embarazado para gratificar a la universidad con el título de encarnación única y sagrada de la continuidad histórica patria—, ha dependido exclusivamente del divorcio, no menos cierto aunque menos reconocido, entre la vieja clase dirigente y el pueblo peruano. Belaúnde escribía lo que sigue: "Un triste destino se ha cernido sobre nuestra universidad y ha determinado que llene principalmente un fin profesional y tal vez de snobismo científico; pero no un fin educativo y mucho menos un fin de afirmación de la conciencia nacional. Al recorrer rápidamente la historia de la universidad desde su origen hasta la fecha se destaca este rasgo desagradable y funesto: su falta de vinculación con la realidad nacional, con la vida de nuestro medio, con las necesidades y aspiraciones del país."[27] La investigación de Belaúnde no podía ir más allá. Vinculado por su educación y su temperamento a la casta feudal, adherente al partido que acaudillaba uno de sus más genuinos representantes, Belaúnde tenía que detenerse en la constatación del desacuerdo, sin buscar sus razones profundas. Más aún: tenía que contentarse con explicárselo como la consecuencia de un "triste destino".

La verdad era que la Colonia sobrevivía en la universidad porque sobrevivía también —a pesar de la revolución de la Independencia y de la República demoliberal— en la estructura económico-social del país, retardando su evolución histórica y enervando su impulso biológico. Y que, por esto, la universidad no cumplía una función progresista y creadora en la vida peruana, a cuyas necesidades profundas y a cuyas corrientes vitales resultaba no sólo extraña sino contraria. La casta de terratenientes coloniales que, a través de un agitado período de caudillaje militar, asumió el poder en la República, es el menos nacional, el menos peruano de los factores que intervienen en la historia del Perú independiente. El "triste destino" de la universidad no ha dependido de otra cosa.

Después del periodo de influencia de Gálvez y Lorente, la universidad permaneció, hasta el periodo de agitación estudiantil de 1919, pesadamente dominada por el espíritu de la Colonia. En 1894, el discurso académico del doctor Javier Prado sobre "El estado social del Perú durante la dominación española" que, dentro de su prudencia y equilibrio, intentaba una revisión del criterio colonialista, pudo ser el punto de partida de una acción que acercase más el trabajo universitario a nuestra historia y a nuestro pueblo. Pero el doctor Prado, estrechamente mancomunado con los intereses y sentimientos que este movimiento habría contrastado por fuerza, prefirió encabezar una corriente de mediocre positivismo que, bajo el signo de Taine, pretendió justificar doctrinalmente la función del civilismo dotándolo de un pensamiento político en apariencia moderno, y que no consiguió siquiera imprimir a la universidad, entregada al diletantismo verbalista y dogmático, la orientación científica que ahora mismo se echa de menos en ella. Más tarde, en 1900, otro discurso académico, el del doctor M. V. Villarán sobre las profesiones liberales en el Perú, tuvo también la íntima significación de una ponderada requisitoria contra el colonialismo de la universidad, responsable, por los prejuicios aristocráticos que alimentaba y mantenía, de una superproducción de doctores y letrados. Pero igualmente este discurso, como todas las reacciones episódicas del civilismo, estaba destinado a no agitar sino muy superficialmente las aguas de esta quieta palude intelectual.

La generación arbitrariamente llamada "futurista" debió ser, cronológicamente, la que iniciara la renovación de los métodos y el espíritu de la universidad. A ella pertenecían los estudiantes —catedráticos luego—, que representaron al Perú en el Congreso Estudiantil de Montevideo y que organizaron el Centro Universitario, echando las bases de una solidaridad que en la lucha por la reforma había de concretar sus formas y sus fines. Mas la dirección de Riva Agüero —por boca de quien habló explícitamente el espíritu colonialista en su tesis sobre literatura peruana— orientaba en un sentido conservador y tradicionalista a esa generación universitaria que, de otro lado, por sus orígenes y vinculaciones, aparecía con la misión de marcar una reacción contra el movimiento literario gonzález-pradista y de restablecer la hegemonía intelectual del civilismo, atacada, particularmente en provincias, por la espontánea popularidad de la literatura radical.

Reforma y reacción

El movimiento estudiantil peruano de 1919 recibió sus estímulos ideológicos de la victoriosa insurrección de los estudiantes de Córdoba y de la elocuente admonición del profesor Alfredo L. Palacios. Pero, en su origen, constituyó principalmente un amotinamiento de los estudiantes contra algunos catedráticos de calificada y ostensible incapacidad. Los que extendían y elevaban los objetivos de esta agitación —transformando en repudio del viejo espíritu de la universidad el que, en un principio, había sido sólo repudio de los malos profesores y de la disciplina arcaica— estaban en minoría en el estudiantado. El movimiento contaba con el apoyo de estudiantes de espíritu ortodoxamente civilista, quienes seguían a los propugnadores de la reforma tanto porque convenían en la evidente imeptitud de los maestros tachados como porque creían participar en una algarada escolar más o menos inocua.

Esto revela que si la oligarquía docente, mostrándose celosa de su prestigio intelectual, hubiera realizado a tiempo en la Universidad el mínimum de mejoramiento y modernización de la enseñanza necesario para no correr el riesgo de una situación de escandalosa insolvencia, habría logrado mantener fácilmente la intangibilidad de sus posiciones por algunos años más.

La crisis que tan desairadamente afrontó en 1919 fue

precipitada por el prolongamiento irritante de un estado de visible desequilibrio entre el nivel de la cátedra y el avance general de nuestra cultura en más de un aspecto. Este desequilibrio se hacía particularmente detonante en el plano literario y artístico. La generación "futurista" que, reaccionando contra la generación "radical" romántica y extrauniversitaria, trabajaba por reforzar el poder espiritual de la universidad, concentrando en sus aulas todas las fuerzas de dirección de la cultura nacional, no supo, no quiso, o no pudo remplazar oportunamente en la docencia de la facultad de Letras, la más vulnerable, a los viejos catedráticos retrasados e incompetentes. El contraste entre la enseñanza de letras en esta facultad y el progreso de la sensibilidad y la producción literarias del país, se tornó clamoroso cuando el surgimiento de una nueva generación, en abierta ruptura con el academicismo y el conservatismo de nuestros paradójicos "futuristas'" señaló un instante de florecimiento y renovación de la literatura nacional. La juventud que frecuentaba los cursos de letras de la universidad, había adquirido fuera, espontáneamente, un gusto y una educación estéticas bastantes para advertir el atraso y la ineptitud de sus varios catedráticos. Mientras esta juventud, como vulgo, como público, había superado en sus lecturas la estación del "modernismo", la cátedra universitaria estaba todavía prisionera del criterio y los preceptos de la primera mitad del ochocientos español. La orientación historicista y literaria del grupo que presidió el movimiento de 1919 en San Marcos concurría a un procesamiento más severo y a una condena más indignada e inapelable de los catedráticos acusados de atrasados y anacrónicos.

De la facultad de Letras, la revisión se propagó a las otras facultades, donde también el interés y la rutina oligárquicas mantenían profesores sin autoridad. Pero la primera brecha fue abierta en la facultad de Letras; y, hasta algún tiempo después, la lucha estuvo dirigida contra los "malos profesores" más bien que contra los "malos métodos".

La ofensiva del estudiantado empezó con la formación de un cuadro de tachas, en el cual se omitieron cuidadosamente todas las que pudieran parecer sospechosas de parcialidad o apasionamiento. El criterio que informó en esa época el movimiento de reforma fue un criterio de valoración de la idoneidad magistral, exento de móviles ideológicos.

La solidaridad del rector y el consejo con los profesores tachados constituyó una de las resistencias que ahondaron el movimiento. El estudiantado insurgente comenzó a comprender que el carácter oligárquico de la docencia y la burocratización y estancamiento de la enseñanza, eran dos aspectos del mismo problema. Las reivindicaciones estudiantiles se ensancharon y precisaron.

El primer congreso nacional de estudiantes, reunido en el Cuzco, en marzo de 1920, indicó, sin embargo, que el movimiento prorreforma carecía aún de un programa bien orientado y definido. El voto de mayor trascendencia de ese congreso es que dio vida a las universidades populares, destinadas a vincular a los estudiantes revolucionarios con el proletariado y a dar un vasto alcance a la agitación estudiantil.

Y, más tarde, en 1921, la actitud de los estudiantes ante el conflicto entre la universidad y el gobierno, demostró que reinaba todavía en la juventud universitaria una desorientación profunda. Más aún: el entusiasmo con que una parte de ella se constituía en claque de catedráticos reaccionarios, cautivada por una retórica oportunista y democrática —bajo la cual se trataba de hacer pasar el contrabando ideológico de las supersticiones y nostalgias del espíritu colonial—, acusaba una recalcitrante reverencia de la mayoría a sus viejos dómines.

Era evidente, empero, que la derrota sufrida por el civilismo tradicional había colaborado al triunfo alcanzado en 1919 por las reivindicaciones estudiantiles con el decreto del 20 de septiembre, que establecía las cátedras libres y la representación de los alumnos en el consejo universitario y con las leyes 4002 y 4004, en virtud de las cuales el gobierno declaró vacantes las cátedras ocupadas por los profesores tachados.

Reabierta la universidad —después de un periodo de receso que fortaleció los vínculos existentes entre la docencia y una parte de los estudiantes—, las conquistas de la reforma resultaron escamoteadas, en gran parte, por la nueva organización. Pero, en cambio, el "nuevo espíritu" tenía ya mayor arraigo en la masa estudiantil. Y en las nuevas jornadas de la juventud iba a notarse menos confusionismo ideológico que en las anteriores a la clausura.

■

La reanudación de las labores universitarias en 1922 bajo el rectorado del doctor M. V. Villarán, significó, en primer lugar, el compromiso entre el gobierno y los profesores que ponía término al conflicto que el año anterior condujo al receso de la universidad. La ley orgánica de enseñanza promulgada en 1920 por el Ejecutivo, en uso de la autorización que recibió del Congreso en octubre de 1919 —cuando éste votó la ley n. 4004 sancionando el principio de la participación de los alumnos en el gobierno de la universidad—, sirvió de base al avenimiento. Esta ley reconocía a la universidad una autonomía que dejaba satisfecha a la docencia, más inclinada que antes por obvias razones a un temperamento transaccional, y que el gobierno, inducido igualmente a aceptar una fórmula de normalización, se allanaba a ratificar en todas sus partes.

Como es natural, el compromiso ponía en peligro las conquistas del estudiantado, ganadas en buena parte al amparo de la situación que aquél venía a resolver aunque no fuera sino temporalmente. Y, en efecto, muy pronto se advirtió una mal disimulada tentativa de anular poco a poco las reformas de 1919. Algunos catedráticos restablecieron el abolido régimen de las listas. Pero esta tentativa encontró alerta a los estudiantes, en cuyo ánimo tu-

126

ieron profunda resonancia primero el Congreso Estudiantil de México y luego el fervoroso mensaje de las juentudes del sur de que fuera portador Haya de la Torre.

El nuevo rector que, al asumir sus funciones, había heho con la moderación propia de su espíritu, siempre en uidadoso equilibrio, una profesión de fe reformista y asta una crítica de las disposiciones de la ley de enseanza que sustituía la libre asociación de los alumnos on un "centro estudiantil universitario" de organizaión extrañamente autoritaria y burocrática, coherente on estas declaraciones, comprendió enseguida la conveiencia de emplear también con el estudiantado la políti-a del compromiso, evitando toda destemplada veleidad eaccionaria que pudiese excitar imprudentemente la beigerancia estudiantil. El rectorado del doctor Villarán, obreponiéndose a los conflictos locales provocados por atedráticos conservadores, señaló así un periodo de coaboración entre la docencia y los alumnos. El apoyo disensado a la inteligente y renovadora acción de Zulen en a biblioteca y la atención prestada a la opinión y sentiiento del estudiantado, consultados frecuentemente sin xageradas aprensiones ideológicas, granjearon a la políica del rector extensas simpatías. El decano de la faculad de Medicina, doctor Gastañeta, que adoptó la misma ínea de conducta, inspirando sus actos en un sagaz espíitu de cooperación con los estudiantes, obtuvo un conenso aún más entusiasta. Y la labor de algunos catedráicos jóvenes contribuyó a mejorar las relaciones entre rofesores y estudiantes.

Esta política impidió la renovación de la lucha por la eforma. De un lado, los profesores se mostraron disuestos a la actuación solícita de un programa progresis-a, renunciando, en todo caso, a propósitos reacciona-ios. De otro lado, los estudiantes se declararon prontos a una experiencia colaboracionista que a muchos les paecía indispensable para la defensa de la autonomía y un de la subsistencia de la universidad.

El 23 de mayo reveló el alcance social e ideológico del

acercamiento de las vanguardias estudiantiles a las clases trabajadoras. En esa fecha tuvo su bautizo histórico la nueva generación que, con la colaboración de circunstancias excepcionalmente favorables, entró a jugar un rol en el desarrollo mismo de nuestra historia, elevando su acción del plano de las inquietudes estudiantiles al de las reivindicaciones colectivas o sociales. Este hecho reanimó e impulsó en las aulas las corrientes de revolución universitaria, acarreando el predominio de la tendencia izquierdista en la Federación de Estudiantes, reorganizada poco tiempo después y, sobre todo, en las asambleas estudiantiles que alcanzaron entonces un tono máximo de animación y vivacidad.

Pero las conquistas de la reforma, aparte de la supresión de las listas, se reducían en verdad a un contralor no formalizado del estudiantado en el orientamiento o, más bien, la administración de la enseñanza. Estaba formalmente admitido el principio de la representación de los estudiantes en el consejo universitario; mas el alumnado, que disponía entonces del recurso de las asambleas para manifestar su opinión frente a cada problema, descuidó la designación de delegados permanentes, prefiriendo una influencia plebiscitaria y espontánea de las masas estudiantiles en las deliberaciones del consejo. Y aunque encabezaba a estas masas una vanguardia singularmente aguerrida y dinámica, sea porque las contingencias de la lucha contra la reacción interna y extensa acaparaban demasiado su atención, sea porque su propia conciencia pedagógica no se encontraba todavía bien formada, es lo cierto que no empleó la acción de las asambleas, de ambiente más tumultuario que doctrinal, en reclamar y conseguir mejores métodos. Se contentó, a este respecto, con modestos ensayos y gaseosas promesas destinadas a disiparse apenas se adormeciera o relajara en las aulas el espíritu vanguardista.

La reforma universitaria —como reforma de la enseñanza— a pesar de la nueva ley orgánica y de la mejor disposición de una parte de la docencia, había adelantado, en consecuencia, muy poco. Lo que escribe Alfredo Palacios sobre parecida fase de la reforma en Argentina, puede aplicarse a nuestra Universidad. "El movimiento general que determina la reforma universitaria, en su primera etapa —dice Palacios—, se concretó sólo a la injerencia estudiantil en el gobierno de la universidad y a la asistencia libre. Faltaba lo más importante: la renovación de los métodos de enseñanza y la intensificación de los estudios, y esto era de muy difícil realización en las facultades de Jurisprudencia, que habían permanecido petrificadas en criterios viejos. Su enseñanza había conducido a extremos insospechados. Puras teorías, puras abstracciones nada de ciencias de observación y de experimento. Se creyó siempre que de esos institutos debía salir la *élite* social destinada a ser 'clase gobernante'; que de allí debía surgir el financista, el diplomático, el literato, el político... Salieron, en cambio, con una ignorancia enciclopédica, precoces utilitarios, capaces de todas las artimañas para enredar pleitos, y que en la vida fueron sostén de todas las injurias. Los estudiantes se concretaban a escuchar lecciones orales sin curiosidad alguna, sin ánimo de investigar, sin pasión por la búsqueda tenaz, sin laboratorios que despertaran las energías latentes, que fortalecieran el carácter, que disciplinaran la voluntad y que ejercitaran la inteligencia."[28]

Por haber carecido nuestra universidad de directores como el doctor Palacios, capaces de comprender la renovación requerida en los estudios por el movimiento de reforma y de consagrarse a realizarla con pasión y optimismo, este movimiento quedó detenido en el Perú, en la etapa a que pudieron llevarlo el impulso y el esfuerzo estudiantiles.

■

Los años 1924 a 1927 han sido desfavorables para el movimiento de reforma universitaria en el Perú. La expulsión de 26 universitarios de la Universidad de Trujillo, en noviembre de 1923, preludió una ofensiva reaccionaria que, poco tiempo después, movilizó en la Universidad de Lima a todas las fuerzas conservadoras contra los postulados de 1919 y 1923. Las medidas de represión empleadas por el gobierno contra los estudiantes de vanguardia de San Marcos, libraron a la docencia de la vigilante presencia de la mayor parte de quienes mantenían alerta y despierto en el alumnado, el espíritu de la reforma. La muerte de dos jóvenes maestros, Zulen y Borja y García, redujo a un número exiguo a los profesores de aptitud renovadora. El alejamiento del doctor Villarán trajo el abandono de su tendencia a la cooperación con el alumnado. El rectorado quedó en una situación de interinidad, con todas las consecuencias de inhibición y esterilidad anexas a un régimen provisorio.

Esta conjunción de contingencias adversas tenía que producir inevitablemente el resurgimiento del viejo espíritu conservador y oligárquico. Decaídos los estímulos de progreso y reforma, la enseñanza recayó en su antigua rutina. Los representantes típicos de la mentalidad civilista restauraron su pasada absoluta hegemonía. El expediente de la interinidad, aplicado cada día con mayor extensión, sirvió para disimular temporalmente el restablecimiento del conservantismo en las posiciones de donde fuera desalojado en parte por la oleada reformista.

En las elecciones de delegados de 1920, se bosquejó una concentracin de las izquierdas estudiantiles. Las plataformas electorales sostenidas por el grupo, que prevaleció en la nueva federación, reafirmaban todos los postulados esenciales de la reforma.[29] Pero nuevamente la represión vino en auxilio de los intereses conservadores.

El fenómeno característico de este periodo reaccionario parece ser el apoyo que en él han venido a prestar a los elementos conservadores de la universidad, las mismas fuerzas que, obedeciendo al impulso histórico que determinó su victoria sobre el "civilismo" tradicional, decidieron en 1919 el triunfo de la reforma.

No son éstos, sin embargo, los únicos factores de la

crisis del movimiento universitario. La juventud no está totalmente exenta de responsabilidad. Sus propias insurrecciones nos enseñan que es, en su mayoría, una juventud que procede por fáciles contagios de entusiasmo. Este, en verdad, es un defecto de que se ha acusado siempre al hispanoamericano. Vasconcelos, en un reciente artículo, escribe: "El principal defecto de nuestra raza es la inconstancia. Incapaces de perdurar en el esfuerzo no podemos por lo mismo desarrollar un plan ni llevar adelante un propósito". Y, más adelante, agrega: "En general hay que desconfiar de los entusiastas. Entusiasta es un adjetivo al cual le debemos más daños que a todo el resto del vocabulario de los calificativos. Con el noble vocablo entusiasmo se ha acostumbrado encubrir nuestro defecto nacional: buenos para comenzar y para prometer; malos para terminar y para cumplir."[30]

Pero más que la versatilidad y la inconstancia de los alumnos, obran contra el avance de la reforma la vaguedad y la imprecisión del programa y el carácter de este movimiento en la mayoría de ellos. Los fines de la reforma no están suficientemente esclarecidos, no están cabalmente entendidos. Su debate y su estudio adelantan lentamente. La reacción carece de fuerzas para sojuzgar intelectual y espiritualmente a la juventud. A sus victorias no se les puede atribuir sino un valor contingente. Los factores históricos de la reforma, en cambio, continúan actuando sobre el espíritu estudiantil, en el cual se mantiene intacto, por consiguiente, a pesar de sus momentáneos oscurecimientos, el anhelo que animó a la juventud en las jornadas de 1919 a 1923.

Si el movimiento renovador se muestra precariamente detenido en las universidades de Lima, prospera, en cambio, en la Universidad del Cuzco, donde la élite del profesorado acepta y sanciona los principios sustentados por los alumnos. Testimonio de esto es el anteproyecto de reorganización de la Universidad del Cuzco formulado por la comisión que con este encargo nombró el gobierno al declarar en receso dicho instituto.

131

Este proyecto, suscrito por los profesores señores Fortunato L. Herrera, José Gabriel Cosío, Luis E. Valcárcel, J. Uriel García, Leandro Pareja, Alberto Araníbar P. y J. S. García Rodríguez, constituye incontestablemente el más importante documento oficial producido hasta ahora sobre la reforma universitaria en el Perú. A nombre de la docencia universitaria, no se había hablado todavía, entre nosotros, con tanta altura. La comisión de la universidad cuzqueña ha roto la tradición de rutina y mediocridad a que tan sumisamente se ciñen, por lo general, las comisiones oficiales. Su plan mira a la completa transformación de la Universidad del Cuzco en un gran centro de cultura con aptitud para presidir e impulsar eficientemente el desarrollo social y económico de la región andina. Y, al mismo tiempo, incorpora en su estatuto los postulados cardinales de la reforma universitaria en Hispanoamérica.

Entre las "ponencias básicas" de la comisión, se cuentan las siguientes: creación de la docencia libre como cooperante del profesorado titular; adopción del sistema de seminarios y conservatorios; supresión del examen de fin de año como prueba definitiva; consagración absoluta del catedrático universitario a su misión educativa; participación de los alumnos y ex-alumnos en la elección de las autoridades universitarias; representación del estudiantado en el consejo universitario y en el de cada facultad; democratización de la enseñanza.[31]

El dictamen concede, por otra parte, especial atención a la necesidad de organizar la Universidad en modo de darle, en todos sus aspectos, una amplia aplicación práctica y una completa orientación científica. La Universidad del Cuzco aspira a ser un verdadero centro de investigaciones científicas, puesto íntegramente al servicio del mejoramiento social.

■

Para comprobar el creciente conflicto entre los postulados cardinales de la reforma universitaria —tales como los han formulado y suscrito las asambleas estudiantiles de los diversos países hispanoamericanos—, y la situación de la Universidad de Lima, basta la confrontación de estos postulados con los respectivos aspectos de la enseñanza y del funcionamiento de la universidad. Ensayemos esquemáticamente esta confrontación.

Intervención de los estudiantes en el gobierno de la Universidad. La reacción pugna por restablecer el viejo y rígido concepto de la disciplina, entendida como acatamiento absoluto del criterio y la autoridad de la docencia. El consejo de decanos —o el rector en su nombre— rehúsa frecuentemente su permiso a las asambleas destinadas a expresar la opinión de los estudiantes. El derecho de los estudiantes de reunirse a deliberar en los claustros está, por primera vez, sujeto a suspensión. Las designaciones de delegados estudiantiles que no son gratas a la docencia, no obtienen su reconocimiento. El último comité de la Federación de Estudiantes se encontró en la imposibilidad de funcionar, y hasta de constituirse plenamente, por falta del visto bueno del consejo. La crisis de la federación depende así de un factor extraño a la situación estudiantil. El sentimiento del estudiantado ha perdido no sólo su influencia en las deliberaciones del consejo sino también los medios de manifestarse libre y disciplinadamente. La representación estudiantil en el gobierno de la universidad, dentro de esta situación, sería una farsa.

Renovación de los métodos pedagógicos. Si se exceptúa las innovaciones introducidas en la enseñanza por uno que otro catedrático, la subsistencia de los viejos métodos aparece absoluta. Hace poco, un alto funcionario de Educación Pública, el doctor Luis E. Galván, se preguntaba en un artículo: ¿Qué hace nuestra Universidad por la investigación científica?[32] A pesar de sus sentimientos de adhesión a San Marcos, el doctor Galván se veía precisado a darse una respuesta totalmente desfavorable. Los métodos y los estudios no han cambiado sino en la mínima proporción debida a la espontánea iniciativa de los pocos profesores con sentido austero de su responsabilidad. En muy contados cursos se ha salido de la rutina de la lección oral. El espíritu dogmático mantiene casi intactas sus posiciones. Algunas reformas iniciadas en el periodo de 1922-1924 han sido detenidas o malogradas. Esta es, por ejemplo, la suerte que ha tenido la obra de Zulen en la biblioteca.

Reforma del sistema docente. La docencia libre, que aún no ha sido absolutamente ensayada, no encuentra un ambiente adecuado para su experimentación. Los intereses oligárquicos que dominan en la enseñanza se oponen al funcionamiento de la cátedra libre. En la provisión de las cátedras continúa aplicándose el viejo criterio de la "leva hereditaria" denunciado por el doctor Sanguinetti en la antigua Universidad de Buenos Aires.

Todas las conquistas formales de 1919 se encuentran, de este modo, frustradas. El porcentaje de maestros ineptos no es menor ahora seguramente, a pesar de la depuración, elemental y moderada, que consiguieron entonces los estudiantes. La facultad de Letras, de la cual partió en 1919 el grito de reforma, se presenta prácticamente como la que menos ha ganado en cuanto a métodos y docencia.

La propia pauta de reforma establecida por la ley orgánica de 1920 está todavía, en su mayor parte, por aplicar. No se advierte, por parte del Consejo Universitario, ningún efectivo propósito de avanzar en la ejecución del programa trazado por dicha ley.[33]

En la formación del tipo de maestro exclusivamente consagrado a la enseñanza, tampoco se ha avanzado nada. El maestro universitario sigue siendo entre nosotros un diletante que concede un lugar muy subsidiario en su espíritu y en su actividad a su misión de educador. Este es, ciertamente, en gran parte, un problema económico. La enseñanza universitaria permanecerá entregada al diletantismo mientras no se asegure a los profesores capaces de dedicarse absolutamente a la investigación y al estudio, el mínimum de renta indispensable para un mediano tenor de vida. Pero, aun dentro de sus actuales medios económicos, la universidad debería ya empezar a buscarle una solución a este problema que no será solucionado automáticamente por una partida del presupuesto universitario si faltan como hasta hoy los estímulos morales de la investigación científica y la especialización docente.

La crisis de las universidades menores reproduce, en escenarios pequeños, la crisis de San Marcos. A la más deficiente y anémica de todas, la Universidad de Trujillo, le ha pertenecido la iniciativa reaccionaria, como ya hemos visto. La expulsión de veintiséis alumnos revela en el espíritu de esa universidad el más recalcitrante reaccionarismo, por ser precisamente la falta de estudiantes una de sus preocupaciones específicas. Para que la universidad no vea desiertas sus aulas, el profesorado de Trujillo tiene que dedicarse todos los años, según se me refiere, a una curiosa labor de reclutamiento, en la que se invocan razones de localismo con el objeto de inducir a los padres de familia a no enviar a sus hijos a las universidades de Lima. Si no obstante la exigüidad de su alumnado, la docencia de Trujillo se decidió a perder veintiséis estudiantes, es fácil suponer hasta qué extremos de intransigencia puede llegar su cerrado conservantismo. La Universidad de Arequipa ha sido tradicionalmente de las más impermeables a toda tendencia de modernización. La atmósfera conservadora de la ciudad la preserva de inquietudes extrañas a su reposo. El elemento renovador, que en los últimos años ha dado algunas señales simpáticas de crecimiento y agitación, se encuentra aún en minoría. Sólo la Universidad del Cuzco se esfuerza vigorosamente por transformarse. Me he referido ya al proyecto de reorganización presentado al gobierno por sus principales catedráticos, y que, evidentemente, constituye el bosquejo más avanzado de reforma universitaria en el Perú.

El concepto de la reforma, en tanto, ha ganado cada

día más precisión y firmeza en las vanguardias estudiantiles hispanoamericanas. La definición del problema de la educación pública a que ha arribado la vanguardia de La Plata, así lo demuestra. He aquí los términos de su declaración: "1o. El problema educacional no es sino una de las fases del problema social; por ello no puede ser solucionado aisladamente. 2o. La cultura de toda sociedad es la expresion ideológica de los intereses de la clase dominante. La cultura de la sociedad actual es por lo tanto, la expresión ideológica de los intereses de la clase capitalista. 3o. La última guerra imperialista, rompiendo el equilibrio de la economía burguesa, ha puesto en crisis su cultura correlativa. 4o. Esta crisis sólo puede superarse con el advenimiento de una cultura socialista."[34]

Mientras el mensaje de la nueva generacion, confusamente anunciado desde 1918 por la insurrección de Córdoba, alcanza en la Argentina tan nítida y significativa expresión revolucionaria, en nuestro panorama universitario se multiplican —como creo haberlo puntualizado en este estudio— los signos de reacción. La reforma universitaria sigue amenazada, por el empeño de la vieja casta docente en restaurar plenamente su dominio.

Ideologías en contraste

En la etapa de tanteos prácticos y escarceos teóricos, que condujo lentamente a la importación de sistemas y técnicos norteamericanos, el doctor Deustua representó la reaccion del viejo espíritu aristocrático, más o menos ornamentada de idealismo moderno. El doctor Villarán formulaba en un lenguaje positivista el programa del civilismo burgués y, por ende, demoliberal; el doctor Deustua encarnaba, bajo un indumento universitario y filosófico de factura moderna, la mentalidad del civilismo feudal, de los encomenderos virreinales. (Por algo se designaba con el nombre de civilismo histórico a una fracción del partido civil.)

El verdadero sentido del diálogo Deustua-Villarán escapó a los glosadores y al auditorio de la época. Los sedicentes e ineptos partidos populares de entonces no supieron tomar posición doctrinal alguna frente a este debate. El pierolismo no era capaz de otra cosa que de una declamación monótona contra los impuestos y empréstitos —que estaban lejos de constituir toda la política económica del civilismo— aparte de las periódicas pláticas y proclamas de su califa sobre los conceptos de libertad, orden, patria, ciudadanía, etcétera. El pretendido liberalismo no se diferenciaba del pierolismo, al cual por otra parte andaba acoplado, nada más que en un esporádico anticlericalismo masónico y una vaga y romántica reivindicación federalista. (La pobreza ideológica, la ramplonería intelectual de esta oposición sin más prestancia que la gloria trasnochada de su caudillo, permitió al civilismo acaparar el debate de uno de los más sustantivos problemas nacionales.)

Sólo ahora, por lo demás, es históricamente posible esclarecer el sentido de esa polémica universitaria, frente a la cual Francisco García Calderón quiso asumir una de esas posiciones, eclécticas y conciliadoras hasta lo infinito, en las cuales es maestro su prudentísimo y un poco escéptico criticismo.

La posición ideológica del doctor Deustua en el debate de la instrucción pública ostentaba todos los atributos ornamentales necesarios para impresionar el temperamento huecamente retórico y declamatorio de nuestra gente intelectual. El doctor Deustua se presentaba en sus metafísicas disertaciones sobre la educación como un asertor de idealismo frente al positivismo de sus mesurados y complacientes contradictores. Y éstos, en vez de desnudar de su paramento filosófico el espíritu antidemocrático y antisocial de la concepción del doctor Deustua, preferían declarar su respetuoso acatamiento de los altos ideales que movían a este catedrático.

Fácil habría sido sin embargo demostrar que las ideas

educacionales del doctor Deustua no representaban, en el fondo, una corriente de idealismo contemporáneo, sino la vieja mentalidad aristocrática de la casta latifundista. Pero nadie se encargó de esclarecer el verdadero sentido de la resistencia del doctor Deustua a una reforma más o menos democrática de la enseñanza. El verbalismo universitario se perdía en los complicados caminos de la abstrusa doctrina del reaccionario profesor civilista. El debate, por otra parte, se desenvolvía exclusivamente dentro del partido civil, en el cual se contrastaban dos espíritus, el de la feudalidad y el del capitalismo, deformado y enervado el segundo por el primero.

Para identificar el pensamiento del doctor Deustua y percibir su fondo medieval y aristocrático, basta estudiar los prejuicios y supersticiones de que está nutrido. El doctor Deustua sustenta ideas antagónicas no sólo a los principios de la nueva educación, sino al espíritu mismo de la civilización capitalista. Su concepción del trabajo, por ejemplo, está en abierta pugna con la que desde hace mucho tiempo rige el progreso humano. En uno de sus estudios de filosofía de la educación, el doctor Deustua expresaba sobre el trabajo el mismo concepto desdeñoso de los que en otros tiempos no consideraban carreras nobles y dignas sino las de las armas y las letras.

"Valor y trabajo, moralidad y egoísmo —escribía— son inseparables en el proceso integral de la voluntad, pero su rol, muy diferente en tal proceso, lo es también ante el proceso de la educación. El valor libertad educa; la educación consiste en la realización de valores; pero el trabajo no educa; el trabajo enriquece, ilustra, da destreza con el hábito; pero está encadenado a móviles egoístas que constituyen la esclavitud del alma; el mismo móvil de la vocación por el trabajo que introduce en él la felicidad y la alegría, es egoísta como los demás; la libertad no nace de él; la libertad se la comunica el valor moral y estético. La ciencia misma que en cierto modo educa disciplinando la actividad cognoscitiva, ordenándola en el método deductivo o favoreciendo su función intuitiva con sus inducciones, el llamado valor lógico no eleva al trabajo ese elemento de libertad que constituye la esencia de la personalidad humana. Puede el trabajo contribuir a la expansión del espíritu mediante la riqueza material que produce: pero esa expansión puede ser muchas veces signo del impulso ciego del egoísmo; podría decirse que lo es en la generalidad de los casos; y entonces no significa verdadera libertad; libertad interior, libertad moral o estética; la libertad que constituye el fin y el contenido de la educación."[35]

Este concepto del trabajo, aunque sostenido por el doctor Deustua hace unos pocos lustros, es absolutamente medieval, netamente aristocrático. La civilización occidental reposa totalmente sobre el trabajo. La sociedad lucha por organizarse como una sociedad de trabajadores, de productores. No puede, por tanto, considerar el trabajo como una servidumbre. Tiene que exaltarlo y ennoblecerlo.

Y en esto no es posible ver un sentimiento interesado y exclusivo de la civilización de Occidente. Tanto las investigaciones de la ciencia, como las intuiciones del espíritu, nos iluminan plenamente. El destino del·hombre es la creación. Y el trabajo es creación, vale decir liberación. El hombre se realiza en su trabajo.

Debemos al esclavizamiento del hombre por la máquina y a la destrucción de los oficios por el industrialismo, la deformación del trabajo en sus fines y en su esencia. La requisitoria de los reformadores, desde John Ruskin hasta Rabindranath Tagore, reprocha vehementemente al capitalismo el empleo embrutecedor de la máquina. El maquinismo, y sobre todo el taylorismo, han hecho odioso el trabajo. Pero sólo porque lo han degradado y rebajado, despojándolo de su virtud de creación.

Pierre Hamp, que ha escrito en libros admirables la epopeya del trabajo −*La peine des hommes*−, ha dicho al respecto palabras de rigurosa verdad: "La grandeza del hombre se reduce a hacer bien su oficio. El viejo amor al oficio, malgrado la sociedad, es la salud social La habilidad de las manos del hombre no carece nunca de orgullo, ni siquiera en las labores más bajas. Si el desdén del trabajo existiera en cada uno, como lo sienten las gentes de manos blancas y si los obreros no continuasen en su oficio más que por coacción, sin encontrar en su obra ninguna complacencia del espíritu, la haraganería y la corrupción aniquilarían al pueblo desesperado."[36]

Tiene que ser éste también el principio que adopte una sociedad heredera del espíritu y la tradición de la sociedad incaica en la que el ocio era un crimen y el trabajo cumplido amorosamente, la más alta virtud. El arcaico pensamiento del doctor Deustua, descartado de su ideología hasta por nuestra burguesía pávida y desorientada desciende en cambio, en línea recta, de esa sociedad virreinal que un prudente "civilista" como el doctor Javier Prado nos describió como una sociedad de sensual molicie.

No sólo su concepto del trabajo denuncia el sentimiento aristocrático y reaccionario del doctor Deustua y precisa su posición ideológica en el debate de la instrucción pública. Son, ante todo, sus conceptos fundamentales de la enseñanza los que definen su tesis como una tesis de inspiración feudalista.

El doctor Deustua, en sus estudios, no se preocupaba casi sino de la educación de las clases elevadas o dirigentes. Todo el problema de la educación nacional residía para él en la educación de la élite. Y por supuesto, esta élite no era otra que la del privilegio hereditario. Por consiguiente, todos sus desvelos, todas sus premuras estaban dedicados a la enseñanza universitaria.

Ninguna actitud puede ser más contraria y adversa que ésta al pensamiento educacional moderno. El doctor Villarán, desde puntos de vista ortodoxamente burgueses, oponía con razón a la tesis del doctor Deustua el ejemplo de Estados Unidos, recordando que "la escuela primaria fue allí la premisa y antecedente histórico de la secundaria; y el *college*, el precusor de la universidad".[37] Hoy podríamos oponerle, desde puntos de vista más nuestros, el ejemplo de México, país que, como dice Pedro Henríquez Ureña, no entiende hoy la cultura a la manera del siglo XIX. "No se piensa en la cultura reinante —escribe Henríquez Ureña— en la época del capital disfrazado de liberalismo, cultura de *diletantes* exclusivistas, huerto cerrado donde se cultivan flores artificiales, torre de marfil donde se guardaba la ciencia muerta en los museos. Se piensa en la cultura social, ofrecida y dada realmente a todos y fundada en el trabajo: aprender es no sólo aprender a conocer sino igualmente aprender a hacer. No debe haber alta cultura, porque será falsa y efímera, donde no haya cultura popular."[38] ¿Necesito decir que suscribo totalmente este concepto en abierto conflicto con el pensamiento del doctor Deustua?

El problema de la educación era situado por el doctor Deustua en un terreno puramente filosófico. La experiencia enseña que, en este terreno, con desdeñosa prescindencia de los factores de la realidad y de la historia, es imposible no sólo resolverlo sino conocerlo. El doctor Deustua se manifiesta indiferente a las relaciones de la enseñanza y de la economía. Más aún, respecto a la economía muestra una incomprensión de idealista absoluto.

Su recetario, por esto, además de antidemocrático y antisocial, resulta antihistórico. El problema de la enseñanza no puede ser bien comprendido en nuestro tiempo, si no es considerado como un problema económico y como un problema social. El error de muchos reformadores ha estado en su método abstractamente idealista, en su doctrina exclusivamente pedagógica. Sus proyectos han ignorado el íntimo engranaje que hay entre la economía y la enseñanza y han pretendido modificar ésta, sin conocer las leyes de aquélla. Por ende, no han acertado a reformar nada sino en la medida que las me-

141

nospreciadas, o simplemente ignoradas, leyes económico-sociales les han consentido. El debate entre clásicos y modernos en la enseñanza no ha estado menos regido por el ritmo del desarrollo capitalista que el debate entre conservadores y liberales en la política. Los programas y los sistemas de educación pública, en la edad que ahora declina, han dependido de los intereses de la economía burguesa. La orientación realista o moderna ha sido impuesta, ante todo, por las necesidades del industrialismo. No en balde el industrialismo es el fenómeno peculiar y sustantivo de esta civilización que, dominada por sus consecuencias, reclama de la escuela más técnicos que ideólogos y más ingenieros que rectores.

La orientación anticientífica y antieconómica, en el debate de la enseñanza, pretende representar un idealismo superior; pero se trata de una metafísica de reaccionarios, opuesta y extraña a la dirección de la historia y que, por consiguiente, carece de todo valor concreto como fuerza de renovación y elevación humanas. Los abogados y literatos procedentes de las aulas de humanidades, preparados por una enseñanza retórica, seudoidealista, han sido siempre mucho más inmorales que los técnicos provenientes de las facultades e institutos de ciencias. Y la actividad práctica y teorética o estética de estos últimos ha seguido el rumbo de la economía y de la civilización mientras que la actividad práctica, teorética o estética de los primeros lo ha contrastado frecuentemente al influjo de los más vulgares intereses o sentimientos conservadores. Esto aparte de que el valor de la ciencia como estímulo de la especulación filosófica no puede ser desconocido ni subestimado. La atmósfera de ideas de esta civilización debe a la ciencia mucho más seguramente que a las humanidades.

La solidaridad de la economía y la educación se revela concretamente en las ideas de los educadores que verdaderamente se han propuesto renovar la escuela. Pestalozzi, Froebel, etcétera, que han trabajado realmente por una renovación, han tenido en cuenta que la socie-

dad moderna tiende a ser, fundamentalmente, una sociedad de productores. La Escuela del Trabajo representa
un sentido nuevo de la enseñanza, un principio peculiar
de una civilización de trabajadores. El Estado capitalista
se ha guardado de adoptarlo y actuarlo plenamente. Se
ha limitado a incorporar en la enseñanza primaria (enseñanza de clase) el "trabajo manual educativo". Ha sido
en Rusia donde la Escuela del Trabajo ha sido elevada al
primer plano en la política educacional. En Alemania la
tendencia a ensayarla se ha apoyado principalmente en el
predominio socialdemocrático de la época de la revolución.

Y la reforma más sustancial ha brotado así en el campo de la enseñanza primaria, mientras que, dominadas
por el espíritu conservador de sus rectores, la enseñanza
secundaria y la universitaria constituyen aún un terreno
poco propicio a todo intento de renovación radical y
poco sensible a la nueva realidad económica.

Un concepto moderno de la escuela coloca en la misma categoría el trabajo manual y el trabajo intelectual.
La vanidad de los rancios humanistas, alimentada de ro-
manismo y aristocratismo, no puede avenirse con esta
nivelación. En oposición al ideario de estos hombres de
letras, la Escuela del Trabajo es un producto genuino,
una concepción fundamental de una civilización creada
por el trabajo y para el trabajo.

En el discurso de este estudio no me he propuesto esclarecer sino los fundamentales lineamientos ideológicos y
políticos del proceso de la instrucción pública en el Perú.
He prescindido de su aspecto técnico que, además
de no ser de mi competencia, se encuentra subordinado
a principios teóricos y a necesidades políticas y económicas.

He constatado, por ejemplo, que la herencia española
y colonial no consistía en un método pedagógico sino en

143

un régimen económico-social. La influencia francesa s
insertó, más tarde, en este cuadro, con la complacenci
así de quienes miraban en Francia la patria de la libertad
jacobina y republicana como de quienes se inspiraban en
el pensamiento y la práctica de la restauración. La in
fluencia norteamericana se impuso, finalmente, como
una consecuencia de nuestro desarrollo capitalista a
mismo tiempo que de la importación de capitales, técni
cos e ideas yanquis.

Bajo el conflicto de ideologías y de influencias, se per
cibe claramente, en el último periodo, el contraste entre
una creciente afirmación capitalista y la obstinada reac
ción feudalista y aristocrática, propugnadora la primera
en la enseñanza de una orientación práctica, defensora
la segunda de una orientación seudoidealista.

Con el nacimiento de una corriente socialista y la apa
rición de una conciencia de clase en el proletariado ur
bano, interviene ahora en el debate un factor nuevo que
modifica sustancialmente sus términos. La fundación de
las universidades populares González Prada, la adhe
sión de la juventud universitaria al principio de la socia
lización de la cultura, el ascendiente de un nuevo ideari
educacional sobre los maestros, etcétera, interrumpen
definitivamente el erudito y académico diálogo entre e
espíritu demo-liberal-burgués y el espíritu latifundista
aristocrático.[39]

El balance de la primera centuria de la República s
cierra, en orden a la educación pública, con un enorm
pasivo. El problema del analfabetismo indígena está cas
intacto. El Estado no consigue hasta hoy difundir la es
cuela en todo el territorio de la República. La despro
porción entre sus medios y el tamaño de la empresa, e
enorme. Para la actuación del modesto programa d
educación popular, que autoriza el presupuesto, se care
ce de número suficiente de maestros. El porcentaje d
normalistas en el personal de la enseñanza primaria al
canza a menos del 20 por ciento. Los rendimientos ac
tuales de las escuelas normales no consienten demasia

144

das ilusiones sobre las posibilidades de resolver este problema en un plazo más o menos corto. La carrera de maestros de primera enseñanza, sujeta todavía en el Perú a los vejámenes y las contaminaciones del gamonalismo y el caciquismo más estólidos y prepotentes, es una carrera de miseria. No les está aún asegurada a los maestros una estabilidad siquiera relativa. La queja de un representante a congreso, acostumbrado a encontrar a los maestros en su sumiso séquito de capituleros, pesa en el criterio oficial más que la hoja de servicios de un maestro recto y digno.

El problema del analfabetismo del indio resulta ser, en fin, un problema mucho mayor, que desborda del restringido marco de un plan meramente pedagógico. Cada día se comprueba más que alfabetizar no es educar. La escuela elemental no redime moral y socialmente al indio. El primer paso real hacia su redención tiene que ser el de abolir su servidumbre.[40]

Esta es la tesis que sostienen en el Perú los autores de una renovación, entre los cuales se cuentan, en primera fila, muchos educadores jóvenes, cuyos puntos de vista aparecen ya distantes de los que, en mesurada aunque categórica oposición a la ideología colonial, sustentó hace veinticinco años el doctor M. V. Villarán con los mediocres resultados que hemos visto al examinar la génesis y desenvolvimiento de la reforma de 1920.

EL FACTOR RELIGIOSO

I. La religión del Tawantinsuyo

Han tramontado definitivamente los tiempos de apriorismo anticlerical, en que la crítica "librepensadora" se contentaba con una estéril y sumaria ejecución de todos los dogmas e iglesias, a favor del dogma y la iglesia de un "libre pensamiento" ortodoxamente ateo, laico y racionalista. El concepto de religión ha crecido en extensión y profundidad. No reduce ya la religión a una iglesia y un rito. Y reconoce a las instituciones y sentimientos religiosos una significación muy diversa de la que ingenuamente le atribuían, con radicalismo incandescente, gentes que identificaban religiosidad y "oscurantismo".

La crítica revolucionaria no regatea ni contesta ya a las religiones, y ni siquiera a las iglesias, sus servicios a la humanidad ni su lugar en la historia. Waldo Frank, pensador y artista de espíritu tan penetrante y moderno, no nos ha asombrado, por esto, cuando nos ha explicado el fenómeno norteamericano descifrando, atentamente, su origen y factores religiosos. El *pioneer,* el puritano y el judío han sido, según la luminosa versión de Frank, los creadores de Estados Unidos. El *pioneer* desciende del puritano: más aún, lo realiza. Porque en la raíz de la protesta puritana, Frank distingue principalmente voluntad de potencia. "El puritano —escribe— había comenzado por desear el poder en Inglaterra: este deseo lo había impulsado hacia la austeridad, de la cual había pronto descubierto las dulzuras. He aquí que descubría luego un poder sobre sí mismo, sobre los otros, sobre el mundo tangible. Una tierra virgen y hostil demandaba todas las fuerzas que podía aportarle; y, mejor que ninguna otra, la vida frugal, la vida de renunciamiento, le permitía disponer de esas fuerzas."[1]

El colonizador anglosajón no encontró en el territorio norteamericano ni una cultura avanzada ni una población potente. El cristianismo y su disciplina no tuvieron, por ende, en Norteamérica, una misión evangelizadora. Distinto fue el destino del colonizador ibero, además de ser diverso el colonizador mismo. El misionero debía catequizar en México, el Perú, Colombia, Centroamérica, a una numerosa población, con instituciones y prácticas religiosas arraigadas y propias.

Como consecuencia de este hecho, el factor religioso ofrece, en estos pueblos, aspectos más complejos. El culto católico se superpuso a los ritos indígenas, sin absorberlos más que a medias. El estudio del sentimiento religioso en la América española tiene, por consiguiente, que partir de los cultos encontrados por los conquistadores.

La labor no es fácil. Los cronistas de la Colonia no podían considerar estas concepciones y prácticas religiosas sino como un conjunto de supersticiones bárbaras. Sus versiones deforman y empañan la imagen del culto aborigen. Uno de los más singulares ritos mexicanos —el que revela que en México se conocía y aplicaba la idea de la transustanciación— era para los españoles una simple treta del demonio.

Pero, por mucho que la crítica moderna no se haya puesto aún de acuerdo respecto a la mitología peruana, se dispone de suficientes elementos para saber su puesto en la evolución religiosa de la humanidad.

La religión incaica carecía de poder espiritual para resistir al Evangelio. Algunos historiadores deducen de algunas constataciones filológicas y arqueológicas el parentesco de la mitología incaica con la indostana. Pero su tesis reposa en similitudes mitológicas, esto es, formales; no propiamente espirituales o religiosas. Los rasgos fundamentales de la religión incaica son su colectivismo teocrático y su materialismo. Estos rasgos la diferencian, sustancialmente, de la religión indostana, tan espiritualista en su esencia. Sin arribar a la conclusión de

Valcárcel de que el hombre del Tawantinsuyo carecía virtualmente de la idea del "más allá", o se conducía como si así fuera, no es posible desconocer lo exiguo y sumario de su metafísica. La religión del quechua era un código moral antes que una concepción metafísica, hecho que nos aproxima a China mucho más que a la India. El Estado y la Iglesia se identificaban absolutamente; la religión y la política reconocían los mismos principios y la misma autoridad. Lo religioso se resolvía en lo social. Desde este punto de vista, es evidente entre la religión del Incario y las de Oriente la misma oposición que James George Frazer constata entre éstas y la civilización grecorromana. "La sociedad, en Grecia y en Roma —escribe Frazer—, se fundaba sobre la concepción de la subordinación del individuo a la sociedad, del ciudadano al Estado; colocaba la seguridad de la república como fin dominante de conducta, por encima de la seguridad del individuo, sea en este mundo, sea en el mundo futuro. Los ciudadanos, educados desde la infancia en este ideal altruista, consagraban su vida al servicio del Estado y estaban prontos a sacrificarla por el bien público. Retrocediendo ante el sacrificio supremo, sabían muy bien que obraban bajamente prefiriendo su existencia personal a los intereses nacionales. La propagación de las religiones orientales cambió todo esto: inculcó la idea de que la comunión del alma con Dios y su salud eterna eran los únicos fines por los cuales valía la pena de vivir, fines en comparación de los cuales la prosperidad y aun la existencia del Estado resultaban insignificantes."[2]

Identificada con el régimen social y político, la religión incaica no pudo sobrevivir al Estado incaico. Tenía fines temporales más que fines espirituales. Se preocupaba del reino de la tierra antes que del reino del cielo. Constituía una disciplina social más que una disciplina individual. El mismo golpe hirió de muerte la teocracia y la teogonía. Lo que tenía que subsistir de esta religión, en el alma indígena, había de ser, no una concepción metafísica, sino los ritos agrarios, las prácticas mágicas y el sentimiento panteísta.[3]

De todas las versiones que tenemos sobre los mitos y ceremonias incaicas, se desprende que la religión quechua era en el imperio mucho más que la religión del Estado (en el sentido que esta confesión posee en nuestro evo). La Iglesia tenía el carácter de una institución social y política. La Iglesia era el Estado mismo. El culto estaba subordinado a los intereses sociales y políticos del Imperio. Este lado de la religión incaica se delínea netamente en el miramiento con que trataron los incas a los símbolos religiosos de los pueblos sometidos o conquistados. La Iglesia incaica se preocupaba de avasallar a los dioses de éstos, más que de perseguirlos y condenarlos. El Templo del Sol se convirtió así en el templo de una religión o una mitología un tanto federal. El quechua, en materia religiosa, no se mostró demasiado catequista ni inquisidor. Su esfuerzo, naturalmente dirigido a la mejor unificación del Imperio, tendía, en este interés, a la extirpación de los ritos crueles y de las prácticas bárbaras; no a la propagación de una nueva y única verdad metafísica. Para los incas se trataba no tanto de sustituir como de elevar la religiosidad de los pueblos anexados a su Imperio.

La religión del Tawantinsuyo, por otro lado, no violentaba ninguno de los sentimientos ni de los hábitos de los indios. No estaba hecha de complicadas abstracciones, sino de sencillas alegorías. Todas sus raíces se alimentaban de los instintos y costumbres espontáneos de una nación constituida por tribus agrarias, sana y ruralmente panteísta, más propensas a la cooperación que a la guerra. Los mitos incaicos reposaban sobre la primitiva y rudimentaria religiosidad de los aborígenes, sin contrariarla sino en la medida en que la sentían ostensiblemente inferior a la cultura incaica o peligrosa para el régimen social y político del Tawantinsuyo. Las tribus del Imperio más que en la divinidad de una religión o un dogma, creían simplemente en la divinidad de los incas.

149

Los aspectos de la religión de los antiguos peruanos que más interesa esclarecer son, por esto —antes que los misterios o símbolos de su metafísica y de su mitología muy embrionarias—, sus elementos naturales: animismo, magia, tótems y tabúes. Es ésta una investigación que debe conducirnos a conclusiones seguras sobre la evolución moral y religiosa de los indios.

La especulación abstracta sobre los dioses incaicos ha empujado frecuentemente a la crítica a deducir de la correspondencia o afinidad de ciertos símbolos o nombres el probable parentesco de la raza quechua con razas que, espiritual y mentalmente, resultan distintas y diversas. Por el contrario, el estudio de los factores primarios de su religión sirve para constatar la universalidad o semi-universalidad de innumerables ritos y creencias mágicas y, por consiguiente, lo aventurado de buscar en este terreno las pruebas de una hipotética comunidad de orígenes. El estudio comparado de las religiones ha hecho en los últimos tiempos enormes progresos, que impiden servirse de los antiguos puntos de partida para decidir respecto a la particularidad o el significado de un culto. James George Frazer, a quien se deben en gran parte estos progresos, sostiene que, en todos los pueblos, la edad de la magia ha precedido a la edad de la religión; y demuestra la análoga o idéntica aplicación de los principios de "similitud", "simpatía" y "contacto", entre pueblos totalmente extraños entre sí.[4]

Los dioses incaicos reinaron sobre una muchedumbre de divinidades menores que, anteriores a su imperio y arraigadas en el suelo y el alma indios, como elementos instintivos de una religiosidad primitiva, estaban destinadas a sobrevivirles. El "animismo" indígena poblaba el territorio del Tawantinsuyo de genios o dioses locales, cuyo culto ofrecía a la evangelización cristiana una resistencia mucho mayor que el culto incaico del sol o del dios Kon. El "totemismo", consustancial con el *ayllu* y la tribu, más perdurables que el Imperio, se refugiaba no sólo en la tradición sino en la sangre misma del indio. La magia, identificada como arte primitivo de curar a los enfermos, con necesidades e impulsos vitales, contaba con arraigo bastante para subsistir por mucho tiempo bajo cualquier creencia religiosa.

Estos elementos naturales o primitivos de religiosidad se avenían perfectamente con el carácter de la monarquía y el Estado incaicos. Más aún: estos elementos exigían la divinidad de los incas y de su gobierno. La teocracia incaica se explica en todos sus detalles por el estado social indígena; no es menester la fácil explicación de la sabiduría taumatúrgica de los incas. (Colocarse en este punto de vista es adoptar el de la plebe vasalla que se quiere, precisamente, desdeñar y rebajar.) Frazer, que tan magistralmente ha estudiado el origen mágico de la realeza, analiza y clasifica varios tipos de reyes-sacerdotes, dioses humanos, etcétera, más o menos próximos a nuestros incas. "Entre los indios de América —escribe refiriéndose particularmente a este caso— los progresos más considerables hacia la civilización han sido efectuados bajo los gobiernos monárquicos y teocráticos de México y del Perú, pero sabemos demasiado pocas cosas de la historia primitiva de estos países para decir si los predecesores de sus reyes divinizados fueron o no hombres-medicina. Podría encontrarse la huella de tal sucesión en el juramento que pronunciaban los reyes mexicanos al ascender al trono; juraban hacer brillar al sol, caer la lluvia de las nubes, correr los ríos y producir a la tierra frutos en abundancia. Lo cierto es que en la América aborigen, el hechicero y el curandero, nimbado de una aureola de misterio, de respeto y de temor, era un personaje considerable y que pudo muy bien convertirse en jefe o rey en muchas tribus, aunque nos falten pruebas positivas, para afirmar este último punto." El autor de *The Golden Bough* extrema su prudencia, por insuficiencia de material histórico; pero llega siempre a esta conclusión: "En la América del Sur, la magia parece haber sido la ruta que condujo al trono." Y, en otro capítulo, precisa más aún su concepto: "La pretensión de

151

poderes divinos y sobrenaturales que nutrieron los monarcas de grandes imperios históricos como Egipto, México y el Perú no provenía simplemente de una vanidad complaciente ni era la expresión de una vil lisonja; no era sino una supervivencia y una extensión de la antigua costumbre salvaje de deificar a los reyes durante su vida. Los incas del Perú, por ejemplo, que se decían hijos del sol, eran reverenciados como dioses; se les consideraba infalibles y nadie pensaba dañar a la persona, el honor, los bienes del monarca o de un miembro de su familia. Contrariamente a la opinión general, los incas no veían su enfermedad como un mal. Era, a sus ojos, una mensajera de su padre el sol que los llamaba a reposar cerca de él en el cielo."[5]

El pueblo incaico ignoró toda separación entre la religión y la política, toda diferencia entre Estado e Iglesia. Todas sus instituciones, como todas sus creencias, coincidían estrictamente con su economía de pueblo agrícola y con su espíritu de pueblo sedentario. La teocracia descansaba en lo ordinario y lo empírico; no en la virtud taumatúrgica de un profeta ni de su verbo. La religión era el Estado.

Vasconcelos que subestima un poco las culturas autóctonas de América piensa que, sin un libro magno, sin un código sumo, estaban condenadas a desaparecer por su propia inferioridad. Estas culturas, sin duda, intelectualmente, no habían salido aún del todo de la edad de la magia. Por lo que toca a la cultura incaica, bien sabemos además que fue la obra de una raza mejor dotada para la creación artística que para la especulación intelectual. Si nos ha dejado, por eso, un magnífico arte popular, no ha dejado, en cambio, un Rig-Veda ni un Zend-avesta. Esto hace más admirable todavía su organización social y política. La religión no era sino uno de los aspectos de esta organización, a la que no podía, por ende, sobrevivir.

II. La conquista católica

He dicho ya que la Conquista fue la última cruzada y que con los conquistadores tramontó la grandeza española. Su carácter de cruzada define a la Conquista como empresa esencialmente militar y religiosa. La realizaron en comandita soldados y misioneros. El triunvirato de la conquista del Perú habría estado incompleto sin Hernando de Luque. Tocaba a un clérigo el papel de letrado y mentor de la compañía. Luque representaba la Iglesia y el Evangelio. Su presencia resguardaba los fueros del dogma y daba una doctrina a la aventura. En Cajamarca, el verbo de la conquista fue el padre Valverde. La ejecución de Atahualpa, aunque obedeciese sólo al rudimentario maquiavelismo político de Pizarro, se revistió de razones religiosas. Virtualmente, aparece como la primera condena de la Inquisición en el Perú.

Después de la tragedia de Cajamarca, el misionero continuó dictando celosamente su ley a la Conquista. El poder espiritual inspiraba y manejaba al poder temporal. Sobre las ruinas del Imperio, en el cual Estado e Iglesia se consustanciaban, se esboza una nueva teocracia, en la que el latifundio, mandato económico, debía nacer de la "encomienda", mandato administrativo, espiritual y religioso. Los frailes tomaron solemne posesión de los templos incaicos. Los dominicos se instalaron en el templo del Sol, acaso por cierta predestinación de orden tomista, maestra en el arte escolástico de reconciliar al cristianismo con la tradición pagana.[6] La Iglesia tuvo así parte activa, directa, militante en la Conquista.

Pero si se puede decir que el colonizador de la América sajona fue el *pioneer* puritano, no se puede decir igualmente que el colonizador de la América española fue el cruzado, el caballero. El conquistador era de esta estirpe espiritual; el colonizador no. La razon está al alcance de cualquiera; el puritano representaba un movimiento en ascensión, la Reforma protestante; el cruzado, el caballero, personificaba una época que concluía, el medievo católico. Inglaterra siguió enviando puritanos a sus colonias, mucho tiempo después de que España no tenía ya cruzados que mandar a las suyas. La especie estaba agotada. La energía espiritual de España —solicitada por la reacción contra la Reforma precisamente— daba vida a un extraordinario renacimiento religioso, destinado a gastar su magnífica potencia en una intransigente reafirmación ortodoxa: la contrarreforma "La verdadera Reforma española —escribe Unamuno— fue la mística, y ésta, que tan poco se preocupó de la Reforma protestante, fue en España el más fuerte valladar contra ella. Santa Teresa hizo acaso tanto como San Ignacio de Loyola, la contrarreforma, por medio de la reforma española."[7]

La Conquista consumió los últimos cruzados. Y el cruzado de la Conquista, en la gran mayoría de los casos, no era ya propiamente el de las cruzadas, sino sólo su prolongación espiritual. El noble no estaba ya para empresas de caballería. La extensión y riqueza de los dominios de España le aseguraba una existencia cortesana y gaudente. El cruzado de la Conquista, cuando fue hidalgo, fue pobre. En otros casos, provenía del estado llano.

Venidos de España a ocupar tierras para su rey —en quien los misioneros reconocían ante todo un fiduciario de la Iglesia romana—, los conquistadores parecen impulsados a veces por un vago presentimiento de que los sucederían hombres sin su grandeza y audacia. Un confuso y oscuro instinto los mueve a rebelarse contra la metrópoli. Acaso en el mismo heroico arranque de Cortés, cuando manda quemar sus naves, asoma indescifrable esta intuición. En la rebelión de Gonzalo Pizarro, alienta una trágica ambición, una desesperada e impotente nostalgia. Con su derrota, termina la obra y la raza de los conquistadores. Concluye la Conquista; comienza el coloniaje. Y si la Conquista es una empresa militar y religiosa, el coloniaje no es sino una empresa política y eclesiástica. La inaugura un hombre de iglesia, don Pedro de la Gasca. El eclesiástico remplaza al evangelizador. El virreinato, molicie y ocio sensual, traería después al Perú nobles letrados y escolásticos, gente ya toda de otra España, la de la Inquisición y de la decadencia.

Durante el coloniaje, a pesar de la Inquisición y la contrarreforma, la obra civilizadora es, sin embargo, en su mayor parte, religiosa y eclesiástica. Los elementos de educación y de cultura se concentraban exclusivamente en manos de la Iglesia. Los frailes contribuyeron a la organización virreinal no sólo con la evangelización de los infieles y la persecución de las herejías, sino con la enseñanza de artes y oficios y el establecimiento de cultivos y obrajes. En tiempos en que la Ciudad de los Virreyes se reducía a unos cuantos rústicos solares, los frailes fundaron aquí la primera universidad de América. Importaron con sus dogmas y sus ritos, semillas, sarmientos, animales domésticos y herramientas. Estudiaron las costumbres de los naturales, recogieron sus tradiciones, allegaron los primeros materiales de su historia. Jesuitas y dominicos, por una suerte de facultad de adaptación y asimilación que caracteriza sobre todo a los jesuitas, captaron no pocos secretos de la historia y el espíritu indígenas. Y los Indios, explotados en las minas, en los obrajes y en las "encomiendas", encontraron en los conventos, y aun en los curatos, sus más eficaces defensores. El padre de Las Casas, en quien florecían las mejores virtudes del misionero, del evangelizador, tuvo precursores y continuadores.

El catolicismo, por su liturgia suntuosa, por su culto patético, estaba dotado de una aptitud tal vez única para cautivar a una población que no podía elevarse súbitamente a una religiosidad espiritual y abstractista. Y contaba, además, con su sorprendente facilidad de aclimatación a cualquier época o clima histórico. El trabajo, empezado muchos siglos atrás en Occidente, de absorción de antiguos mitos y de apropiación de fechas paganas, continuó en el Perú. El culto de la virgen encontró en el lago Titicaca —de donde parecía nacer la teocracia incaica— su más famoso santuario.

Emilio Romero, inteligente y estudioso escritor, tiene interesantes observaciones sobre este aspecto de la sustitución de los dioses incaicos por las efigies y ritos católicos. "Los indios vibraban de emoción —escribe— ante la solemnidad del rito católico. Vieron la imagen del sol en los rutilantes bordados de brocados de las casullas y de las capas pluviales, y los colores del iris en los roquetes de finísimos hilos de seda en fondos violáceos. Vieron tal vez el símbolo de los quipus en las borlas moradas de los abates y en los cordones de los descalzos... Así se explica el furor pagano con que las multitudes indígenas cuzqueñas vibraban de espanto ante la presencia del Señor de los Temblores en quien veían la imagen tangible de sus recuerdos y sus adoraciones, muy lejos el espíritu del pensamiento de los frailes. Vibraba el paganismo indígena en las fiestas religiosas. Por eso lo vemos llevar sus ofrendas a las iglesias, los productos de sus rebaños, las primicias de sus cosechas. Más tarde, ellos mismos levantaban sus aparatosos altares del Corpus Christi llenos de espejos con marcos de plata repujada, sus grotescos santos y a los pies de los altares las primicias de los campos. Brindaban frente a los santos con honda nostalgia la misma jora de las libaciones del *Cápac Raymi*; y finalmente, entre los alaridos de su devoción que para los curas españoles eran gritos de penitencia y para los indios gritos pánicos, bailaban las estrepitosas *cachampas* y las gimnásticas *kashuas* ante la sonrisa petrificada y vidriosa de los santos."[8]

La exterioridad, el paramento del catolicismo, sedujeron fácilmente a los indios. La evangelización, la catequización, nunca llegaron a consumarse en su sentido profundo, por esta misma falta de resistencia indígena. Para un pueblo que no había distinguido lo espiritual de lo temporal, el dominio político comprendía el dominio eclesiástico. Los misioneros no impusieron el Evangelio; impusieron el culto, la liturgia, adecuándolos sagazmente a las costumbres indígenas. El paganismo aborigen subsistió bajo el culto católico.

Este fenómeno no era exclusivo de la catequización del Tawantinsuyo. La catolicidad se caracteriza, históricamente, por el mimetismo con que, en lo formal, se ha amoldado siempre al medio. La Iglesia romana puede sentirse legítima heredera del imperio romano en lo que concierne a la política de colonización y asimilación de los pueblos sometidos a su poder. La indagación del origen de las grandes fechas del calendario gregoriano ha revelado a los investigadores asombrosas sustituciones. Frazer, analizándolas, escribe: "Consideradas en su conjunto, las coincidencias de las fiestas cristianas con las fiestas paganas son demasiado precisas y demasiado numerosas para ser accidentales. Constituyen la marca del compromiso que la Iglesia, en la hora de su triunfo, se halló forzada a hacer con sus rivales, vencidos, pero todavía peligrosos. El protestantismo inflexible de los primeros misioneros, con su ardiente denunciación del paganismo, había cedido el lugar a la política más flexible, a la tolerancia más cómoda, a la ancha caridad de eclesiásticos avisados que se percataban bien de que, si el cristianismo debía conquistar al mundo, no podría hacerlo sino aflojando un poco los principios demasiado rígidos de su fundador, ensanchando un poco la puerta estrecha que conduce a la salud. Bajo este aspecto, se podría trazar un paralelo muy instructivo entre la historia del cristianismo y la historia del budismo."[9] Este compromiso, en su origen, se extiende del catolicismo a toda la cristiandad; pero se presenta como virtud o facultad romana, tanto por su carácter de compromiso puramente formal (en el orden dogmático o teológico la catolicidad ha sido en cambio intransigente), como por el hecho de que en la evangelización de los americanos y otros pueblos, sólo la Iglesia romana continuó empleándolo sistemática y eficazmente. La Inquisición, desde este punto de vista, adquiere la fisonomía de un fenómeno interno de la religión católica: su objeto fue la represión de la herejía interior; la persecución de los herejes, no de los infieles.

Pero esta facultad de adaptación es, al mismo tiempo, la fuerza y la debilidad de la Iglesia romana. El espíritu religioso no se templa sino en el combate, en la agonía. "El cristianismo, la cristiandad —dice Unamuno— desde que nació en San Pablo no fue una doctrina, aunque se expresara dialécticamente: fue vida, lucha, agonía. La doctrina era el Evangelio, la Buena Nueva. El cristianismo, la cristiandad, fue una preparación para la muerte y la resurrección, para la vida eterna."[10] La pasividad con que los indios se dejaron catequizar, sin comprender el catecismo, enflaqueció espiritualmente al catolicismo en el Perú. El misionero no tuvo que velar por la pureza del dogma; su misión se redujo a servir de guía moral, de pastor eclesiático a una grey rústica y sencilla, sin inquietud espiritual ninguna.

Como en lo político, en lo religioso, al periodo heroico de la Conquista siguió el periodo virreinal —administrativo y burocrático—. Francisco García Calderón enjuicia así, en conjunto, esta época: "Si la conquista fue el reino del esfuerzo, la época colonial es un largo periodo de extenuación moral."[11] La primera etapa simbolizada por el misionero, corresponde espiritualmente a la del florecimiento de la mística en España. En la mística, en la contrarreforma, como lo sostiene Unamuno, España gastó la fuerza espiritual que otros pueblos gastaron en la Reforma. Unamuno define de este modo a los místicos: "Repelen la vana ciencia y buscan saber de finalidad pragmática, conocer para amar y obrar y gozar de Dios, no para conocer tan sólo. Son, sabiéndolo o no, antiintelectualistas y esto los separa de un Eckart, verbigracia. Propenden al voluntarismo. Lo que buscan es saber total e integral, una sabiduría en que el conocer, el sentir y el querer se aúnen y aun fundan en lo posible. Amamos la verdad porque es bella, y porque la amamos, creemos, según el padre Avila. En esta sabiduría sustancial se mejen y cuajan, por así decirlo, la verdad, la bonlad y la belleza. Es, pues, natural que este misticismo culminare en una mujer, de espíritu menos analítico que el del hombre, y en quien se dan en más íntimo consorcio, o mejor en una más primitiva indiferenciación, las facultades anímicas."[12]

Ya sabemos que en España esta llamada espiritual, de la cual surgió la contrarreforma, encendió el alma de Santa Teresa, de San Ignacio y de otros grandes místicos; pero que luego se agotó y concluyó, trágica y fúnebremente, en las hogueras de la Inquisición. Pero en España contaba, para reavivar su fuerza, con la lucha contra la herejía, contra la Reforma. Allá podía ser todavía, por algún tiempo, vivo y enérgico resplandor. Aquí, fácilmente superpuesto el culto católico al sentimiento pagano de los indios, el catolicismo perdió su vigor moral. "Una gran santa —observa García Calderón— como Rosa de Lima está bien lejos de tener la fuerte personalidad y la energía creadora de Santa Teresa, la gran española."[13]

En la costa, en Lima sobre todo, otro elemento vino a nervar la energía espiritual del catolicismo. El esclavo negro prestó al culto católico su sensualismo fetichista, su oscura superstición. El indio, sanamente panteísta y materialista, había alcanzado el grado ético de una gran teocracia; el negro, mientras tanto, trasudaba por todos sus poros el primitivismo de la tribu africana. Javier Prado anota lo siguiente: "Entre los negros, la religión cristiana era convertida en culto supersticioso e inmoral. Embriagados completamente por el abuso del licor, excitados por estímulos de sensualidad y libertinaje, propios de su raza, iban primero los negros bozales y después los criollos danzando con movimientos obscenos y gritos salvajes, en las populares fiestas de *diablos y gigantes, toros y cristianos*, con las que, frecuentemente, con aplauso general, acompañaban a las procesiones."[14]

Los religiosos gastaban lo mejor de su energía en sus propias querellas internas, o en la caza del hereje, si no en una constante y activa rivalidad con los representantes

159

del poder temporal. Hasta en el fervor apostólico del padre de Las Casas, el profesor Prado cree encontrar el estímulo de esta rivalidad. Pero, en este caso, al menos el celo eclesiástico era usado en servicio de una causa noble y justa que, hasta mucho tiempo después de la emancipación política del país, no volvería a encontrar tan tenaces defensores.

Si el suntuoso culto y la majestuosa liturgia disponían de un singular poder de sugestión para imponerse al paganismo indígena, el catolicismo español, como concepción de la vida y disciplina del espíritu, carecía de aptitud para crear en sus colonias elementos de trabajo y de riqueza. Este es, como lo he observado en mi estudio sobre la economía peruana, el lado más débil de la colonización española. Mas, del recalcitrante medievalismo de España, causante de su floja y morosa evolución hacia el capitalismo, sería arbitrario y extremado suponer exclusivamente responsable al catolicismo que, en otros países latinos, supo aproximarse sagazmente a los principios de la economía capitalista. Las congregaciones, especialmente la de los jesuitas, operaron en el terreno económico, más diestramente que la administración civil y sus fiduciarios. La nobleza española despreciaba el trabajo y el comercio; la burguesía, muy retardada en su proceso, estaba contagiada de principios aristocráticos. Pero, en general, la experiencia de Occidente revela la solidaridad entre capitalismo y protestantismo, de modo demasiado concreto. El protestantismo aparece en la historia, como la levadura espiritual del proceso capitalista. La reforma protestante contenía la esencia, el germen del Estado liberal. El protestantismo y el liberalismo correspondieron, como corriente religiosa y tendencia política respectivamente, al desarrollo de los factores de la economía capitalista. Los hechos abonan esta tesis. El capitalismo y el industrialismo no han fructificado en ninguna parte como en los pueblos protestantes. La economía capitalista ha llegado a su plenitud sólo en Inglaterra, Estados Unidos y Alemania. Y, dentro de estos Estados, los pueblos de confesión católica han conservado instintivamente gustos y hábitos rurales y medievales. (Baviera católica es también campesina.) Y en cuanto a los Estados católicos, ninguno ha alcanzado un grado superior de industrializacion. Francia —que no puede ser juzgada por el mercado financiero cosmopolita de París ni por el *Comité des Forges*— es más agrícola que industrial. Italia —aunque su demografía la ha empujado por la vía del trabajo industrial que ha creado los centros capitalistas de Milán, Turín y Génova— mantiene su inclinación agraria. Mussolini se complace frecuentemente en el elogio de Italia campesina y provinciana y en uno de sus discursos últimos ha recalcado su aversión a un urbanismo y un industrialismo excesivos, por su influjo depresivo sobre el factor demográfico. España el país más clausurado en su tradición católica —que arrojó de su suelo al judío—, presenta la más retrasada y anémica estructura capitalista, con la agravante de que su incipiencia industrial y financiera no ha estado al menos compensada por una gran prosperidad agrícola, acaso porque, mientras el terrateniente italiano heredó de sus ascendientes romanos un arraigado sentimiento agrario, el hidalgo español se aferró al prejuicio de las profesiones nobles. El diálogo entre la carrera de las armas y la de las letras no reconoció en España más primacía que la de la carrera eclesiástica.

La primera etapa de la emancipación de la burguesía es, según Engels, la reforma protestante. "La reforma de Calvino —escribe el célebre autor del *Anti-Dühring*— respondía a las necesidades de la burguesía más avanzada de la época. Su doctrina de la predestinación era la expresión religiosa del hecho de que, en el mundo comercial de la competencia, el éxito y el fracaso no dependen ni de la actividad ni de la habilidad del hombre, sino de circunstancias no subordinadas a su control."[15] La rebelión contra Roma de las burguesías más evolucionadas y ambiciosas condujo a la institución de iglesias nacionales destinadas a evitar todo conflicto entre lo temporal y lo espiritual, entre la Iglesia y el Estado. El libre examen encerraba el embrión de todos los principios de la economía burguesa: libre concurrencia, libre industria, etcétera. El individualismo, indispensable para el desenvolvimiento de una sociedad basada en estos principios, recibía de la moral y de la práctica protestantes los mejores estímulos.

Marx ha esclarecido varios aspectos de las relaciones entre protestantismo y capitalismo. Singularmente aguda es la siguiente observación: "El sistema de la moneda es esencialmente católico; el del crédito eminentemente protestante. Lo que salva es la fe: la fe en el valor monetario considerado como el alma de la mercadería, la fe en el sistema de producción y su ordenamiento predestinado, la fe en los agentes de la producción que personifican el capital, el cual tiene el poder de aumentar por sí mismo el valor. Pero así como el protestantismo no se emancipa casi de los fundamentos del catolicismo, así el sistema del crédito no se eleva sobre la base del sistema de la moneda."[16]

Y no sólo los dialécticos del materialismo histórico constatan esta consanguinidad de los dos grandes fenómenos. Hoy mismo, en una época de reacción, así intelectual como política, un escritor español, Ramiro de Maeztu, descubre la flaqueza de su pueblo en su falta de sentido económico. Y he aquí cómo entiende los factores morales del capitalismo yanqui: "Su sentido del poder lo deben, en efecto, los norteamericanos a la tesis calvinista de que Dios, desde toda eternidad, ha destinado unos hombres a la salvación y otros a la muerte eterna; que esa salvación se conoce en el cumplimiento de los deberes de cada hombre en su propio oficio, de lo cual se deduce que la prosperidad consiguiente al cumplimiento de esos deberes es signo de la posesión de la divina gracia, por lo que hace falta conservarla a todo trance, lo que implica la moralización de la manera de gastar el dinero. Estos postulados teológicos no son actualmente, más que historia. El pueblo de Estados Unidos continúa progresando, pero a la manera de una piedra lanzada por un brazo que ya no existe para renovar la fuerza del proyectil, cuando ésta se agote".[17] Los neoescolásticos se empeñan en contestar o regatear a la Reforma este influjo en el desarrollo capitalista, pretendiendo que en el tomismo se estaban ya formulando los principios de la economía burguesa.[18] Sorel ha reconocido a Santo Tomás los servicios prestados a la civilización occidental por el realismo con que trabajó por apoyar el dogma en la ciencia. Ha hecho resaltar particularmente su concepto de que "la ley humana no puede cambiar la naturaleza jurídica de las cosas, naturaleza que deriva de su contenido económico".[19] Pero si el catolicismo, con Santo Tomás, arribó a este grado de comprensión de la economía, la Reforma forjó las armas morales de la revolución burguesa, franqueando la vía al capitalismo. La concepción neoescolástica se explica fácilmente. El neotomismo es burgués; pero no capitalista. Porque así como socialismo no es la misma cosa que proletariado, capitalismo no es exactamente la misma cosa que burguesía. La burguesía es la clase, el capitalismo es el orden, la civilización, el espíritu que de esta clase ha nacido. La burguesía es anterior al capitalismo. Existió mucho antes que él, pero sólo después ha dado su nombre a toda una edad histórica.

Dos caminos tiene el sentimiento religioso según un juicio de Papini —de sus tiempos de pragmatista—: el de la posesión y el de la renuncia.[20] El protestantismo, desde su origen, escogió resueltamente el primero. En el impulso místico del puritanismo, Waldo Frank acertadamente advierte, ante todo, voluntad de potencia. En su explicación de Norteamérica nos dice cómo "la disciplina de la Iglesia organizó e hizo marchar a los hombres contra las dificultades materiales de una América indomada; cómo el renunciamiento a los placeres de los sentidos produjo máxima energía disponible para la caza del poder y de la riqueza; cómo estos sentidos mortificados por principios ascéticos, adaptados a las rudas condiciones de la vida, tomaron su revancha en una lucha hacia la fortuna". La universidad norteamericana, bajo estos principios religiosos, proporcionaba a los jóvenes una cultura "cuyo sentido era la santidad de la propiedad, la moralidad del éxito."[21]

El catolicismo, en tanto, se mantuvo como un constante compromiso entre los dos términos, posesión y renuncia. Su voluntad de potencia se tradujo en empresas militares y sobre todo políticas; no inspiró ninguna gran aventura económica. La América española, por otra parte no ofrecía a la catolicidad un ambiente propicio al ascetismo. En vez de mortificación, los sentidos no encontraron en este continente sino goce, lasitud y molicie.

■

La evangelización de la América española no puede ser enjuiciada como una empresa religiosa sino como una empresa eclesiástica. Pero, después de los primeros siglos del cristianismo, la evangelización tuvo siempre este carácter. Sólo una poderosa organización eclesiástica, apta para movilizar aguerridas milicias de catequistas y sacerdotes, era capaz de colonizar para la fe cristiana pueblos lejanos y diversos.

El protestantismo, como ya he apuntado, careció siempre de eficacia catequista, por una consecuencia lógica de su individualismo, destinado a reducir al mínimo el marco eclesiástico de la religión. Su propagación en Europa se debió invariablemente a razones políticas y económicas: los conflictos entre la Iglesia romana y Estados y monarcas propensos a rebelarse contra el poder papal y a incorporarse en la corriente secesionista; y el crecimiento de la burguesía que encontraba en el protestantismo un sistema más cómodo y se irritaba contra el favor de Roma a los privilegios feudales. Cuando el protestantismo ha emprendido una obra de catequización y propaganda, ha adoptado un método en el cual se combina la práctica eclesiástica con sagaces en-

sayos de servicio social. En la América del Norte, el colonizador anglosajón no se preocupó de la evangelización
de los aborígenes. Le tocó colonizar una tierra casi virgen, en áspero combate con una naturaleza cuya posesión y conquista exigía íntegramente su energía. Aquí se
descubre la íntima diferencia entre las dos conquistas, la
anglosajona y la española: *la primera se presenta, en su
origen y en su proceso, como una aventura absolutamente
individualista, que obligó a los hombres que la realizaron a
una vida de alta tensión.* (Individualismo, practicismo y
activismo hasta ahora son los resortes primarios del fenómeno norteamericano.)

La colonización anglosajona no necesitaba una organización eclesiástica. El individualismo puritano hacía
de cada *pioneer* un pastor de sí mismo. Al *pioneer* de
Nueva Inglaterra le bastaba su Biblia. (Unamuno llama
al protestantismo "la tiranía de la letra"). La América
del Norte fue colonizada con gran economía de fuerzas y
de hombres. El colonizador no empleó misioneros, pre-
dicadores, teólogos ni conventos. Para la posesión
simple y ruda de la tierra, no le hacían falta. No tenía que
conquistar una cultura y un pueblo sino un territorio. La
suya, dirán algunos, no era economía sino pobreza.
Tendrán razón; pero a condición de reconocer que de
esta pobreza surgieron el poder y riqueza de Estados Unidos.

El sino de la colonización española y católica era
mucho más amplio; su misión, más difícil. Los conquistadores encontraron en estas tierras, pueblos, ciudades,
culturas: el suelo estaba cruzado de caminos y de huellas
que sus pasos no podían borrar. La evangelización tuvo
su etapa heroica, aquella en que España nos envió misioneros en quienes estaba vivo aún el fuego místico y el
ímpetu militar de los cruzados. ("Al mismo tiempo que
los soldados —leo en Julien Luchaire— desembarcaban,
en multitud, y escogidos entre los mejores, los curas y los
monjes católicos."[22] Pero —vencedor el pomposo culto
católico del rústico paganismo indígena— la esclavitud y

la explotación del indio y del negro, la abundancia y la riqueza, relajaron al colonizador. El elemento religioso quedó absorbido y dominado por el elemento eclesiástico. El clero no era una milicia heroica y ardiente, sino una burocracia regalona, bien pagada y bien vista. "Vino estonces —escribe el doctor M. V. Villarán— la segunda edad de la historia del sacerdocio colonial; la edad de la vida plácida y tranquila en los magníficos conventos, la edad de las prebendas, de los fructuosos curatos, de la influencia social, del predominio político, de las lujosas fiestas, que tuvieron por consecuencia inevitable el abuso y la relajación de costumbres. En aquella época la carrera por excelencia era el sacerdocio. Profesión honrosa y lucrativa, los que a ella se dedicaban vivían como grandes y habitaban palacios; eran el ídolo de los buenos colonos que los amaban, los respetaban, los temían, los obsequiaban, los hacían herederos y legatarios de sus bienes. Los conventos eran grandes y había en ellos celdas para todos: las mitras, las dignidades, las canonjías, los curatos, las capellanías, las cátedras, los oratorios particulares, los beneficios de todo orden abundaban. La piedad de los habitantes era ferviente y ellos proveían con largueza a la sustentación de los ministros del altar. Así pues, 'todo hijo segundo de buena familia era destinado al sacerdocio'."[23]

Y esta Iglesia no fue ya siquiera la de la contrarreforma y la Inquisición. El Santo Oficio no tenía casi en el Perú herejías que perseguir. Dirigía más bien su acción contra los civiles en mal predicamento con el clero; contra las supersticiones y vicios que solapada y fácilmente prosperaban en un ambiente de sensualidad y de idolatría, cargado de sedimentos mágicos; y, sobre todo, contra aquello que juzgaba sospechoso de insidiar o disminuir su poder. Y bajo este último aspecto, la Inquisición se comportaba más como institución política que religiosa. Está bien averiguado que en España sirvió los fines del absolutismo antes que los de la Iglesia. "El Santo Oficio —dice Luchaire— era poderoso, antes que todo, porque el rey quería que lo fuese; porque tenía la misión de perseguir a los rebeldes políticos igual que a los innovadores religiosos; el arma no estaba en las manos del papa sino en las del rey: el rey las manejaba en su interés tanto como en el de la Iglesia."[24]

La ciencia eclesiástica, por otra parte, en vez de comunicarnos con las corrientes intelectuales de la época, nos separaba de ellas. El pensamiento escolástico fue vivo y creador en España, mientras recibió de los místicos calor y ardimiento. Pero desde que se congeló en fórmulas pedantes y casuistas, se convirtió en yerto y apergaminado saber de erudito, en anquilosada y retórica ortodoxia de teólogo español. En la crítica civilista, no escasean las requisitorias contra esta fase de la obra eclesiástica en el Perú. "¿Cuál era la ciencia que suministraba el clero? —se pregunta Javier Prado en su duradero y enjundioso estudio—. Una teología vulgar —se responde—, un dogmatismo formalista, mezcla confusa y abrumadora de las doctrinas peripatéticas con el ergotismo escolástico. Siempre que la Iglesia no ha podido suministrar verdaderos conocimiento científicos, ha apelado al recurso de distraer y fatigar el pensamiento, por medio de una gimnasia de palabras y fórmulas y de un método vacío, extravagante e infecundo. Aquí, en el Perú, se leían en latín discursos que no se comprendían y que, sin embargo, se argumentaban en la misma condición; había sabios que tenían fórmulas para resolver, nuevos Pico de la Mirandola, todas las proposiciones de las ciencias; aquí se solucionaba lo divino y lo humano por medio de la religión y de la autoridad del maestro, aunque reinara la mayor ignorancia no sólo en las ciencias naturales sino también en las filosóficas y aun en las enseñanzas de Bossuet y Pascal."[25]

La lucha de la Independencia —que abrió un nuevo camino y prometió una nueva aurora a los mejores espíritus— descubrió que donde había aún religiosidad —esto es misticismo, pasión— era en algunos curas criollos e indios, entre los cuales, en el Perú como en México, la revolución liberal reclutaría algunos de sus audaces precursores y de sus grandes tribunos.

III. La Independencia y la Iglesia

La revolución de la Independencia, del mismo modo que no tocó los privilegios feudales, tampoco tocó los privilegios eclesiásticos. El alto clero conservador y tradicionalista se sentía naturalmente fiel al rey y a la metrópoli; pero igual que la aristocracia terrateniente, aceptó la República apenas constató la impotencia práctica de ésta ante la estructura colonial. La revolución americana, conducida por caudillos romanescos y napoleónicos y teorizada por tribunos dogmáticos y formalistas, aunque se alimentó, como se sabe, de los principios y emociones de la revolución francesa, no heredó ni conoció su problema religioso.

En Francia como en los otros países donde no prendió la Reforma, la revolución burguesa y liberal no pudo cumplirse sin jacobinismo y anticlericalismo. La lucha contra la feudalidad descubría en esos pueblos una solidaridad comprometedora entre la Iglesia católica y el régimen feudal. Tanto por la influencia conservadora de su alto clero como por su resistencia doctrinal y sentimental a todo lo que en el pensamiento liberal reconocía de individualismo y nacionalismo protestantes, la Iglesia cometió la imprudencia de vincularse demasiado a la suerte de la reacción monárquica y aristocrática.

Mas en la América española, sobre todo en los países donde la revolución se detuvo por mucho tiempo en su fórmula política (independencia y república), la subsistencia de los privilegios feudales se acompañaba lógicamente de la de los privilegios eclesiásticos. Por esto en México cuando la revolución ha atacado a los primeros, se ha encontrado en seguida en conflicto con los segundos. (En México, por estar en manos de la Iglesia una gran parte de la propiedad, unos y otros privilegios se presentaban no sólo política sino materialmente identificados.)

Tuvo el Perú un clero liberal y patriota desde las primeras jornadas de la revolución. Y el liberalismo civil, en muy pocos casos individuales se mostró intransigentemente jacobino y, en menos casos aún, netamente antirreligioso. Procedían nuestros liberales, en su mayor parte, de las logias masónicas, que tan activa función tuvieron en la preparación de la Independencia, de modo que profesaban casi todos el deísmo que hizo de la masonería, en los países latinos, algo así como un sucedáneo espiritual y político de la Reforma.

En la propia Francia, la revolución se mantuvo en buena relaciones con la cristiandad, aun durante su estación jacobina. Aulard observa sagazmente que en Francia la oleada antirreligiosa o anticristiana obedeció a causas contingentes más bien que doctrinarias. "De todos los acontecimientos —dice— que condujeron al estado de espíritu del cual salió la tentativa de descristianización, la insurrección de la Vendée, por su forma clerical, fue la más importante, la más influyente. Creo poder decir que sin la Vendée, no habría habido culto de la razon."[26] Recuerda Aulard el deísmo de Robespierre, quien sostenía que "el ateísmo es aristocrático" mientras que "la idea de un Ser Supremo que vela por la inocencia oprimida y castiga el crimen triunfante es completamente popular". El culto de la diosa Razón no conservó su impulso vital sino en tanto que fue culto de la patria, amenazada e insidiada por la reacción extranjera con el favor del poder papal. Además, "el culto de la razón —agrega Aulard— fue casi siempre deísta y no materialista o ateo".[27]

La revolución francesa arribó a la separación de la Iglesia y el Estado. Napoleón encontró más tarde, en el concordato, la fórmula de la subordinación de la Iglesia al Estado. Pero los periodos de restauración comprometieron su obra, renovando el conflicto entre el clero y la laicidad en el cual Lucien Romier cree ver resumida la historia de la República. Romier parte del supuesto de que la feudalidad estaba ya vencida cuando vino la revolución. Bajo la monarquía, según Romier —y en esto lo acompañan todos los escritores reaccionarios—, la burguesía había ya impuesto su ley. "La victoria contra los señores —dice— estaba conseguida. Los reyes habían muerto a la feudalidad. Quedaba una aristocracia, pero sin fuerza propia y que debía todas sus prerrogativas y sus títulos al poder central, cuerpo de funcionarios galoneados con funciones más o menos hereditarias. Restos frágiles de una potencia que se derrumbó a la primera oleada republicana. Cumplida esta destrucción fácilmente, la República no tuvo sino que mantener el hecho adquirido sin aplicar a esto un esfuerzo especial. Por el contrario, la monarquía había fracasado respecto a la Iglesia. A pesar de la domesticación secular del alto clero, a pesar de un conflicto con la curia que renacía de reinado en reinado, a pesar de muchas amenazas de ruptura, la lucha contra la autoridad romana no había dado al Estado más poder sobre la religión que en los tiem. ,os de Felipe el Bello. Así, es contra la Iglesia y el clero ultramontano que la República orientó su principal esfuerzo por un siglo."[28]

En las colonias españolas de la América del Sur, la situación era muy distinta. En el Perú en particular, la revolución encontraba una feudalidad intacta. Los choques entre el poder civil y el poder eclesiástico no tenían ningún fondo doctrinal. Traducían una querella doméstica. Dependían de un estado latente de competición y de equilibrio, propio de países donde la colonización sentía ser en gran parte evangelización y donde la autoridad espiritual tendía fácilmente a prevalecer sobre la autoridad temporal. La constitución republicana desde el primer momento proclamó al catolicismo religión nacional. Mantenidos dentro de la tradición española, carecían estos países de elementos de reforma protestante. El culto de la razón habría sido más exótico todavía en pueblos de exigua actividad intelectual y floja y rala cultura filosófica. No existían las razones de otras latitudes históricas para el

Estado laico. Amamantado por la catolicidad española, el Estado peruano tenía que constituirse como Estado semifeudal y católico.

La República continuó la política española, en este como en otros terrenos. "Por el patronato, por el régimen de diezmos, por los beneficios eclesiásticos −dice García Calderón− se estableció siguiendo el ejemplo francés, una constitución civil de la Iglesia. En este sentido la revolución fue tradicionalista. Los reyes españoles tenían sobre la Iglesia, desde los primeros monarcas absolutos, un derecho de intervención y protección: la defensa del culto se convertía en sus manos en una acción civil y legisladora. La Iglesia era una fuerza social, pero la debilidad de la jerarquía perjudicaba a sus ambiciones políticas. No podría, como en Inglaterra, realizar un pacto constitucional y delimitar libremente sus fronteras. El rey protegía la Inquisición y se mostraba más católico que el papa: su influencia tutelar impedía los conflictos, resultaba soberana y única."[29] Toca García Calderón en este juicio, la parte débil, el contraste interno de losEstados latinoamericanos que no han llegado al régimen de separación. El Estado católico no puede hacer, si su catolicismo es viviente y activo, una política laica. Su concepción aplicada hasta sus últimas consecuencias, lleva a la teocracia. Desde este punto de vista el pensamiento de los conservadores ultramontanos como García Moreno aparece más coherente que el de los liberales moderados, empeñados en armonizar la confesión católica del Estado con una política laica, liberal y nacional.

El liberalismo peruano, débil y formal en el plano económico y político, no podía dejar de serlo en el plano religioso. No es exacto, como pretenden algunos, que a la influencia clerical y eclesiástica haya pugnado por oponerse una fórmula jacobina. La actitud personal de Vigil −que es la apasionada actitud de un librepensador salido de los rangos de la Iglesia− no pertenece propiamente a nuestro liberalismo, que así como no intentó nunca desfeudalizar el Estado, tampoco intentó laicizarlo. Sobre el más representativo y responsable de sus líderes, don José Gálvez, escribe fundadamente Jorge Guillermo Leguía: "Su ideología giraba en torno de dos ideas: igualitarismo y moralidad. Yerran, por consiguiente, quienes al apreciar sus doctrinas adversas a los diezmos eclesiásticos, afirman que era jacobino. Gálvez jamás desconoció a la Iglesia ni sus dogmas. Los respetaba y los creía. Estaba mal informada la abadesa que el 2 de mayo exclamó, al tener noticia de la funesta explosión de la Torre de la Merced: '¡qué pólvora tan bien gastada!' Mal podría ser anticatólico el diputado que en el exordio de la Constitución invocaba a Dios trino y uno. Al arrebatar Gálvez a nuestra Iglesia los gajes que encarnaban una supervivencia feudal, sólo tenía en mente una reforma económica y democrática; nunca un objetivo anticlerial. No era Gálvez, según se ha supuesto, autor de tal iniciativa, ya lanzada por el admirable Vigil."[30]

Desde que, forzada por su función de clase gobernante, la aristocracia terrateniente adoptó ideas y gestos de burguesía, se asimiló parcialmente los restos de este liberalismo. Hubo en su vida un instante de evolución —el del surgimiento del Partido Civil— en que una tendencia liberal, expresiva de su naciente conciencia capitalista, le enajenó las simpatías del elemento eclesiástico, que coincidió más bien —y no sólo en la redacción de un periódico— con el pierolismo conservador y plebiscitario. En este periodo de nuestra historia, como lo anoto también en otro lugar, la aristocracia tomó un aire liberal; el *demos*, por reacción, aunque clamase contra la argolla traficante, adquirió un tono conservador y clerical. En el estado mayor civilista figuraban algunos liberales moderados que tendían a imprimir a la política del Estado una orientación capitalista, desvinculándola en lo posible de su tradición feudal. Pero el predominio que la casta feudal mantuvo en el civilismo, junto con el retardamiento que a nuestro proceso político impuso la guerra, impidió a esos abogados y jurisconsultos civilistas avanzar en tal dirección. Ante el poder del clero y la Iglesia, el civilismo manifestó ordinariamente un pragmatismo pasivo y un positivismo conservador que, salvo alguna excepción individual, no cesaron luego de caracterizarlo mentalmente.

El movimiento radical —que tuvo a su cargo la tarea de denunciar y condenar simultáneamente a los tres elementos de la política peruana en los últimos lustros del siglo XIX: civilismo, pierolismo y militarismo— constituyó en verdad la primera efectiva agitación anticlerical. Dirigido por hombres de temperamento más literario o filosófico que político, empleó sus mejores energías en esta batalla que, si produjo, sobre todo en las provincias, cierto aumento del indiferentismo religioso —lo que no era una ganancia—, no amenazó en lo más mínimo la estructura económico-social en la cual todo el orden que anatematizaba se encontraba hondamente enraizado. La protesta radical o "gonzález-pradista" careció de eficacia por no haber aportado un programa económico social. Sus dos principales lemas —anticentralismo y anticlericalismo—, eran por sí solos insuficientes para amenazar los privilegios feudales. Unicamente el movimiento liberal de Arequipa, reivindicado hace poco por Miguel Angel Urquieta,[31] intentó colocarse en el terreno económico social, aunque este esfuerzo no pasase de la elaboración de un programa.

En los países sudamericanos donde el pensamiento liberal ha cumplido libremente su trayectoria, insertado en una normal evolución capitalista y democrática, se ha llegado —si bien sólo como especulación intelectual— a la preconización del protestantismo y de la iglesia nacional como una necesidad lógica del Estado liberal moderno.

Pero, desde que el capitalismo ha perdido su sentido revolucionario, esta tesis se muestra superada por los hechos.[32] El socialismo, conforme a las conclusiones del materialismo histórico —que conviene no confundir con el materialismo filosófico—, considera a las formas eclesiásticas y doctrinas religiosas, peculiares e inherentes al régimen económico-social que las sostiene y produce. Y

173

se preocupa, por tanto, de cambiar éste y no aquéllas. La mera agitación anticlerical es estimada por el socialismo como un diversivo liberal burgués. Significa en Europa un movimiento característico de los pueblos donde la reforma protestante no ha asegurado la unidad de conciencia civil y religiosa y donde el nacionalismo político y universalismo romano viven en un conflicto ya abierto, ya latente, que el compromiso puede apaciguar pero no cancelar ni resolver.

El protestantismo no consigue penetrar en la América Latina por obra de su poder espiritual y religioso sino de sus servicios sociales (YMCA, misiones metodistas de la sierra, etcétera). Este y otros signos indican que sus posibilidades de expansión normal se encuentran agotadas. En los pueblos latinoamericanos, las perjudica además el movimiento antimperialista, cuyos vigías recelan de las misiones protestantes como de tácitas avanzadas del capitalismo aglosajón: británico o norteamericano.

El pensamiento racionalista del siglo XIX pretendía resolver la religión en la filosofía. Más realista, el pragmatismo ha sabido reconocer al sentimiento religioso el lugar del cual la filosofía ochocentista se imaginaba vanidosamente desalojarlo. Y, como lo anunciaba Sorel, la experiencia histórica de los últimos lustros ha comprobado que los actuales mitos revolucionarios o sociales pueden ocupar la conciencia profunda de los hombres con la misma plenitud que los antiguos mitos religiosos.

REGIONALISMO Y CENTRALISMO

I. Ponencias básicas

¿Cómo se plantea, en nuestra época, la cuestión del regionalismo? En algunos departamentos, sobre todo en los del sur, es demasiado evidente la existencia de un sentimiento regionalista. Pero las aspiraciones regionalistas son imprecisas, indefinidas; no se concretan en categóricas y vigorosas reivindicaciones. El regionalismo no es en el Perú un movimiento, una corriente, un programa. No es sino la expresión vaga de un malestar y de un descontento.

Esto tiene su explicación en nuestra realidad económica y social y en nuestro proceso histórico. La cuestión del regionalismo se plantea, para nosotros, en términos nuevos. No podemos ya conocerla y estudiarla con la ideología jacobina o radicaloide del siglo XIX.

Me parece que nos pueden orientar en la exploración del tema del regionalismo las siguientes proposiciones:

1a. La polémica entre federalistas y centralistas es una polémica superada y anacrónica como la controversia entre conservadores y liberales. Teórica y prácticamente la lucha se desplaza del plano exclusivamente político a un plano social y económico. A la nueva generación no le preocupa en nuestro régimen lo *formal* —el mecanismo administrativo— sino lo *sustancial* —la estructura económica.

2a. El federalismo no aparece en nuestra historia como una reinvindicación popular, sino más bien como una reivindicación del gamonalismo y de su clientela. No la formulan las masas indígenas. Su proselitismo no desborda los límites de la pequeña burguesía de las antiguas ciudades coloniales.

3a. El centralismo se apoya en el caciquismo y el gamonalismo regionales, dispuestos, intermitentemente, a sentirse o decirse federalistas. La tendencia federalista recluta sus adeptos entre los caciques o gamonales en desgracia ante el poder central.

4a. Uno de los vicios de nuestra organización política es, ciertamente, su centralismo. Pero la solución no reside en un federalismo de raíz e inspiración feudales. Nuestra organización política y económica necesita ser íntegramente revisada y transformada.

5a. Es difícil definir y demarcar en el Perú regiones existentes históricamente como tales. Los departamentos descienden de las artificiales intendencias del virreinato. No tienen por consiguiente una tradición ni una realidad genuinamente emanadas de la gente y la historia peruanas.

La idea federalista no muestra en nuestra historia raíces verdaderamente profundas. El único conflicto ideológico, el único contraste doctrinario de la primera media centuria de la república es el de conservadores y liberales, en el cual no se percibe la oposición entre la capital y las regiones sino el antagonismo entre los "encomenderos" o latifundistas, descendientes de la feudalidad y la aristocracia coloniales, y el *demos* mestizo de las ciudades, heredero de la retórica liberal de la Independencia. Esta lucha trasciende, naturalmente, al sistema administrativo. La Constitución conservadora de Huancayo, suprimiendo los municipios, expresa la posición del conservantismo ante la idea del *self government*. Pero, así para los conservadores como para los liberales de entonces, la centralización o la descentralización administrativa no ocupa el primer plano de la polémica. Posteriormente, cuando los antiguos "encomenderos" y aristócratas, unidos a algunos comerciantes enriquecidos por los contratos y negocios con el Estado, se convierten en clase capitalista, y reconocen que el ideario liberal se conforma más con los intereses y las necesidades del capitalismo que el ideario aristocrático, la descentralización encuentra propugnadores más o menos platónicos lo mismo en uno que en otro de los dos bandos políticos. Conservadores o liberales, indistintamente, se declaran relativamente favorables o contrarios a la descentralización. Es cierto que, en este nuevo periodo, el conservantismo y el liberalismo, que ya no se designan siquiera con estos nombres, no corresponden tampoco a los mismos impulsos de clase. (Los ricos en ese curioso periodo devienen un poco liberales, las masas se vuelven, por el contrario, un poco conservadoras.)

Mas, de toda suerte, el caso es que el caudillo civilista Manuel Pardo bosqueja una política descentralizadora con la creación en 1873 de los concejos departamentales y que, años más tarde, el caudillo demócrata Nicolás de Piérola —político y estadista de mentalidad y espíritu conservadores, aunque en apariencia insinúen lo contrario sus condiciones de agitador y demagogo— inscribe o acepta en la "declaración de principios" de su partido la siguiente tesis: "Nuestra diversidad de razas, lenguas, clima y territorio, no menos que el alejamiento entre nuestros centros de población, reclaman desde luego, como medio de satisfacer nuestras necesidades de hoy y de mañana, el establecimiento de la forma federativa; pero en las condiciones aconsejadas por la experiencia de ese régimen en pueblos semejantes al nuestro y por las peculiares del Perú."[1]

Después del 95 las declaraciones anticentralistas se multiplican. El partido liberal de Augusto Durand se pronuncia a favor de la forma federal. El partido radical no ahorra ataques ni críticas al centralismo. Y hasta aparece, de repente, como por ensalmo, un partido federal. La tesis centralista resulta entonces exclusivamente sostenida por los civilistas que en 1873 se mostraron inclinados a actuar una política descentralizadora.

Pero toda ésta era una especulación teórica. En realidad, los partidos no sentían urgencia en liquidar el centralismo. Los federalistas sinceros, además de ser muy pocos, distribuidos en diversos partidos, no ejercían

177

influencia efectiva sobre la opinión. No representaban un anhelo popular. Piérola y el partido demócrata habían gobernado varios años. Durand y sus amigos habían compartido con los demócratas, durante algún tiempo, los honores y las responsabilidades del poder. Ni los unos ni los otros se habían ocupado, en esa oportunidad, del problema del régimen ni de reformar la Constitución.

El partido liberal, después del deceso del precario partido federal y de la disolución espontánea del radicalismo gonzález-pradista, sigue agitando la bandera del federalismo. Durand se da cuenta de que la idea federalista —que en el partido demócrata se había agotado en una platónica y mesurada declaración escrita— puede servirle al partido liberal para robustecer su fuerza en provincias, atrayéndole a los elementos enemistados con el poder central. Bajo, o mejor dicho, contra el gobierno de José Pardo, publica un manifiesto federalista. Pero su política ulterior demuestra, demasiado claramente, que el partido liberal no obstante su profesión de fe federalista, sólo esgrime la idea de la federación con fines de propaganda. Los liberales forman parte del ministerio y de la mayoría parlamentaria durante el segundo gobierno de Pardo. Y no muestran, ni como ministros ni como parlamentarios, ninguna intención de reanudar la batalla federalista.

También Billinghurst —acaso con más apasionada convicción que otros políticos que usaban esta plataforma— quería la descentralización. No se le puede reprochar, como a los demócratas y los liberales, su olvido de este principio en el poder: su experimento gubernamental, fue demasiado breve. Pero, objetiva e imparcialmente, no se puede tampoco dejar de constatar que con Billinghurst llegó a la presidencia un enemigo del centralismo sin ningún beneficio para la campaña anticentralista.

A primera vista les parecerá a algunos que esta rápida revisión de la actitud de los partidos peruanos frente al centralismo prueba que, sobre todo, de la fecha de la declaración de principios del partido demócrata a la del manifiesto federalista del doctor Durand, ha habido en el Perú una efectiva y definida corriente federalista. Pero sería contentarse con la apariencia de las cosas. Lo que prueba, realmente, esta revisión, es que la idea federalista no ha suscitado ni ardorosas y explícitas resistencias ni enérgicas y apasionadas adhesiones. Ha sido un lema o un principio sin valor y sin eficacia para, por sí solo, significar el programa de un movimiento o de un partido.

Esto no convalida ni recomienda absolutamente el centralismo burocrático. Pero evidencia que el regionalismo difuso del sur del Perú no se ha concretado, hasta hoy, en una activa e intensa afirmación federalista.

II. Regionalismo y gamonalismo

A todos los observadores agudos de nuestro proceso histórico, cualquiera que sea su punto de vista particular, tiene que parecerles igualmente evidente el hecho de que las preocupaciones actuales del pensamiento peruano no son exclusivamente políticas —la palabra "política" tiene en este caso la acepción de "vieja política" o "política burguesa"— sino, sobre todo, sociales y económicas. El "problema del indio", la "cuestión agraria" interesan mucho más a los peruanos de nuestro tiempo que el "principio de la autoridad", la "soberanía popular", el "sufragio universal", la "soberanía de la inteligencia" y demás temas del diálogo entre liberales y conservadores. Esto no depende de que la mentalidad política de las anteriores generaciones fuese más abstractista, más filosófica, más *universal*; y de que diversa u opuestamente, la mentalidad política de la generación contemporánea sea —como es— más realista, más peruana. Depende de que la polémica entre liberales y conservadores se inspiraba, de ambos lados, en los intereses y en las aspiraciones de una sola clase social. La clase proletaria carecía de reivindicaciones y de ideología propias. Liberales y conservadores consideraban al indio desde su plano de clase superior y distinta. Cuando no se esforzaban por eludir o ignorar el problema del indio, se empeñaban en reducirlo a un problema filantrópico o humanitario. En esta época, con la aparición de una ideología nueva que traduce los intereses y las aspiraciones de la masa —la cual adquiere gradualmente conciencia y espíritu de clase— surge una corriente o una tendencia nacional que se siente solidaria con la suerte del indio. Para esta corriente la solución del problema del indio es la base de un programa de renovación o reconstrucción peruana. El problema del indio cesa de ser, como en la época del diálogo de liberales y conservadores, un tema adjetivo o secundario. Pasa a representar el tema capital.

He aquí, justamente, uno de los hechos que, contra lo que suponen e insinúan superficiales y sedicentes nacionalistas, demuestra que el programa que se elabora en la conciencia de esta generación es mil veces más *nacional* que el que, en el pasado, se alimentó únicamente de sentimientos y supersticiones aristocráticas o de conceptos y fórmulas jacobinas. Un criterio que sostiene la supremacía del problema del indio es simultáneamente muy humano y muy nacional, muy idealista y muy realista. Y arraigo en el espíritu de nuestro tiempo está demostrado por la coincidencia entre la actitud de sus propugnadores de dentro y el juicio de sus críticos de fuera. Eugenio d'Ors, verbigracia. Este profesor español cuyo pensamiento es tan estimado y aun superestimado por quienes en el Perú identifican nacionalismo y conservantismo, ha escrito con motivo del centenario de Bolivia: "En ciertos pueblos americanos especialmente, creo ver muy claro cuál debe ser, es, la justificación de la independencia, según la ley del Buen Servicio; cuáles son, cuáles deben ser el trabajo, la tarea, la obra, la misión. Creo, por ejemplo, verlos de este modo en su país. Bolivia tiene, como tiene el Perú, como tiene México, un gran problema local —que significa a la vez, un gran problema universal—.

Tiene el problema del indio; el de la situación del indio ante la cultura. ¿Qué hacer con esta raza? Se sabe que ha habido, tradicionalmente, dos métodos opuestos. Que el método sajón ha consistido en hacerla retroceder, en diezmarla, en, lentamente, exterminarla. El método español, al contrario, intentó la aproximación, la redención, la mezcla. No quiero decir ahora cuál de los dos métodos debe preferirse. Lo que hay que establecer con franca entereza es la obligación de trabajar con uno o con el otro de ellos. Es la imposibilidad moral de contentarse con una línea de conducta que esquive simplemente el problema, y tolere la existencia y pululación de los indios al lado de la población blanca, sin preocuparse de su situación, más que en el sentido de aprovecharla —egoísta, avara, cruelmente— para las miserables faenas oscuras de la fatiga y la domesticidad."[2]

No me parece ésta la ocasión de contradecir el concepto de Eugenio d'Ors sobre la oposición, respecto del indio, entre el presunto humanitarismo del método español y la implacable voluntad de exterminio del método sajón. (Probablemente para Eugenio d'Ors el método español está representado por el generoso espíritu del padre de Las Casas y no por la política de la Conquista y del virreinato totalmente impregnada de prejuicios adversos no sólo al indio sino hasta al mestizo.) En la opinión de Eugenio d'Ors no quiero señalar más que un testimonio reciente de la igualdad con que interpretan el mensaje de la época los agonistas iluminados y los espectadores inteligentes de nuestro drama histórico.

Admitida la prioridad del debate del "problema del indio" y de la "cuestión agraria" sobre cualquier debate relativo al mecanismo del régimen más que a la estructura del Estado, resulta absolutamente imposible considerar la cuestión del regionalismo o, más precisamente de la descentralización administrativa, desde puntos de vista no subordinados a la necesidad de solucionar de manera radical y orgánica los dos primeros problemas. Una descentralización, que no se dirija hacia esta meta, no merece ya ser ni siquiera discutida.

Y bien, la descentralización en sí misma, la descentralización como reforma simplemente política y administrativa, no significaría ningún progreso en el camino de la solución del "problema indio" y del "problema de la tierra", que, en el fondo se reducen a un único problema. Por el contrario, la descentralización, actuada sin otro propósito que el de otorgar a las regiones o a los departamentos una autonomía más o menos amplia, aumentaría el poder del gamonalismo contra una solución inspirada en el interés de las masas indígenas. Para adquirir esta convicción, basta preguntarse qué casta, qué categoría, qué clase se opone a la redención del indio. La respuesta no puede ser sino una categórica: el gamonalismo, el feudalismo, el caciquismo. Por consiguiente, ¿cómo dudar de que una administración regional de gamonales y de caciques, cuanto más autónoma tanto más sabotearía y rechazaría toda efectiva reivindicación indígena?

No caben ilusiones. Los grupos, las capas sanas de las ciudades no conseguirían prevalecer jamás contra el gamonalismo en la administración regional. La experiencia de más de un siglo es suficiente para saber a qué atenerse respecto a la posibilidad de que, en un futuro cercano, llegue a funcionar en el Perú un sistema democrático que asegure, formalmente al menos, la satisfacción del principio jacobino de la "soberanía popular". Las masas rurales, las comunidades indígenas, en todo caso, se mantendrían extrañas al sufragio y a sus resultados. Y, en consecuencia, aunque no fuera sino porque los ausentes no tienen nunca razón —*"Les absents ont toujours tort"*— los organismos y los poderes que se crearían "electivamente", pero sin su voto, no podrían ni sabrían hacerles justicia. ¿Quién tiene la ingenuidad de imaginarse a las regiones —dentro de su realidad económica y política presente— regidas por el "sufragio universal"?

Tanto el sistema de "concejos departamentales" del presidente Manuel Pardo como la república federal preconizada en los manifiestos de Augusto Durand y otros asertores de la federación, no han representado ni podían representar otra cosa que una aspiración del gamonalismo. Los "concejos departamentales", en la práctica, transferían a los caciques del departamento una suma de funciones que detenta el poder central. La república federal, aproximadamente, habría tenido la misma función y la misma eficacia.

Tienen plena razón las regiones, las provincias, cuando condenan el centralismo, sus métodos y sus instituciones. Tienen plena razón cuando denuncian una organización que concentra en la capital la administración de la república. Pero no tienen razón absolutamente cuando, engañadas por un espejismo, creen que la descentralización bastaría para resolver sus problemas esenciales. El gamonalismo dentro de la república central y unitaria es el aliado y el agente de la capital en las regiones y en las provincias. De todos los defectos, de todos los vicios del régimen central, el gamonalismo es solidario y responsable. Por ende, si la descentralización no sirve sino para colocar, directamente, bajo el dominio de los gamonales, la administración regional y el régimen local, la sustitución de un sistema por otro no aporta ni promete el remedio de ningún mal profundo.

Luis E. Valcárcel está en el empeño de demostrar "la supervivencia del Incario sin el inca". He ahí un estudio más trascendente que el de los superados temas de la vieja política. He ahí también un tema que confirma la aserción de que las preocupaciones de nuestra época no son superficial y exclusivamente políticas, sino, principalmente económicas y sociales. El empeño de Valcárcel toca en lo vivo de la cuestión del indio y de la tierra. Busca la solución no en el gamonalismo sino en el *ayllu*.

III. La región en la República

Llegamos a uno de los problemas sustantivos del regionalismo: la definición de las regiones. Me parece que nuestros regionalistas de antiguo tipo no se lo han planteado nunca seria y realísticamente, omisión que acusa el abstractismo y la superficialidad de sus tesis. Ningún regionalista inteligente pretenderá que las regiones están demarcadas por nuestra organización política, esto es, que las "regiones" son los "departamentos". El departamento es un término político que no designa una realidad y menos aún una unidad económica e histórica. El departamento, sobre todo, es una convención que no corresponde sino a una necesidad o un criterio funcional del centralismo. Y no concibo un regionalismo que condene abstractamente el régimen centralista sin objetar concretamente su peculiar división territorial. El regionalismo se traduce lógicamente en federalismo. Se precisa, en todo caso, en una fórmula concreta de descentralización. Un regionalismo que se contente con la autonomía municipal no es un regionalismo propiamente dicho. Como escribe Herriot, en el capítulo que en su libro *Creer* dedica a la reforma administrativa, "el regionalismo superpone al departamento y a la comuna un órgano nuevo: la región".[3]

Pero este órgano no es nuevo sino como órgano político y administrativo. Una región no nace del estatuto político de un Estado. Su biología es más complicada. La región tiene generalmente raíces más antiguas que la nación misma. Para reivindicar un poco de autonomía de ésta, necesita precisamente existir como región. En Francia nadie puede contestar el derecho de la Provenza, de la Alsacia Lorena, de la Bretaña, etcétera, a sentirse y llamarse regiones. No hablemos de España, donde la unidad nacional es menos sólida, ni de Italia, donde es menos vieja. En España y en Italia las regiones se diferencian netamente por la tradición, el carácter, la gente y hasta la lengua.

El Perú según la geografía física, se divide en tres regiones: la costa, la sierra y la montaña. (En el Perú lo único que se halla bien definido es la naturaleza.) Y esta

184

división no es sólo física. Trasciende a toda nuestra realidad social y económica. La montaña, sociológica y económicamente, carece aún de significación. Puede decirse
que la montaña, o mejor dicho la floresta, es un dominio
colonial del Estado peruano. Pero la costa y la sierra, en
tanto, son efectivamente las dos regiones en que se distingue y separa, como el territorio, la población.[4] La sierra
es indígena; la costa es española o mestiza (como se pre-
fiera calificarla, ya que las palabras "indígena" y "española" adquieren en este caso una acepción muy amplia).
Repito aquí lo que escribí en un artículo sobre un libro
de Valcárcel: "La dualidad de la historia y del alma peruanas, en nuestra época, se precisa como un conflicto
entre la forma histórica que se elabora en la costa y el
sentimiento indígena que sobrevive en la sierra hondamente enraizado en la naturaleza. El Perú actual es una
formación costeña. La actual peruanidad se ha sedimentado en la tierra baja. Ni el español ni el criollo supieron
ni pudieron conquistar los Andes. En los Andes, el español no fue nunca sino un *pioneer* o un misionero. El criollo lo es también hasta que el ambiente andino extingue
en él al conquistador y crea, poco a poco, un indígena."[5]

La raza y la lengua indígenas, desalojadas de la costa
por la gente y la lengua españolas, aparecen huraña-
mente refugiadas en la sierra. Y por consiguiente en la
sierra se conciertan todos los factores de una regionali-
dad si no de una nacionalidad. El Perú costeño, heredero
de España y de la conquista, domina desde Lima al Perú
serrano; pero no es demográfica y espiritualmente asaz
fuerte para absorberlo. La unidad peruana está por hacer; y no se presenta como un problema de articulación y
convivencia, dentro de los confines de un Estado único de
varios antiguos pequeños Estados o ciudades libres. En el
Perú el problema de la unidad es mucho más hondo, porque no hay aquí que resolver una pluralidad de tradiciones locales o regionales sino una dualidad de raza, de lengua y de sentimiento, nacida de la invasión y conquista
del Perú autóctono por una raza extranjera que no ha

conseguido fusionarse con la raza indígena, ni eliminarla, ni absorberla.

El sentimiento regionalista, en las ciudades o circunscripciones donde es más profundo, donde no traduce sólo un simple descontento de una parte del gamonalismo, se alimenta evidente, aunque inconscientemente, de ese contraste entre costa y sierra. El regionalismo cuando responde a estos impulsos, más que un conflicto entre la capital y las provincias, denuncia el conflicto entre el Perú costeño y español y el Perú serrano e indígena.

Pero, definidas así las regionalidades, o mejor dicho, las regiones, no se avanza nada en el examen concreto de la descentralización. Por el contrario, se pierde de vista esta meta, para mirar a una mucho mayor. La sierra y la costa, geográfica y sociológicamente, son dos regiones, pero pueden serlo política y administrativamente. Las distancias interandinas son mayores que las distancias entre la sierra y la costa. El movimiento espontáneo de la economía peruana trabaja por la comunicación trasandina. Solicita la preferencia de las vías de penetración sobre las vías longitudinales. El desarrollo de los centros productores de la sierra depende de la salida al mar. Y todo programa positivo de descentralización tiene que inspirarse, principalmente, en las necesidades y en las direcciones de la economía nacional. El fin histórico de una descentralización no es secesionista sino, por el contrario, unionista. Se descentraliza no para separar y dividir a las regiones sino para asegurar y perfeccionar su unidad dentro de una convivencia más orgánica y menos coercitiva. Regionalismo no quiere decir separatismo.

Estas constataciones conducen por tanto, a la conclusión de que el carácter impreciso y nebuloso del regionalismo peruano y de sus reivindicaciones no es sino una consecuencia de la falta de regiones bien definidas.

Uno de los hechos que más vigorosamente sostienen y amparan esta tesis me parece el hecho de que el regionalismo no sea en ninguna parte tan sincera y profunda mente sentido como en el sur y, más precisamente, en los departamentos del Cuzco, Arequipa, Puno y Apurímac. Estos departamentos constituyen la más definida y orgánica de nuestras regiones. Entre estos departamentos el intercambio y la vinculación mantienen viva una vieja unidad: la heredada de los tiempos de la civilización incaica. En el sur, la "región" reposa sólidamente en la piedra histórica. Los Andes son sus bastiones.

El sur es fundamentalmente serrano. En el sur, la costa se estrecha. Es una exigua y angosta faja de tierra, en la cual el Perú costeño y mestizo no ha podido asentarse fuertemente. Los Andes avanzan hacía el mar convirtiendo la costa en una estrecha cornisa. Por consiguiente las ciudades no se han formado en la costa sino en la sierra. En la costa del sur no hay sino puertos y caletas. El sur ha podido conservarse serrano, si no indígena, a pesar de la Conquista, del Virreinato y de la República.

Hacia el norte, la costa se ensancha. Deviene, económica y demográficamente, dominante. Trujillo, Chiclayo, Piura son ciudades de espíritu y tonalidad españoles. El tráfico entre estas ciudades y Lima es fácil y frecuente. Pero lo que más las aproxima a la capital es la identidad de tradición y de sentimiento.

En un mapa del Perú, mejor que en cualquier confusa o abstracta teoría, se encuentra así explicado el regionalismo peruano.

El régimen centralista divide el territorio nacional en departamentos; pero acepta o emplea, a veces, una división más general; la que agrupa los departamentos en tres grupos: norte, centro y sur. La Confederación Perú-Boliviana de Santa Cruz seccionó al Perú en dos mitades. No es, en el fondo, más arbitraria y artificial que esa demarcación la de la República centralista. Bajo la etiqueta de norte, sur y centro se reúne departamentos o provincias que no tienen entre sí ningún contacto. El término "región" aparece aplicado demasiado convencionalmente.

Ni el Estado ni los partidos han podido nunca, sin embargo, definir de otro modo las regiones peruanas. El partido demócrata, a cuyo federalismo teórico ya me he referido, aplicó su principio federalista en su régimen interior, colocando el comité central sobre tres comités regionales, el del norte, el del centro y el del sur. (Del federalismo de este partido se podría decir que era un federalismo de uso interno.) Y la reforma constitucional de 1919, al instituir los congresos regionales, sancionó la misma división.

Pero esta demarcación, como la de los departamentos, corresponde característicamente y exclusivamente a un criterio centralista. Es una opinión o una tesis centralista. Los regionalistas no pueden adoptarla sin que su regionalismo aparezca apoyado en premisas y conceptos peculiares de la mentalidad metropolitana. Todas las tentativas de descentralización han adolecido, precisamente, de este vicio original.

IV. Descentralización centralista

Las formas de descentralización ensayadas en la historia de la república han adolecido del vicio original de representar una concepción y un diseño absolutamente centralistas. Los partidos y los caudillos han adoptado varias veces, por oportunismo, la tesis de la descentralización. Pero, cuando han intentado aplicarla, no han sabido ni han podido moverse fuera de la práctica centralista.

Esta gravitación centralista se explica perfectamente. Las aspiraciones regionalistas no constituían un programa concreto, no proponían un método definitivo de descentralización popular, un sentimiento feudalista. Los gamonales no se preocupaban sino de acrecentar su poder feudal. El regionalismo era incapaz de elaborar una fórmula propia. No acertaba, en el mejor de los casos, a otra cosa que a balbucear la palabra federación. Por consiguiente, la fórmula de descentralización resultaba un producto típico de la capital.

La capital no ha defendido nunca con mucho ardimiento ni con mucha elocuencia, en el terreno teórico, el régimen centralista; pero, en el campo práctico ha sabido y ha podido conservar intactos sus privilegios. Teóricamente no ha tenido demasiada dificultad para hacer algunas concesiones a la idea de la descentralización administrativa. Pero las soluciones buscadas a este problema han estado vaciadas siempre en los moldes del criterio y del interés centralistas.

Como el primer ensayo efectivo de descentralización se clasifica el experimento de los concejos departamentales instituidos por la ley de municipalidades de 1873. (El experimento federalista de Santa Cruz, demasiado breve, queda fuera de este estudio, más que por su fugacidad, por su carácter de concepción supranacional impuesta por un estadista cuyo ideal era, fundamentalmente, la unión del Perú y Bolivia.)

Los concejos departamentales de 1873 acusaban no sólo en su factura sino en su inspiración, su espíritu centralista. El modelo de la nueva institución había sido buscado en Francia, esto es, en la nación del centralismo a ultranza.

Nuestros legisladores pretendieron adaptar al Perú, como reforma descentralizadora, un sistema del estatuto de la Tercera República, que nacía tan manifiestamente aferrada a los principios centralistas del Consulado y del Imperio.

La reforma del 73 aparece como un diseño típico de descentralización centralista. No significó una satisfacción a precisas reivindicaciones del sentimiento regional. Antes bien, los concejos departamentales contrariaban o desahuciaban todo regionalismo orgánico, puesto que reforzaban la artificial división política de la República en departamentos, o sea, en circunscripciones mantenidas en vista de las necesidades del régimen centralista.

En su estudio sobre el régimen local, Carlos Concha pretende que "la organización dada a estos cuerpos, cal-

189

cada sobre la ley francesa de 1871, no respondía a la cultura política de la época".[6] Este es un juicio específicamente civilista sobre una reforma civilista también. Los concejos departamentales fracasaron por la simple razón de que no correspondían absolutamente a la realidad histórica del Perú. Estaban destinados a transferir al gamonalismo regional una parte de las obligaciones del poder central, la enseñanza primaria y secundaria, la administración de justicia, el servicio de gendarmería y guardia civil. Y el gamonalismo regional no tenía en verdad mucho interés en asumir todas sus obligaciones, aparte de no tener ninguna aptitud para cumplirlas. El funcionamiento y el mecanismo del sistema eran, además, demasiado complicados. Los concejos constituían una especie de pequeños parlamentos elegidos por los colegios electorales de cada departamento e integrados de las municipalidades provinciales. Los grandes caciques vieron naturalmente en estos parlamentos una máquina muy embrollada. Su interés reclamaba una cosa más sencilla en su composición y en su manejo. ¿Qué podía importarles, de otro lado, la instrucción pública? Estas preocupaciones fastidiosas estaban buenas para el poder central. Los concejos departamentales no descansaban, por tanto, ni en el pueblo, extraño al juego político, sobre todo en las masas campesinas, ni en los señores feudales y en sus clientelas. La institución resultaba completamente artificial.

La guerra del 79 decidió la liquidación del experimento. Pero los concejos departamentales estaban ya fracasados. Prácticamente se había ya comprobado en sus cortos años de vida, que no podían absorber su misión. Cuando, pasada la guerra, se sintió la necesidad de reorganizar la administración, no se volvió los ojos a la ley del 73.

La ley del 86, que creó las juntas departamentales, correspondió, sin embargo, a la misma orientación. La diferencia estaba en que esta vez el centralismo formalmente se preocupaba mucho menos de una descentralización de fachada. Las juntas funcionaron hasta el 93 bajo la presidencia de los prefectos. En general, estaban subordinadas totalmente a la autoridad del poder central.

Lo que realmente se proponía esta apariencia de descentralización no era el establecimiento de un régimen gradual de autonomía administrativa de los departamentos. El Estado no creaba las juntas para atender aspiraciones regionales. De lo que se trataba era de reducir o suprimir la responsabilidad del poder central en el reparto de los fondos disponibles para la instrucción y la vialidad. Toda la administración continuaba rígidamente centralizada. A los departamentos no se les reconocía más independencia administrativa que la que se podría llamar la autonomía de su pobreza. Cada departamento debía conformarse, sin fastidio para el poder central, con las escuelas que le consintiese sostener y los caminos que lo autorizase a abrir o reparar el producto de algunos arbitrios. Las juntas departamentales no tenían más objeto que la división por departamentos del presupuestos de instrucción y de obras públicas.

La prueba de que ésta fue la verdadera significación de las juntas departamentales nos la proporciona el proceso de su decaimiento y abolición. A medida que la hacienda pública convaleció de las consecuencias de la guerra del 79, el poder central comenzó a reasumir las funciones encargadas a las juntas departamentales. El gobierno tomó íntegramente en sus manos la instrucción pública. La autoridad del poder central creció en proporción al desarrollo del presupuesto general de la república. Las entradas departamentales empezaron a representar muy poca cosa al lado de las entradas fiscales. Y, como resultado de este desequilibrio, se fortaleció el centralismo. Las juntas departamentales remplazadas por el poder central en las funciones que precariamente les habían sido confiadas, se atrofiaron progresivamente. Cuando ya no les quedaba sino una que otra atribución secundaria de revisión de los actos de los municipios y una que otra función burocrática en la administración departamental, se produjo su supresión.

La reforma constitucional del 19 no pudo abstenerse de dar una satisfacción, formal al menos, al sentimiento regionalista. La más trascendente de sus medidas descentralizadoras —la autonomía municipal— no ha sido hasta ahora aplicada. Se ha incorporado en la Constitución del Estado el principio de la autonomía municipal. Pero en el mecanismo y en la estructura del régimen local no se ha tocado nada. Por el contrario, se ha retrogradado. El gobierno nombra las municipalidades.

En cambio se ha querido experimentar, sin demora, el sistema de los congresos regionales. Estos parlamentos del norte, el centro y el sur, son una especie de hijuelas del parlamento nacional. Se incuban en el mismo periodo y en la misma atmósfera eleccionaria. Nacen de la misma matriz y en la misma fecha. Tienen una misión de legislación subsidiaria y adjetiva. Sus propios autores están ya seguramente convencidos de que no sirven de nada. Seis años de experiencia bastan para juzgarlos, en última instancia, como una parodia absurda de descentralización.

No hacía falta, en realidad, esta prueba para saber a qué atenerse respecto a su eficacia. La descentralización a que aspira el regionalismo no es legislativa sino administrativa. No se concibe la existencia de una dieta o parlamento regional sin un correspondiente órgano ejecutivo. Multiplicar las legislaturas no es descentralizar.

Los congresos regionales no han venido siquiera a descongestionar el congreso nacional. En las dos cámaras se sigue debatiendo menudos temas locales.

El problema, en suma ha quedado íntegramente en pie.

V. El nuevo regionalismo

He examinado la teoría y la práctica del viejo regionalismo. Me toca formular mis puntos de vista sobre la descentralización y concretar los términos en que, a mi juicio, se plantea, para la nueva generación, este problema.

La primera cosa que conviene esclarecer es la solidaridad o el compromiso a que gradualmente han llegado el gamonalismo regional y el régimen centralista. El gamonalismo pudo manifestarse más o menos federalista y anticentralista, mientras se elaboraba o maduraba esta solidaridad. Pero, desde que se ha convertido en el mejor instrumento, en el más eficaz agente del régimen centralista, ha renunciado a toda reivindicación desagradable a sus aliados de la capital.

Cabe declarar liquidada la antigua oposición entre centralistas y federalistas de la clase dominante, oposición que, como he remarcado en el curso de mi estudio, no asumió nunca un carácter dramático. El antagonismo teórico se ha resuelto en un entendimiento práctico. Sólo los gamonales en disfavor ante el poder central se muestran propensos a una actitud regionalista que, por supuesto, están resueltos a abandonar apenas mejore su fortuna política.

No existe ya, en primer plano, un problema de forma de gobierno. Vivimos en una época en que la economía domina y absorbe a la política de un modo demasiado evidente. En todos los pueblos del mundo, no se discute y revisa ya simplemente el mecanismo de la administración sino, capitalmente, las bases económicas del Estado.

En la sierra subsisten con mucho más arraigo y mucha más fuerza que en el resto de la República, los residuos de la feudalidad española. La necesidad más angustiosa y perentoria de nuestro progreso es la liquidación de esa feudalidad que constituye una supervivencia de la Colonia. La redención, la salvación del indio, he ahí el programa y la meta de la renovación peruana. Los hombres nuevos quieren que el Perú repose sobre sus naturales cimientos biológicos. Sienten el deber de crear un orden más peruano, más autóctono. Y los enemigos históricos y lógicos de este programa son los herederos de la Conquista, los descendientes de la Colonia. Vale decir los gamonales. A este respecto no hay equívoco posible.

Por consiguiente, se impone el repudio absoluto, el desahucio radical de un regionalismo que reconoce su origen en sentimientos e intereses feudales y que, por tanto, se propone como fin esencial un acrecentamiento del poder del gamonalismo.

El Perú tiene que optar por el gamonal o por el indio. Este es su dilema. No existe un tercer camino. Planteado este dilema, todas las cuestiones de arquitectura del régimen pasan a segundo término. Lo que les importa primordialmente a los hombres nuevos es que el Perú se pronuncie contra el gamonal, por el indio.

Como una consecuencia de las ideas y de los hechos que nos colocan cada día con más fuerza ante este inevitable dilema, el regionalismo empieza a distinguirse y a separarse en dos tendencias de impulso y dirección totalmente diversos. Mejor dicho, comienza a bosquejarse un nuevo regionalismo. Este regionalismo no es una mera protesta contra el régimen centralista. Es una expresión de la conciencia serrana y del sentimiento andino. Los nuevos regionalistas son, ante todo, indigenistas. No se les puede confundir con los anticentralistas de viejo tipo. Valcárcel percibe intactas, bajo el endeble estrato colonial, las raíces de la sociedad incaica.

Su obra, más que regional, es cuzqueña, es andina, es quechua. Se alimenta de sentimiento indígena y de tradición autóctona.

El problema primario, para estos regionalistas, es el problema del indio y de la tierra. Y en esto su pensamiento coincide del todo con el pensamiento de los hombres nuevos de la capital. No puede hablarse, en nuestra época, de contraste entre la capital y las regiones sino de conflicto entre dos mentalidades, entre dos idearios, uno que declina, otro que asciende; ambos difundidos y representados así en la sierra como en la costa, así en la provincia como en la urbe.

Quienes, entre los jóvenes, se obstinen en hablar el mismo lenguaje vagamente federalista de los viejos, equivocan el camino. A la nueva generación le toca construir, sobre un sólido cimiento de justicia social, la unidad peruana.

Suscritos estos principios, admitidos estos fines, toda posible discrepancia sustancial emanada de egoísmos regionalistas o centralistas queda descartada y excluida. La condenación del centralismo se une a la condenación del gamonalismo. Y estas dos condenaciones se apoyan en una misma esperanza y un mismo ideal.

La autonomía municipal, el *self government*, la descentralización administrativa, no pueden ser regateadas ni discutidas en sí mismas. Pero, desde los puntos de vista de una integral y radical renovación, tienen que ser consideradas y apreciadas en sus relaciones con el problema social.

Ninguna reforma que robustezca al gamonal contra el indio, por mucho que parezca como una satisfacción del sentimiento regionalista, puede ser estimada como una reforma buena y justa. Por encima de cualquier triunfo formal de la descentralización y la autonomía, están las reivindicaciones sustanciales de la causa del indio, inscritas en primer término en el programa revolucionario de la vanguardia.

VI. El problema de la capital

El anticentralismo de los regionalistas se ha traducido muchas veces en antilimeñismo. Pero no ha salido, a este respecto como a otros, de la protesta declamatoria. No ha intentado seria y razonadamente el proceso a la capital, a pesar de que le habrían sobrado motivos para instaurarlo y documentarlo.

Esta era, sin duda, una tarea superior a los fines y a los móviles del regionalismo gamonalista. El nuevo regionalismo puede y debe asumirla. Mientras entra en esta fase positiva de su misión, me parece útil completar mi tentativa de esclarecimiento del viejo tópico "regionalismo y centralismo", planteando el problema de la capital. ¿Hasta qué punto el privilegio de Lima aparece ratificado por la historia y la geografía nacionales? He aquí una cuestión que conviene dilucidar. La hegemonía limeña reposa a mi juicio en un terreno menos sólido del que, por mera inercia mental, se supone. Corresponde a una época, a un periodo del desarrollo histórico nacional. Se apoya en razones susceptibles de envejecimiento y caducidad.

El espectáculo del desarrollo de Lima en los últimos años, mueve a nuestra impresionista gente limeña a previsiones de delirante optimismo sobre el futuro cercano de la capital. Los barrios nuevos, las avenidas de asfalto, recorridas en automóvil, a sesenta u ochenta kilómetros, persuaden fácilmente a un limeño —bajo su epidérmico y risueño escepticismo, el limeño es mucho menos incrédulo de lo que parece— de que Lima sigue aprisa el camino de Buenos Aires o Río de Janeiro.

Estas previsiones parten todas de la impresión física del crecimiento del área urbana. Se mira sólo la multiplicación de los nuevos sectores urbanos. Se constata que, según su movimiento de urbanización, Lima quedará pronto unida con Miraflores y la Magdalena. Las "urbanizaciones", en verdad trazan ya, en el papel, la superficie de una urbe de al menos un millón de habitantes.

Pero en sí mismo el movimiento de urbanización no prueba nada. La falta de un censo reciente no nos permite conocer con exactitud el crecimiento demográfico de Lima de 1920 a hoy. El censo de 1920 fijaba en 228 740 el número de habitantes de Lima.[7] Se ignora la proporción del aumento de los últimos años. Mas los datos disponibles indican que ni el aumento por natalidad ni el aumento por inmigración han sido excesivos. Y, por tanto, resulta demasiado evidente que el crecimiento de la superficie de Lima supera exorbitantemente al crecimiento de la población. Los dos procesos, los dos términos no coinciden. El proceso de urbanización avanza por su propia cuenta.

El optimismo limeño respecto al porvenir próximo de la capital se alimenta, en gran parte, de la confianza de que ésta continuará usufructuando largamente las ventajas de un régimen centralista que le asegura sus privilegios de sede del poder, del placer, de la moda, etcétera. Pero el desarrollo de una urbe no es una cuestión de privilegios políticos y administrativos. Es, más bien, una cuestión de privilegios económicos.

En consecuencia, lo que hay que investigar es si el desenvolvimiento orgánico de la economía peruana garantiza a Lima la función necesaria para que su futuro sea el que se predice o, mejor dicho, se augura.

Examinemos rápidamente las leyes de la biología de las urbes y veamos hasta qué punto se presentan favorables a Lima.

Los factores esenciales de la urbe son tres: el factor natural o geográfico, el factor económico y el factor político. De estos tres factores, el único que en el caso de Lima conserva íntegra su potencia es el tercero.

Lucien Romier escribe, estudiando el desarrollo de las ciudades francesas, lo siguiente: "En tanto que las ciudades secundarias gobiernan los cambios locales, la formación de las grandes ciudades supone conexiones y corrientes de valor nacional o internacional: su fortuna depende de una red de actividades más vastas. Su destino desborda, pues, los cuadros administrativos y a veces las fronteras; sigue los movimientos generales de la circulación."[8]

Y bien, en el Perú estas conexiones y corrientes de valor nacional e internacional no se concentran en la capital. Lima no es, geográficamente, el centro de la economía peruana. No es, sobre todo, la desembocadura de sus corrientes comerciales.

En un artículo sobre "la capital del *esprit*", publicado en una revista italiana, César Falcón hace inteligentes observaciones sobre este tópico. Constata Falcón que las razones del estupendo crecimiento de Buenos Aires son, fundamentalmente, razones económicas y geográficas. Buenos Aires es el puerto y el mercado de la agricultura y la ganadería argentinas. Todas las grandes vías de comercio argentino desembocan ahí.[9] Lima, en cambio, no puede ser sino una de las desembocaduras de los productos peruanos. Por diferentes puertos de la larga costa peruana tienen que salir los productos del norte y del sur.

Todo esto es de una evidencia incontestable. El Callao se mantiene y se mantendrá por mucho tiempo en el primer puesto de la estadística aduanera. Pero el aumento de la explotación del territorio y sus recursos no se reflejará, sin duda, en provecho principal del Callao. Determinará el crecimiento de varios otros puertos del litoral. El caso de Talara es un ejemplo. En pocos años, Talara se ha convertido, por el volumen de sus exportaciones e importaciones, en el segundo puerto de la República.[10] Los beneficios directos de la industria petrolera escapan completamente a la capital. Esta industria exporta e importa sin emplear absolutamente, como intermediario, a la capital ni a su puerto. Otras industrias que nazcan en la sierra o en la costa tendrán el mismo destino y las mismas consecuencias.

Al echar una ojeada al mapa de cualquiera de las naciones cuya capital es una gran urbe de importancia internacional, se observará, en primer término, que la capital es siempre el nudo céntrico de la red de ferrocarriles y caminos del país. El punto de encuentro y de conexión de todas sus grandes vías.

Una gran capital se caracteriza, en nuestro tiempo, bajo este aspecto, como una gran central ferroviaria. En el mapa ferroviario está marcada, más netamente que en ninguna otra carta, su función de eje y de centro.

Es evidente que el privilegio político determina, en parte, esta organización de la red ferroviaria de un país. Pero el factor primario de la concentración no deja de ser, por esto, el favor económico. Todos los núcleos de producción tienden espontánea y lógicamente a comunicarse con la capital, máxima estación, supremo mercado. Y el factor económico coincide con el factor geográfico. La capital no es un producto del azar. Se ha formado en virtud de una serie de circunstancias que han favorecido su hegemonía. Mas ninguna de estas circunstancias se habría dado si geográficamente el lugar no hubiese aparecido más o menos designado para este destino.

El hecho político no basta. Se dice que, sin el papado, Roma habría muerto en la Edad Media. Puede ser que se diga una cosa muy exacta. No vale la pena discutir la hipótesis. Pero, de todos modos, no es menos exacto que Roma debió a su historia y a su función de capital del mayor imperio del mundo, el honor y el favor de hospedar al papado. Y la historia de la Terza Roma, precisamente, nos enseña la insuficiencia del privilegio político. No obstante la fuerza de gravitación del Vaticano y el Quirinal, de la sede de la Iglesia y la sede del Estado, Roma no ha podido prosperar con la misma velocidad que Milán. (El optimismo del *Risorgimento* sobre el porvenir de Roma tuvo, por el contrario, el fracaso de que nos habla la novela de Emile Zola. Las empresas urbanizadoras y constructoras que se entregaron, con gran impulso, a la edificación de un barrio monumental, se arruinaron en este empeño. Su esfuerzo era prematuro.) El desarrollo económico de la Italia septentrional ha asegurado la preponderancia de Milán, que debe su crecimiento, en forma demasiado ostensible, a su rol en el sistema de circulación de esta Italia industrial y comerciante.

La formación de toda gran capital moderna ha tenido un proceso complejo y natural con hondas raíces en la tradición. La génesis de Lima, en cambio, ha sido un poco arbitraria. Fundada por un conquistador, por un extranjero, Lima aparece en su origen como la tienda de un capitán venido de lejanas tierras. Lima no gana su título de capital en lucha y en concurrencia con otras ciudades. Criatura de un siglo aristocrático, Lima nace con un título de nobleza. Se llama, desde su bautismo, Ciudad de los Reyes. Es la hija de la Conquista. No la crea el aborigen, el regnícola; la crea el colonizador, o mejor el conquistador. Luego, el virreinato la consagra como la sede del poder español en Sudamérica. Y, finalmente, la revolución de la Independencia, movimiento de la población criolla y española —no de la población indígena—, la proclama capital de la República. Viene un hecho que amenaza, temporalmente, su hegemonía: la Confederación Perú-Boliviana. Pero este Estado —que, restableciendo el dominio del Ande y de la sierra, tiene algo de instintivo, de subconsciente ensayo de restauración del Tawantinsuyo— busca su eje demasiado al sur. Y, entre otras razones, acaso por ésta, se desploma. Lima, armada de su poder político, refrenda, después, sus fueros de capital.

No es sólo la riqueza mineral de Junín la que, en esta etapa, inspira la obra del ferrocarril central. Es, más bien o sobre todo, el interés de Lima. El Perú, hijo de la Conquista, necesita partir del solar del conquistador, de la sede del virreinato y la República, para cumplir la empresa de escalar los Andes. Y, más tarde, cuando salvados los Andes por el ferrocarril se quiere llegar a la montaña, se sueña igualmente con una vía que una Iquitos con Lima. El presidente del 95 —que en su declaración de principios había incluido pocos años antes una profesión de fe federalista— pensó sin duda en Lima, más en el oriente, al conceder su favor a la ruta del Pichis. Esto es, se portó, en ésta como en otras cosas, con típico sentimiento centralista.

Lima debe hasta hoy al ferrocarril central una de las mayores fuentes de su poder económico. Los minerales del departamento de Junín, que, debido a este ferrocarril, se exportan por el Callao, constituían hasta hace poco nuestra principal exportación minera. Ahora el petróleo del norte la supera. Pero esto no indica absolutamente un decrecimiento de la minería del centro. Y, por la vía central, bajan además los productos de Huánuco, de Ayacucho, de Huancavelica y de la montaña de Chanchamayo. El movimiento económico de la capital se alimenta, en gran parte, de esta vía de penetración. El ferrocarril al Pachitea y el ferrocarril a Ayacucho y el Cuzco y, en general, todo el diseño de programa ferroviario del Estado, tienden a convertirla en un gran tronco de nuestro sistema de circulación.

Pero el porvenir de esta vía se presenta asaz amenazado. El ferrocarril central, como es sabido, escala los Andes en uno de sus puntos más abruptos. El costo de su funcionamiento resulta muy alto. Los fletes son caros. Por tanto, el ferrocarril que hay el proyecto de construir de Huacho a Oyón está destinado a convertirse, hasta cierto punto, en un rival de esta línea. Por esa nueva vía, que transformaría a Huacho en un puerto de primer orden, saldría al mar una parte considerable de la producción del centro.

En todo caso, una vía de penetración, ni aun siendo la principal, basta para asegurar a Lima una función absolutamente dominante en el sistema de circulación del país.

Aunque el centralismo subsista por mucho tiempo, no se podrá hacer de Lima el centro de la red de caminos y ferrocarriles. El territorio, la naturaleza, oponen su veto. La explotación de los recursos de la sierra y la montaña reclama vías de penetración, o sea vías que darán a lo largo de la costa, diversas desembocaduras a nuestros productos. En la costa, el transporte marítimo no dejará sentir de inmediato ninguna necesidad de grandes vías longitudinales. Las vías longitudinales serán interandinas. Y una ciudad costeña como Lima no podrá ser la estación central de esta complicada red que, necesariamente, buscará las salidas más baratas y fáciles.

■

La industria es uno de los factores primarios de la formación de las urbes modernas. Londres, Nueva York, Berlín, París, deben su hipertrofia, en primer lugar, a su industria. El industrialismo constituye un fenómeno específico de la civilización occidental. Una gran urbe es fundamentalmente un mercado y una usina. La industria ha creado, primero, la fuerza de la burguesía y, luego, la fuerza del proletariado. Y, como muchos economistas observan, la industria en nuestros tiempos no sigue al consumo; lo precede y lo desborda. No le basta satisfacer la necesidad; le precisa, a veces, crearla, descubrirla. El industrialismo aparece todopoderoso. Y, aunque un poco fatigada de mecánica y de artificio, la humanidad se declara a ratos más o menos dispuesta a la vuelta a la naturaleza, nada augura todavía la decadencia de la máquina y de la manufactura. Rusia, la metrópoli de la naciente civilización socialista, trabaja febrilmente por desarrollar su industria. El sueño de Lenin era la electrificación del país. En suma, así donde declina una civilización como donde alborea otra, la industria mantiene intacta su pujanza. Ni la burguesía ni el proletariado pueden concebir una civilización que no repose en la industria. Hay voces que predicen la decadencia de la urbe. No hay ninguna que pronostique la decadencia de la industria.

Sobre el poder del industrialismo nadie discrepa. Si Lima reuniese las condiciones necesarias para devenir un gran centro industrial, no sería posible la menor duda respecto a su aptitud para transformarse en una gran urbe. Pero ocurre precisamente que las posibilidades de la industria en Lima son limitadas. No sólo porque, en general, son limitadas en el Perú —país que por mucho tiempo todavía tiene que contentarse con el rol de productor de meterias primas— sino, de otro lado, porque la formación de los grandes núcleos industriales tiene también sus leyes. Y estas leyes son, en la mitad de los casos, las mismas de la formación de las grandes urbes. La industria crece en las capitales, entre otras cosas, porque éstas son el centro del sistema de circulación de un país. La capital es la usina porque es, además, el mercado. Una red centralista de caminos y de ferrocarriles es tan indispensable a la concentración industrial como la concentración comercial. Y ya hemos visto en los anteriores artículos hasta qué punto la geografía física del Perú resulta anticentralista.

La otra causa de gravitación industrial de una ciudad es la proximidad del lugar de producción de ciertas mate-

202

rias primas. Esta ley rige, sobre todo, para la industria pesada, la siderurgia. Las grandes usinas metalúrgicas surgen cerca de las minas destinadas a abastecerlas. La ubicación de los yacimientos de carbón y de hierro determina este aspecto de la geografía económica de Occidente.

Y, en estos tiempos de electrificación del mundo, una tercera causa de gravitación industrial de una localidad es la vecindad de grandes fuentes de energía hidráulica. La "hulla blanca" puede obrar los mismos milagros que la hulla negra como creadora de industrialismo y urbanismo.

No es necesario casi ningún esfuerzo de indagación para darse cuenta de que ninguno de estos factores favorece a Lima. El territorio que la rodea es pobre como suelo industrial.

Conviene advertir que las posibilidades industriales fundadas en factores naturales —materias primas, riqueza hidráulica— no tendrían, por otro lado, valor considerable sino en un futuro lejano. A causa de las deficiencias de su posición geográfica, de su capital humano y de su educación técnica, al Perú le está vedado soñar en convertirse, a breve plazo, en un país manufacturero. Su función en la economía mundial tiene que ser, por largos años, la de un exportador de materias primas, géneros alimenticios, etcétera. En sentido contrario al surgimiento de una importante industria fabril actúa, además, presentemente, su condición de país de economía colonial, enfeudada a los intereses comerciales y financieros de las grandes naciones industriales de Occidente.

Hoy mismo no se nota que el incipiente movimiento manufaturero del Perú tienda a concentrarse en Lima. La industria textil, por ejemplo, crece desparramada. Lima posee la mayoría de las fábricas; pero un alto porcentaje corresponde a las provincias. Es probable, además, que la manufactura de tejidos de lana, como desde ahora se constata, encuentre mayores posibilidades de desarrollo en las regiones ganaderas, donde al mismo tiempo podrá disponer de mano de obra indígena barata, debido al menor costo de la vida.

La finanza, la banca, constituye otro de los factores de una gran urbe moderna. La reciente experiencia de Viena ha enseñado últimamente todo el valor de este elemento en la vida de una capital. Viena, después de la guerra, cayó en una gran miseria, a consecuencia de la disolución del Imperio austrohúngaro. Dejó de ser el centro de un gran Estado para reducirse a ser la capital de un Estado minúsculo. La industria y el comercio vieneses, anemizados, desangrados, entraron en un periodo de aguda postración. Como sede de placer y de lujo, Viena sufrió igualmente una violenta depresión. Los turistas constataban su agonía. Y bien, lo que en medio de esta crisis, defendió a Viena de una decadencia más definitiva, fue su situación de mercado financiero. La balcanización de la Europa central, que la damnificó tanto comercial como industrialmente, la benefició, en cambio, financieramente. Viena, por su posición en la geografía de Europa, aparecía naturalmente designada para un rol sustantivo como centro de la finanza internacional. Los banqueros internacionales fueron los *profiteurs* de la quiebra de la economía austriaca. Cabarets y cafés de Viena, ensombrecidos y arruinados, se transformaron en oficinas de banca y de cambio.

Este mismo caso nos dice que un gran mercado financiero tiene que ser ante todo, un lugar en que se crucen muchas vías de tráfico internacional.

■

La capital política y la capital económica no coinciden siempre. He aludido ya al contraste entre Milán y Roma en la historia de la Italia democrática-liberal. Estado Unidos ha evitado este problema con una solución, que es acaso la más prudente, pero que pertenece típicamente a la estructura confederal de esa república. Washington, la capital política y administrativa, es extraña a toda oposición y concurrencia entre Nueva York, Chicago, San Francisco, etcétera.

La suerte de la capital está subordinada a los grandes cambios políticos, como enseña la historia de Europa y de la misma América. Un orden político no ha podido afirmarse nunca en una sede hostil a su espíritu. La política europeizante de Pedro el Grande desplazó de Moscú a Petrogrado la corte rusa. La revolución bolchevique, presintiendo tal vez su función en Oriente, se sintió más segura, a pesar de su ideario occidental, en Moscú y el Kremlin.

En el Perú, el Cuzco, capital del Imperio incaico, perdió sus fueros con la conquista española.[11] Lima fue la capital de la Colonia. Fue también la capital de la Independencia, aunque los primeros gritos de libertad partieron de Tacna, del Cuzco, de Trujillo. Es la capital hoy pero ¿será también la capital mañana? He aquí una pregunta que no es impertinente cuando se asciende a un plano de atrevidas y escrutadoras previsiones. La respuesta depende, probablemente, de que la primacía en la transformación social y política del Perú toque a las masas rurales indígenas o al proletariado industrial costeño. El futuro de Lima, en todo caso, es inseparable de la misión de Lima, vale decir, de la voluntad de Lima.

EL PROCESO DE LA LITERATURA

I. Testimonio de parte

La palabra proceso tiene en este caso su acepción judicial. No escondo ningún propósito de participar en la elaboración de la historia de la literatura peruana. Me propongo, sólo, aportar mi testimonio a un juicio que considero abierto. Me parece que en este proceso se ha oído hasta ahora, casi exclusivamente, testimonios de defensa, y que es tiempo de que se oiga también testimonios de acusación. Mi testimonio es convicta y confesamente un testimonio de parte. Todo crítico, todo testigo cumple, consciente o inconscientemente, una misión. Contra lo que baratamente pueda sospecharse, mi voluntad es afirmativa, mi temperamento es de constructor, y nada me es más antitético que el bohemio puramente iconoclasta y disolvente; pero mi misión ante el pasado parece ser la de votar en contra. No me eximo de cumplirla, ni me excuso por su parcialidad. Piero Gobetti, uno de los espíritus con quienes siento más amorosa asonancia, escribe en uno de sus admirables ensayos: "El verdadero realismo tiene el culto de las fuerzas que crean los resultados, no la admiración de los resultados intelectualísticamente contemplados *a priori*. El realista sabe que la historia es un reformismo, pero también que el proceso reformístico, en vez de reducirse a una diplomacia de iniciados, es producto de los individuos en cuanto operen como revolucionarios, a través de netas afirmaciones de contrastantes exigencias."[1]

Mi crítica renuncia a ser imparcial o agnóstica, si la verdadera crítica puede serlo, cosa que no creo absolutamente. Toda crítica obedece a preocupaciones de filósofo, de político, o de moralista. Croce ha demostrado lú cidamente que la propia crítica impresionista o hedonista de Jules Lemaître, que se suponía exenta de todo sentido filosófico, no se sustraía más que la de Sainte Beuve, al pensamiento, a la filosofía de su tiempo.[2]

El espíritu del hombre es indivisible; y yo no me duelo de esta fatalidad, sino, por el contrario, la reconozco como una necesidad de plenitud y coherencia. Declaro, sin escrúpulo, que traigo a la exégesis literaria todas mis pasiones e ideas políticas, aunque, dado el descrédito y degeneración de este vocablo en el lenguaje corriente, debo agregar que la política en mí es filosofía y religión.

Pero esto no quiere decir que considere el fenómeno literario o artístico desde puntos de vista extraestéticos, sino que mi concepción estética se unimisma, en la intimidad de mi conciencia, con mis concepciones morales, políticas y religiosas y que, sin dejar de ser concepción estrictamente estética, no puede operar independiente o diversamente.

Riva Agüero enjuició la literatura con evidente criterio, "civilista". Su ensayo sobre "el carácter de la literatura del Perú independiente"[3] está, en todas sus partes, inequívocamente transido no sólo de conceptos políticos sino aun de sentimientos de casta. Es simultáneamente una pieza de historiografía literaria y de reivindicación política.

El espíritu de casta de los "encomenderos" coloniales inspira sus esenciales proposiciones críticas que casi invariablemente se resuelven en españolismo, colonialismo, aristocratismo. Riva Agüero no prescinde de sus preocupaciones políticas y sociales, sino en la medida en que juzga la literatura con normas de preceptista, de académico, de erudito; y entonces su prescindencia es sólo aparente porque sin duda nunca se mueve más ordenadamente su espíritu dentro de la órbita escolástica y conservadora. Ni disimula demasiado Riva Agüero el fondo político de su crítica al mezclar a sus valoraciones literarias, consideraciones antihistóricas respecto al presunto error en que incurrieron los fundadores de la inde-

pendencia prefiriendo la república a la monarquía, y ve-
hementes impugnaciones de la tendencia a oponer a los
oligárquicos partidos tradicionales, partidos de principios, por el temor de que provoquen combates sectarios
y antagonismos sociales. Pero Riva Agüero no podía
confesar explícitamente la trama política de su exégesis:
primero, porque sólo posteriormente a los días de su
obra, hemos aprendido a ahorrarnos muchos disimulos
evidentes e inútiles; segundo, porque condición de predominio de su clase —la aristocracia "encomendera"—
era, precisamente, la adopción formal de los principios e
instituciones de otra clase —la burguesía liberal— y
aunque se sintiese íntegramente monárquica, española y
tradicionalista, esa aristocracia necesitaba conciliar an-
fibológicamente su sentimiento reaccionario con la
práctica de una política republicana y capitalista y el respeto de una constitución demoburguesa.

Concluida la época de incontestada autoridad "civilista", en la vida intelectual del Perú, la tabla de valores
establecida por Riva Agüero ha pasado a revisión con
todas las piezas filiares y anexas.[4] Por mi parte, a su in-
confesa parcialidad "civilista" o colonialista enfrento mi
explícita parcialidad revolucionaria o socialista. No me
atribuyo mesura ni equidad de árbitro: declaro mi pasión y mi beligerancia de opositor. Los arbitrajes, las
conciliaciones se actúan en la historia, y a condición de
que las partes se combatan con copioso y extremo alegato.

II. La literatura de la Colonia

Materia primaria de unidad de toda literatura es el idioma. La literatura española, como la italiana y la francesa, comienza con los primeros cantos y relatos escritos
en esas lenguas. Sólo a partir de la producción de obras
propiamente artísticas, de méritos perdurables, en español, italiano y francés, aparecen respectivamente las lite-

raturas española, italiana y francesa. La diferenciación de estas lenguas del latín no estaba aún acabada, y del latín se derivaban directamente todas ellas, consideradas por mucho tiempo como lenguaje popular. Pero la literatura nacional de dichos pueblos latinos nace, históricamente, con el idioma nacional, que es el primer elemento de demarcación de los confines generales de una literatura.

El florecimiento de las literaturas nacionales coincide, en la historia de Occidente, con la afirmación política de la idea nacional. Forma parte del movimiento que, a través de la Reforma y el Renacimiento, creó los factores ideológicos y espirituales de la revolución liberal y del orden capitalista. La unidad de la cultura europea, mantenida durante el medievo, por el latín y el papado, se rompió a causa de la corriente nacionalista, que tuvo una de sus expresiones en la individualización nacional de las literaturas. El "nacionalismo" en la historiografía literaria es por tanto un fenómeno de la más pura raigambre política, extraño a la concepción estética del arte. Tiene su más vigorosa definición en Alemania, desde la obra de los Schlegel, que renueva profundamente la crítica y la historiografía literarias. Francesco de Sanctis —autor de la justamente célebre *Storia della letteratura italiana*, de la cual Brunetière escribía con fervorosa admiración, "esta historia de la literatura italiana que yo no me canso de citar y que no se cansan en Francia de no leer"— considera característico de la crítica ochocentista *"quel pregio de la nazionalità, tanto stimato dai critici moderni e pel quale lo Schlegel esalta il Calderón, nazionalissimo spagnuolo e deprime il Metastasio non punto italiano".*[5]

La literatura nacional es en el Perú, como la nacionalidad misma, de irrenunciable filiación española. Es una literatura escrita, pensada y sentida en español, aunque en los tonos, y aun en la sintaxis y prosodia del idioma, la influencia indígena sea en algunos casos más o menos palmaria e intensa. La civilización autóctona no llegó a la escritura y, por ende, no llegó propia y estrictamente a la literatura, o más bien, ésta se detuvo en la etapa de los aedas, de las leyendas y de las representaciones coreográfico-teatrales. La escritura y la gramática quechuas son en su origen obra española y los escritos quechuas pertenecen totalmente a literatos bilingües como El Lunarejo, hasta la aparición de Inocencio Mamani, el joven autor de *Tucuípac Munashcan*.[6] La lengua castellana, más o menos americanizada, es el lenguaje literario y el instrumento intelectual de esta nacionalidad cuyo trabajo de definición aun no ha concluido.

En la historiografía literaria, el concepto de literatura nacional, del mismo modo que no es intemporal, tampoco es demasiado concreto. No traduce una realidad mensurable e idéntica. Como toda sistematización no aprehende sino aproximadamente la movilidad de los hechos. (La nación misma es una abstracción, una alegoría, un mito, que no corresponde a una realidad constante y precisa, científicamente determinable.) Remarcando el carácter de excepción de la literatura hebrea, De Sanctis constata lo siguiente: "Verdaderamente una literatura del todo nacional es una quimera. Tendría ella por condición un pueblo perfectamente aislado como se dice que es China (aunque también en China han penetrado hoy los ingleses). Aquella imaginación y aquel estilo que se llama hoy orientalismo, no es nada de particular al Oriente, sino más bien es del septentrión y de todas las literaturas barbáricas y nacientes. La poesía griega tenía de la asiática, y la latina de la griega y la italiana de la griega y la latina".[7]

El dualismo quechua-español del Perú, no resuelto aún, hace de la literatura nacional un caso de excepción que no es posible estudiar con el método válido para las literaturas orgánicamente nacionales, nacidas y crecidas sin la intervención de una conquista. Nuestro caso es diverso del de aquellos pueblos de América, donde la misma dualidad no existe, o existe en términos inocuos. La individualidad de la literatura argentina, por ejemplo, está en estricto acuerdo con una definición vigorosa de la personalidad nacional.

La primera etapa de la literatura peruana no podía eludir la suerte que le imponía su origen. La literatura de los españoles de la Colonia no es peruana; es española. Claro está que no por estar escrita en idioma español, sino por haber sido concebida con espíritu y sentimiento españoles. A este respecto, me parece que no hay discrepancia. Gálvez, hierofante del culto al virreinato en su literatura, reconoce como crítico que "la época de la Colonia no produjo sino imitadores serviles e inferiores de la literatura española y especialmente la gongórica de la que tomaron sólo lo hinchado y lo malo y que no tuvieron la comprensión ni el sentimiento del medio, exceptuando a Garcilaso, que sintió la naturaleza y a Caviedes que fue personalísimo en sus agudezas y que en ciertos aspectos de la vida nacional, en la malicia criolla, puede y debe ser considerado como el lejano antepasado de Segura, de Pardo, de Palma y de Paz Soldán".[8]

Las dos excepciones, mucho más la primera que la segunda, son incontestables. Garcilaso, sobre todo, es una figura solitaria en la literatura de la Colonia. En Garcilaso se dan la mano dos edades, dos culturas. Pero Garcilaso es más inca que conquistador, más quechua que español. Es, también un caso de excepción. Y en esto residen precisamente su individualidad y su grandeza.

Garcilaso nació del primer abrazo, del primer amplexo fecundo de las dos razas, la conquistadora y la indígena. Es, históricamente, el primer "peruano", si entendemos la "peruanidad" como una formación social, determinada por la conquista y la colonización españolas. Garcilaso llena con su nombre y su obra una etapa entera de la literatura peruana. Es el primer peruano, sin dejar de ser español. Su obra, bajo su aspecto histórico-estético, pertenece a la épica española. Es inseparable de la máxima epopeya de España: el descubrimiento y conquista de América.

Colonial, española, aparece la literatura peruana, en

su origen, hasta por los géneros y asuntos de su primera época. La infancia de toda literatura normalmente desarrollada, es la lírica.[9] La literatura oral indígena obedeció, como todas, esta ley. La Conquista trasplantó al Perú, con el idioma español, una literatura ya evolucionada que continuó en la Colonia su propia trayectoria. Los españoles trajeron un género narrativo bien desarrollado que del poema épico avanzaba ya a la novela. Y la novela caracteriza la etapa literaria que empieza con la Reforma y el Renacimiento. La novela es, en buena cuenta, la historia del individuo de la sociedad burguesa; y desde este punto de vista no está muy desprovisto de razón Ortega y Gasset cuando registra la decadencia de la novela. La novela renacerá, sin duda, como arte realista, en la sociedad proletaria; pero, por ahora, el relato proletario, en cuanto expresión de la epopeya revolucionaria, tiene más de épica que de novela propiamente dicha. La épica medieval, que decaía en Europa en la época de la Conquista, encontraba aquí los elementos y estímulos de un renacimiento. El conquistador podía sentir y expresar épicamente la Conquista. La obra de Garcilaso está, sin duda, entre la épica y la historia. La épica, como observa muy bien De Sanctis, pertenece a los tiempos de lo maravilloso.[10] La mejor prueba de la irremediable mediocridad de la literatura de la Colonia la tenemos en que, después de Garcilaso, no ofrece ninguna original creación épica. La temática de los literatos de la Colonia es, generalmente, la misma de los literatos de España, y siendo repetición o continuación de ésta, se manifiesta siempre en retardo, por la distancia. El repertorio colonial se compone casi exclusivamente de títulos que a leguas acusan el eruditismo, el escolasticismo, el clasicismo trasnochado de los autores. Es un repertorio de rapsodias y ecos, si no de plagios. El acento más personal es, en efecto, el de Caviedes, que anuncia el gusto limeño por el tono festivo y burlón. El Lunarejo, no obstante su sangre indígena, sobresalió sólo como gongorista, esto es en una actitud característica de una literatura vieja que, agotado ya el renacimiento, llegó al barroquismo y al culteranismo. El *Apologético en favor de Góngora*, desde este punto de vista, está dentro de la literatura española.

III. El colonialismo supérstite

Nuestra literatura no cesa de ser española en la fecha de la fundación de la República. Sigue siéndolo por muchos años, ya en uno, ya en otro trasnochado eco del clasicismo o del romanticismo de la metrópoli. En todo caso, si no española, hay que llamarla por luengos años literatura colonial.

Por el carácter de excepción de la literatura peruana, su estudio no se acomoda a los usados esquemas de clasicismo, romanticismo y modernismo, de antiguo, medieval y moderno, de poesía popular y literaria, etcétera. Y no intentaré sistematizar este estudio conforme la clasificación marxista en literatura feudal o aristocrática, burguesa y proletaria. Para no agravar la impresión de que mi alegato está organizado según un esquema político o clasista y conformado más bien a un sistema de crítica e historia artística, puedo construirlo con otro andamiaje, sin que esto implique otra cosa que un método de explicación y ordenación, y por ningún motivo una teoría que prejuzgue e inspire la interpretación de obras y autores.

Una teoría moderna —literaria, no sociológica— sobre el proceso normal de la literatura de un pueblo distingue en él tres periodos: un periodo colonial, un periodo cosmopolita, un periodo nacional. Durante el primer periodo un pueblo, literariamente, no es sino una colonia, una dependencia de otro. Durante el segundo periodo, asimila simultáneamente elementos de diversas literaturas extranjeras. En el tercero, alcanzan una expresión bien modulada su propia personalidad y su propio sentimiento. No prevé más esta teoría de la literatura.

Pero no nos hace falta, por el momento, un sistema más amplio.

El ciclo colonial se presenta en la literatura peruana muy preciso y muy claro. Nuestra literatura no sólo es colonial en ese ciclo por su dependencia y su vasallaje a España; lo es, sobre todo, por su subordinación a los residuos espirituales y materiales de la Colonia. Don Felipe Pardo, a quien Gálvez arbitrariamente considera como uno de los precursores del peruanismo literario, no repudiaba la República y sus instituciones por simple sentimiento aristocrático; las repudiaba, más bien, por sentimiento godo. Toda la inspiración de su sátira —asaz mediocre por lo demás— procede de su mal humor de corregidor o de "encomendero" a quien una revolución ha igualado, en la teoría si no en el hecho, con los mestizos y los indígenas. Todas la raíces de su burla están en su instinto de casta. El acento de Pardo y Aliaga no es el de un hombre que se siente peruano sino el de un hombre que se siente español en un país conquistado por España para los descendientes de sus capitanes y de sus bachilleres.

Este mismo espíritu, en menores dosis, pero con los mismos resultados caracteriza casi toda nuestra literatura hasta la generación "colónida" que, iconoclasta ante el pasado y sus valores, acata, como su maestro, a González Prada y saluda, como su precursor, a Eguren, esto es, a los dos literatos más liberados de españolismo.

¿Qué cosa mantiene viva durante tanto tiempo en nuestra literatura la nostalgia de la Colonia? No por cierto únicamente el pasadismo individual de los literatos. La razón es otra. Para descubrirla hay que sondear en un mundo más complejo que el que abarca regularmente la mirada del crítico.

La literatura de un pueblo se alimenta y se apoya en su *substractum* económico y político. En un país dominado por los descendientes de los "encomenderos" y los oidores del virreinato, nada era más natural, por consiguiente, que la serenata bajo sus balcones. La autoridad de la casta feudal reposaba en parte sobre el prestigio del virreinato. Los mediocres literatos de una república que se sentía heredera de la Conquista no podían hacer otra cosa que trabajar por el lustre y brillo de los blasones virreinales. Únicamente los temperamentos superiores —precursores siempre, en todos los pueblos y todos los climas, de las cosas por venir— eran capaces de sustraerse a esta fatalidad histórica, demasiado imperiosa para los clientes de la clase latifundista.

La flaqueza, la anemia, la flacidez de nuestra literatura colonial y colonialista provienen de su falta de raíces. La vida, como lo afirmaba Wilson, viene de la tierra. El arte tiene necesidad de alimentarse de la savia de una tradición, de una historia, de un pueblo. Y en el Perú la literatura no ha brotado de la tradición, de la historia, del pueblo indígenas. Nació de una importación de literatura española; se nutrió luego de la imitación de la misma literatura. Un enfermo cordón umbilical la ha mantenido unida a la metrópoli.

Por eso no hemos tenido casi sino barroquismo y culteranismo de clérigos y oidores, durante el coloniaje; romanticismo y trovadorismo mal trasegados de los bisnietos de los mismos oidores y clérigos, durante la República.

La literatura colonial, malgrado algunas solitarias y raquíticas evocaciones del imperio y sus fastos, se ha sentido extraña al pasado incaico. Ha carecido absolutamente de aptitud e imaginación para reconstruirlo. A su historiógrafo Riva Agüero esto le ha parecido muy lógico. Vedado de estudiar y denunciar esta incapacidad, Riva Agüero se ha apresurado a justificarla, suscribiendo con complacencia y convicción el juicio de un escritor de la metrópoli. "Los sucesos del Imperio incaico —escribe— según el muy exacto decir de un famoso crítico (Menéndez Pelayo) nos interesan tanto como pudieran interesar a los españoles de hoy las historias y consejas de los turdetanos y sarpetanos." Y en las conclusiones del mismo ensayo dice: "El sistema que para americanizar la literatura se remonta hasta los tiempos anteriores a la Conquista, y trata de hacer vivir poéticamente las civilizaciones quechua y azteca, y las ideas y los sentimientos de los aborígenes, me parece el más estrecho e infecundo. No debe llamársele *americanismo* sino *exotismo*. Ya lo han dicho Menéndez Pelayo, Rubio y Juan Valera; aquellas civilizaciones o semicivilizaciones murieron, se extinguieron, y no hay modo de reanudar su tradición, puesto que no dejaron literatura. Para los criollos de raza española, son extranjeras y peregrinas y nada nos liga con ellas; y extranjeras y peregrinas son también para los mestizos y los indios cultos, porque la educación que han recibido los ha europeizado por completo. Ninguno de ellos se encuentra en la situación de Garcilaso de la Vega." En opinión de Riva Agüero —opinión característica de un descendiente de la Conquista, de un heredero de la Colonia, para quien constituyen artículos de fe los juicios de los eruditos de la corte— "recursos mucho más abundantes ofrecen las expediciones españolas del XVI y las aventuras de la Conquista".[11]

Adulta ya la República, nuestros literatos no han logrado sentir el Perú sino como una colonia de España. A España partía, en pos no sólo de modelos sino también de temas, su imaginación domesticada. Ejemplo: la *Elegía a la muerte de Alfonso XII* de Luis Benjamín Cisneros, que fue sin embargo, dentro de la desvaída y ramplona tropa romántica, uno de los espíritus más liberales y ochocentistas.

El literato peruano no ha sabido casi nunca sentirse vinculado al pueblo. No ha podido ni ha deseado traducir el penoso trabajo de formación de un Perú integral, de un Perú nuevo. Entre el Incario y la Colonia, ha optado por la Colonia. El Perú nuevo era una nebulosa. Sólo el Incario y la Colonia existían neta y definitivamente. Y entre la balbuceante literatura peruana y el Incario y el indio se interponía, separándolos e incomunicándolos, la Conquista.

Destruida la civilización incaica por España, constituido el nuevo Estado sin el indio y contra el indio, sometida la raza aborigen a la servidumbre, la literatura peruana tenía que ser criolla, costeña, en la proporción en que dejara de ser española. No pudo por esto surgir en el Perú una literatura vigorosa. El cruzamiento del invasor con el indígena no había producido en el Perú un tipo más o menos homogéneo. A la sangre ibera y quechua se había mezclado un copioso torrente de sangre africana. Más tarde la importación de *coolíes* debía añadir a esta mezcla un poco de sangre asiática. Por ende, no había un tipo sino diversos tipos de criollos, de mestizos. La función de tan disímiles elementos étnicos se cumplía, por otra parte, en un tibio y sedante pedazo de tierra baja, donde una naturaleza indecisa y negligente no podía imprimir en el blando producto de esta experiencia sociológica un fuerte sello individual.

Era fatal que lo heteróclito y lo abigarrado de nuestra composición étnica trascendiera a nuestro proceso literario. El orto de la literatura peruana no podía semejarse, por ejemplo, al de la literatura argentina. En la república del sur, el cruzamiento del europeo y del indígena produjo al gaucho. En el gaucho se fundieron perdurable y fuertemente la raza forastera y conquistadora y la raza aborigen. Consiguientemente la literatura argentina —que es entre las literaturas iberoamericanas la que tiene tal vez más personalidad— está permeada de sentimiento gaucho. Los mejores literatos argentinos han extraído del estrato popular sus temas y sus personajes. Santos Vega, Martín Fierro, Anastasio el Pollo, antes que en la imaginación artística, vivieron en la imaginación popular. Hoy mismo la literatura argentina, abierta a las más modernas y distintas influencias cosmopolitas, no reniega su espíritu gaucho. Por el contrario, lo reafirma altamente. Los más ultraístas poetas de la nueva generación se declaran descendientes del gaucho Martín Fierro y de su bizarra estirpe de payadores. Uno de los más saturados de occidentalismo y modernidad, Jorge Luis

Borges, adopta frecuentemente la prosodia del pueblo.

Discípulos de Listas y Hermosillas, los literatos del Perú independiente, en cambio, casi invariablemente desdeñaron la plebe. Lo único que seducía y deslumbraba su cortesana y pávida fantasía de hidalgüelos de provincia era lo español, lo virreinal. Pero España estaba muy lejos. El virreinato —aunque subsistiese el régimen feudal establecido por los conquistadores— pertenecía al pasado. Toda la literatura de esta gente da, por esto, la impresión de una literatura desarraigada y raquítica, sin raíces en su presente. Es una literatura de implícitos "emigrados", de nostálgicos sobrevivientes.

Los pocos literatos vitales, en esta palúdica y clorótica teoría de cansinos y chafados retores, son los que de algún modo tradujeron al pueblo. La literatura peruana es una pesada e indigesta rapsodia de la literatura española, en todas las obras en que ignora al Perú viviente y verdadero. El ay indígena, la pirueta zamba, son las notas más animadas y veraces de esta literatura sin alas y sin vértebras. En la trama de las *Tradiciones* ¿no se descubre en seguida la hebra del chispeante y chismoso medio pelo limeño? Esta es una de las fuerzas vitales de la prosa del tradicionista. Melgar, desdeñado por los académicos, sobrevivirá a Althaus, a Pardo y a Salaverry, porque en sus yaravíes encontrará siempre el pueblo un vislumbre de su auténtica tradición sentimental y de su genuino pasado literario.

IV. Ricardo Palma, Lima y la Colonia

El colonialismo —evocación nostálgica del virreinato— pretende anexarse la figura de don Ricardo Palma. Esta literatura servil y floja, de sentimentaloides y retóricos, se supone consustanciada con las *Tradiciones*. La generación "futurista", que más de una vez he calificado como la más pasadista de nuestras generaciones, ha gastado la mejor parte de su elocuencia en esta empresa de acaparamiento de la gloria de Palma. Es éste el único terreno en el que ha maniobrado con eficacia. Palma aparece oficialmente como el máximo representante del colonialismo.

Pero si se medita seriamente sobre la obra de Palma confrontándola con el proceso político y social del Perú y con la inspiración del género colonialista, se descubre lo artificioso y lo convencional de esta anexión. Situar la obra de Palma dentro de la literatura colonialista es no sólo empequeñecerla sino también deformarla. Las *Tradiciones* no pueden ser identificadas con una literatura de reverente y apologética exaltación de la Colonia y sus fastos, obsolutamente peculiar y carterística, en su tonalidad y en su espíritu, de la académica clientela de la casta feudal.

Don Felipe Pardo y don José Antonio de Lavalle, conservadores convictos y confesos, evocaban la Colonia con nostalgia y con unción. Ricardo Palma, en tanto, la reconstruía con un realismo burlón y una fantasía irreverente y satírica. La versión de Palma es cruda y viva. La de los prosistas y poetas de la serenata bajo los balcones del virreinato, tan grata a los oídos de la gente *ancien régime,* es devota y ditirámbica. No hay ningún parecido sustancial, ningún parentesco psicológico entre una y otra versión.

La suerte bien distinta de una y otra se explica fundamentalmente por la diferencia de calidad; pero se explica también por la diferencia de espíritu. La calidad es siempre espíritu. La obra pesada y académica de Lavalle y otros colonialistas ha muerto porque no puede ser popular. La obra de Palma vive, ante todo, porque puede y sabe serlo.

El espíritu de las *Tradiciones* no se deja mistificar. Es demasiado evidente en toda la obra. Riva Agüero que, en su estudio sobre el carácter de la literatura del Perú independiente, de acuerdo con los intereses de su *gens* y de su clase, lo coloca dentro del colonialismo, reconoce en Palma, "perteneciente a la generación que rompió con el amaneramiento de los escritores del coloniaje", a un literato "liberal e hijo de la República". Se siente a Riva Agüero íntimamente descontento del espíritu irreverente y heterodoxo de Palma.

Riva Agüero trata de rechazar este sentimiento, pero sin poder evitar que aflore netamente en más de un pasaje de su discurso. Constata que Palma "al hablar de la Iglesia, de los jesuitas, de la nobleza, se sonríe y hace sonreír al lector". Cuida de agregar que "con sonrisa tan fina que no hiere". Dice que no será él quien le reproche su volterianismo. Pero concluye confesando así su verdadero sentimiento: "A veces la burla de Palma, por más que sea benigna y suave, llega a destruir la simpatía histórica. Vemos que se encuentra muy desligado de las añejas preocupaciones, y que, a fuerza de estar libre de esas ridiculeces, no las comprende; y una ligera nube de indiferencia y despego se interpone entonces entre el asunto y el escritor."[12]

Si el propio crítico e historiógrafo de la literatura peruana que ha juntado, solidarizándolos, el elogio de Palma y la apología de la Colonia, reconoce tan explícitamente la diferencia fundamental de sentimiento que distingue a Palma de Pardo y de Lavalle, ¿cómo se ha creado y mantenido el equívoco de una clasificación que virtualmente los confunde y reúne? La explicación es fácil. Este equívoco se ha apoyado, en su origen, en la divergencia personal entre Palma y González Prada; se ha alimentado, luego del contraste espiritual entre "palmistas" y "pradistas". Haya de la Torre, en una carta sobre *Mercurio Peruano*, a la revista *Sagitario* de la Plata tiene una observación acertada: "Entre Palma que se burlaba y Prada que azotaba, los hijos de ese pasado y de aquellas castas doblemente zaheridas prefirieron el alfilerazo al látigo."[13] Pertenece al mismo Haya una precisa y, a mi juicio, oportuna e inteligente *mise au point* sobre el sentido histórico y político de las *Tradiciones*. "Personalmente —escribe—, creo que Palma fue tradicionista pero no tradicionalista. Creo que Palma hundió la pluma en el

220

pasado para luego blandirla en alto y reírse de él. Ninguna institución u hombre de la Colonia y aun de la República escapó a la mordedura tantas veces tan certera de la ironía, el sarcasmo y siempre el ridículo de la jocosa crítica de Palma. Bien sabido es que el clero católico tuvo en la literatura de Palma un enemigo y que sus *Tradiciones* son el horror de frailes y monjas. Pero por una curiosa paradoja, Palma se vio rodeado, adulado y desvirtuado por una *troupe* de gente distinguida, intelectuales, católicos, niños bien y admiradores de apellidos sonoros."[14]

No hay nada de extraño ni de insólito en que esta penetrante aclaración del sentido y la filiación de las *Tradiciones* venga de un escritor que jamás ha oficiado de crítico literario. Para una interpretación profunda del espíritu de una literatura, la mera erudición literaria no es suficiente. Sirven más la sensibilidad política y la clarividencia histórica. El crítico profesional considera la literatura en sí misma. No percibe sus relaciones con la política, la economía, la vida en su totalidad. De suerte que su investigación no llega al fondo, a la esencia de los fenómenos literarios. Y, por consiguiente, no acierta a definir los oscuros factores de su génesis ni de su subconsciencia.

Una historia de la literatura peruana que tenga en cuenta las raíces sociales y políticas de ésta, cancelará la convención contra la cual hoy sólo una vanguardia protesta. Se verá entonces que Palma está menos lejos de González Prada de lo que hasta ahora parece.[15]

Las *Tradiciones* de Palma tienen, política y socialmente, una filiación democrática. Palma interpreta al medio pelo. Su burla, roe risueñamente el prestigio del virreinato y el de la aristocracia. Traduce el malcontento zumbón del *demos* criollo. La sátira de las *Tradiciones* no cala muy hondo ni golpea muy fuerte; pero, precisamente por esto, se identifica con el humor de un *demos*, blando, sensual y azucarado. Lima no podía producir otra literatura. Las *Tradiciones* agotan sus posibilidades.

221

A veces se exceden a sí mismas.

Si la revolución de la independencia hubiese sido en el Perú la obra de una burguesía más o menos sólida, la literatura republicana habría tenido otro tono. La nueva clase dominante se habría expresado, al mismo tiempo, en la obra de sus estadistas, y en el verbo, el estilo y la actitud de sus poetas, de sus novelistas y de sus críticos. Pero en el Perú el advenimiento de la República no representó el de una nueva clase dirigente.

La onda de la revolución era continental: no era casi peruana. Los liberales, los jacobinos, los revolucionarios peruanos, no constituían sino un manípulo. La mejor savia, la más heroica energía, se gastaron en las batallas y en los intervalos de la lucha. La República no reposaba sino en el ejército de la revolución. Tuvimos, por esto, un accidentado, un tormentoso periodo de interinidad militar. Y no habiendo podido cuajar en este periodo la clase revolucionaria, resurgió automáticamente la clase conservadora. Los "encomenderos" y terratenientes que, durante la revolución de la independencia oscilaron ambiguamente, entre patriotas y realistas, se encargaron francamente de la dirección de la República. La aristocracia colonial y monárquica se metamorfoseó, formalmente, en burguesía republicana. El régimen económico-social de la Colonia se adaptó externamente a las instituciones creadas por la revolución. Pero la saturó de su espíritu colonial.

Bajo un frío liberalismo de etiqueta, latían en esta casta la nostalgia del virreinato perdido.

El *demos* criollo o, mejor, limeño, carecía de consistencia y de originalidad. De rato en rato lo sacudía la clarinada retórica de algún caudillo incipiente. Mas, pasado el espasmo, caía de nuevo en su muelle somnolencia. Toda su inquietud, toda su rebeldía, se resolvían en el chiste, la murmuración y el epigrama. Y esto es precisamente lo que encuentra su expresión literaria en la prosa socarrona de las *Tradiciones*.

Palma pertenece absolutamente a una mesocracia a la

que un complejo conjunto de circunstancias históricas no consintió transformarse en una burguesía. Como esta clase compósita, como esta clase larvada, Palma guardó un latente rencor contra la aristocracia antañona y reaccionaria. La sátira de las *Tradiciones* hinca con frecuencia sus agudos dientes roedores en los hombres de la República. Mas, al revés de la sátira reaccionaria de Felipe Pardo y Aliaga, no ataca a la República misma. Palma como el *demos* limeño, se deja conquistar por la declamación antioligárquica de Piérola. Y, sobre todo, se mantiene siempre fiel a la ideología liberal de la independencia.

El colonialismo, el civilismo, por órgano de Riva Agüero y otros de sus portavoces intelectuales, se anexan a Palma, no sólo porque esta anexión no presenta ningún peligro para su política sino, principalmente, por la irremediable mediocridad de su propio elenco literario. Los críticos de esta casta saben muy bien que son vanos todos los esfuerzos por inflar el volumen de don Felipe Pardo o don José Antonio de Lavalle. La literatura civilista no ha producido sino parvos y secos ejercicios de clasicismo o desvaídos y vulgares conatos románticos. Necesita, por consiguiente, acaparar a Palma para pavonearse, con derecho o no, de un prestigio auténtico.

Pero debo constatar que no sólo el colonialismo es responsable de este equívoco. Tiene parte en él —como en mi anterior artículo lo observaba— el "gonzálezpradismo". En un "ensayo acerca de las literaturas del Perú" de Federico More, hallo el siguiente juicio sobre el autor de las *Tradiciones*: "Ricardo Palma, representativo, expresador y centinela del Colonialismo, es un historizante anecdótico, divertido narrador de chascarrillos fichados y anaquelados. Escribe con vistas a la Academia de la Lengua y, para contar los devaneos y discreteos de las marquesitas de pelo ensortijado y labios prominentes, quiere usar el castellano del siglo de oro."[16]

More pretende que de Palma quedará sólo la "risilla chocarrera".

Esta opinión, para algunos, no reflejará más que una notoria ojeriza de More, a quien todos reconocen poca consecuencia en sus amores, pero a quien nadie niega una gran consecuencia en sus ojerizas. Pero hay dos razones para tomarla en consideración: 1a. La especial beligerancia que da a More su título de discípulo de González Prada. 2a. La seriedad del ensayo que contiene estas frases.

En este ensayo More realiza un concienzudo esfuerzo por esclarecer el espíritu mismo de la literatura nacional. Sus aserciones fundamentales, si no íntegramente admitidas, merecen ser atentamente examinadas. More parte de un principio que suscribe toda crítica profunda. "La literatura —escribe— sólo es traducción de un estado político y social." El juicio sobre Palma pertenece, en suma, a un estudio al cual confieren remarcable valor las ideas y las tesis que sustenta; no a una panfletaria y volandera disertación de sobremesa. Y esto obliga a remarcarlo y rectificarlo. Pero al hacerlo conviene exponer y comentar las líneas esenciales de la tesis de More.

Esta busca los factores raciales y las raíces telúricas de la literatura peruana. Estudia sus colores y sus líneas esenciales, prescinde de sus matices y de sus contornos complementarios. El método es de panfletario; no es de crítico. Esto da cierto vigor, cierta fuerza a las ideas, pero les resta flexibilidad. La imagen que nos ofrecen de la literatura peruana es demasiado estática.

Pero si las conclusiones no son siempre justas, los conceptos en que reposan son, en cambio, verdaderos. More siente el dualismo peruano. Sostiene que en el Perú "o se es colonial o se es incaico". Yo, que reiteradamente he escrito que el Perú hijo de la Conquista es una formación costeña, no puedo dejar de declararme de acuerdo con More respecto al origen y al proceso del conflicto entre incaísmo y colonialismo. No estoy lejos de pensar como More que este conflicto, este antogonismo, "es y será por muchos años, clave sociológica y política de la vida peruana".

El dualismo peruano se refleja y se expresa, naturalmente, en la literatura. "Literariamente —escribe More—, el Perú preséntase, como es lógico, dividido. Surge un hecho fundamental: los andinos son rurales, los limeños urbanos. Y así las dos literaturas. Para quienes actúan bajo la influencia de Lima todo tiene idiosincrasia iberoafricana: todo es romántico y sensual. Para quienes actuamos bajo la influencia del Cuzco, la parte más bella y honda de la vida se realiza en las montañas y en los valles y en todo hay subjetividad indescifrada y sentido dramático. El limeño es colorista: el serrano musical. Para los herederos del coloniaje, el amor es un lance. Para los retoños de la raza caída, el amor es un coro transmisor de las voces del destino."

Mas esta literatura serrana que More define con tanta vehemencia, oponiéndola a la literatura limeña o colonial, sólo ahora empieza a existir seria y válidamente. No tiene casi historia, no tiene casi tradición. Los dos mayores literatos de la República, Palma y González Prada, pertenecen a Lima. Estimo mucho, como se verá más adelante, la figura de Abelardo Gamarra; pero me parece que More, tal vez, la superestima. Aunque en un pasaje de su estudio conviene en que "no fue, por desgracia, Gamarra, el artista redondo y facetado, limpio y fulgente, el cabal hombre de letras que se necesita".

El propio More reconoce que "las regiones andinas, el incaísmo, aún no tienen el sumo escritor que sintetice y condense, en fulminantes y lucientes páginas, las inquietudes, las modalidades y las oscilaciones del alma incaica". Su testimonio sufraga y confirma, por ende, la tesis de que la literatura peruana hasta Palma y González Prada es colonial, es española. La literatura serrana, con la cual la confronta More, no ha logrado, antes de Palma y Gonzalez Prada, una modulación propia. Lima ha impuesto sus modelos a las provincias. Peor todavía: las provincias han venido a buscar sus modelos a Lima. La prosa polémica del regionalismo y el radicalismo provincianos desciende de González Prada, a quien, en justicia,

More, su discípulo, reprocha su excesivo amor a la retórica.

Gamarra es para More el representativo del Perú integral. Con Gamarra empieza, a su juicio, un nuevo capítulo de nuestra literatura. El nuevo capítulo comienza, en mi concepto, con González Prada que marca la transición del españolismo puro a un europeísmo más o menos incipiente en su expresión pero decisivo en sus consecuencias.

Pero Ricardo Palma, a quien More erróneamente designa como un "representativo, expresador y centinela del colonialismo", malgrado sus limitaciones, es también de este Perú integral que en nosotros principia a concretarse y definirse. Palma traduce el criollismo, el mestizaje, la mesocracia de Lima republicana que, si es la misma que aclama a Piérola —más arequipeño que limeño en su temperamento y en su estilo—, es igualmente la misma que, en nuestro tiempo, revisa su propia tradición, reniega su abolengo colonial, condena y critica su centralismo, sostiene las reivindicaciones del indio y tiende sus dos manos a los rebeldes de provincias.

More no distingue sino una Lima. La conservadora, la somnolienta, la frívola, la colonial. "No hay problema ideológico o sentimental —dice— que en Lima haya producido ecos. Ni el modernismo en literatura ni el marxismo en política; ni el símbolo en música ni el dinamismo expresionista en pintura han inquietado a los hijos de la ciudad sedante. La voluptuosidad es tumba de la inquietud." Pero esto no es exacto. En Lima, donde se ha constituido el primer núcleo de industrialismo, es también donde, en perfecto acuerdo con el proceso histórico de la nación, se ha balbuceado o se ha pronunciado la primera resonante palabra de marxismo. More, un poco desconcertado de su pueblo, no lo sabe acaso, pero puede intuirlo. No faltan en Buenos Aires y La Plata quienes tienen título para enterarlo de las reivindicaciones de una vanguardia que en Lima como en el Cuzco, en Trujillo, en Jauja, representa un nuevo espíritu nacional.

La requisitoria contra el colonialismo, contra el "limeñismo" si así prefiere llamarlo More, ha partido de Lima. El proceso de la capital —en abierta pugna con lo que Luis Alberto Sánchez denomina "perricholismo", y con una pasión y una severidad que precisamente a Sánchez alarman y preocupan—, lo estamos haciendo hombres de la capital.[17] En Lima, algunos escritores que del estetismo d'annunziano importado por Valdelomar habíamos evolucionado al criticismo socializante de la revista *España*, fundamos hace diez años *Nuestra Epoca,* para denunciar, sin reservas y sin compromisos con ningún grupo y ningún caudillo, las responsabilidades de la vieja política.[18] En Lima, algunos estudiantes, portavoces del nuevo espíritu crearon hace cinco años las universidades populares e inscribieron en su bandera el nombre de González Prada.

Henríquez Ureña dice que hay dos Américas: una buena y otra mala. Lo mismo se podría decir de Lima. Lima no tiene raíces en el pasado autóctono. Lima es la hija de la Conquista. Pero desde que, en la mentalidad y en el espíritu, cesa de ser sólo española para volverse un poco cosmopolita, desde que se muestra sensible a las ideas y a las emociones de la época, Lima deja de aparecer exclusivamente como la sede y el hogar del colonialismo y españolismo. La nueva peruanidad es una cosa por crear. Su cimiento histórico tiene que ser indígena. Su eje descansará quizá en la piedra andina, mejor que en la arcilla costeña. Bien. Pero a este trabajo de creación, la Lima renovadora, la Lima inquieta, no es ni quiere ser extraña.

V. González Prada

González Prada es, en nuestra literatura, el precursor de la transición del periodo colonial al periodo cosmopolita. Ventura García Calderón lo declara "el menos peruano" de nuestros literatos. Pero ya hemos visto que hasta González Prada lo peruano en esta literatura no es aún peruano sino sólo colonial. El autor de *Páginas libres* aparece como un escritor de espíritu occidental y de cultura europea. Mas, dentro de una peruanidad por definirse, por precisarse todavía, ¿Por qué considerarlo como el menos peruano de los hombres de letras que la traducen? ¿Por ser el menos español? ¿Por no ser colonial? La razón resulta entonces paradójica. Por ser la menos española, por no ser colonial, su literatura anuncia precisamente la posibilidad de una literatura peruana. Es la liberación de la metrópoli. Es, finalmente, la ruptura con el virreinato.

Este parnasiano, este helenista, marmóreo, pagano, es histórica y espiritualmente mucho más peruano que todos, absolutamente todos, los rapsodistas de la literatura española anteriores y posteriores a él, en nuestro proceso literario. No existe seguramente en esta generación, un solo corazón que sienta al malhumorado y nostálgico discípulo de Lista más peruano que el panfletario e iconoclasta acusador del pasado a que pertenecieron ése y otros letrilleros de la misma estirpe y el mismo abolengo.

González Prada no interpretó este pueblo, no esclareció sus problemas, no legó un programa a la generación que debía venir después. Mas representa, de toda suerte, un instante —el primer instante lúcido— de la conciencia del Perú. Federico More lo llama un precursor del Perú nuevo, del Perú integral. Pero Prada, a este respecto, ha sido más que un precursor. En la prosa de *Páginas libres,* entre sentencias alambicadas y retóricas, se encuentra el germen del nuevo espíritu nacional. "No forman el verdadero Perú —dice González Prada en el célebre discurso del Politeama de 1888— las agrupaciones de criollos y extranjeros que habitan la faja de tierra situada entre el Pacífico y los Andes; la nación está formada por las muchedumbres de indios diseminadas en la banda oriental de la cordillera."[19]

Y aunque no supo hablarle un lenguaje desnudo de retórica, González Prada no desdeñó jamás a la masa. Por el contrario, reivindicó siempre su gloria oscura. Previno a los literatos que lo seguían contra la futilidad y la esterilidad de una literatura elitista. "Platón —les recordó en la conferencia del Ateneo— decía que en materia de lenguaje el pueblo era un excelente maestro. Los idiomas se vigorizan y retemplan en la fuente popular, más que en las reglas muertas de los gramáticos y en las exhumaciones prehistóricas de los eruditos. De las canciones, refranes y dichos del vulgo brotan las palabras originales, las frases gráficas, las construcciones atrevidas. Las multitudes transforman las lenguas como los infusorios modifican los continentes." "El poeta legítimo —afirmó en otro pasaje del mismo discurso— se parece al árbol nacido en la cumbre de un monte: por las ramas, que forman la imaginación, pertenece a las nubes; por las raíces, que constituyen los afectos, se liga con el suelo." Y en sus notas acerca del idioma ratificó explícitamente en otros términos el mismo pensamiento. "Las obras maestras se distinguen por la accesibilidad, pues no forman el patrimonio de unos cuantos elegidos, sino la herencia de todos los hombres con sentido común. Homero y Cervantes son ingenios democráticos: un niño les entiende. Los talentos que presumen de aristocráticos, los inaccesibles a la muchedumbre, disimulan lo vacío del fondo con lo tenebroso de la forma." "Si Herodoto hubiera escrito como Gracián, si Píndaro hubiera cantado como Góngora ¿habrían sido escuchados y aplaudidos en los juegos olímpicos? Ahí están los grandes agitadores de almas en los siglos XVI y XVII, ahí está particularmente Voltaire con su prosa, natural como un movimiento respiratorio, clara como un alcohol rectificado."[02]

Simultáneamente, González Prada denunció el colonialismo. En la conferencia del Ateneo, después de constatar las consecuencias de la ñoña y senil limitación de la literatura española, propugnó abiertamente la ruptura de este vínculo. "Dejemos las andaderas de la infancia y busquemos en otras literaturas nuevos elementos y nuevas impulsiones. Al espíritu de naciones ultramontanas y monárquicas prefiramos el espíritu libre y democrático del siglo. Volvamos los ojos a los autores castellanos, estudiemos sus obras maestras, enriquezcamos su armoniosa lengua; pero recordemos constantemente que la dependencia intelectual de España significaría para nosotros la definida prolongación de la niñez."[21]

En la obra de González Prada, nuestra literatura inicia su contacto con otras literaturas. González Prada representa particularmente la influencia francesa. Pero le pertenece en general el mérito de haber abierto la brecha por la que debían pasar luego diversas influencias extranjeras. Su poesía y aun su prosa acusan un trato íntimo de las letras italianas. Su prosa tronó muchas veces contra las academias y los puristas, y, heterodoxamente, se complació en el neologismo y el galicismo. Su verso buscó en otras literaturas nuevos troqueles y exóticos ritmos.

Percibió bien su inteligencia el nexo oculto pero no ignoto que hay entre conservantismo ideológico y academicismo literario. Y combinó por eso el ataque al uno con la requisitoria contra el otro. Ahora que advertimos claramente la íntima relación entre las serenatas al virreinato en literatura y el dominio de la casta feudal en economía y política, este lado del pensamiento de González Prada adquiere un valor y una luz nuevos.

Como lo denunció González Prada, toda actitud literaria, consciente o inconscientemente, refleja un sentimiento y un interés políticos. La literatura no es independiente de las demás categorías de la historia. ¿Quién negará, por ejemplo, el fondo político del concepto en apariencia exclusivamente literario, que define a González Prada como el "menos peruano de nuestros literatos"? Negar peruanismo a su personalidad no es sino un modo de negar validez en el Perú a su protesta. Es un recurso simulado para descalificar y desvalorizar su rebeldía. La misma tacha de exotismo sirve hoy para combatir el pensamiento de vanguardia.

Muerto Prada, la gente que no ha podido por estos medios socavar su ascendiente ni su ejemplo, ha cambiado de táctica. Ha tratado de deformar y disminuir su figura, ofreciéndole sus elogios comprometedores. Se ha propagado la moda de decirse herederos y discípulos de Prada. La figura de González Prada ha corrido el peligro de resultar una figura oficial, académica. Afortunadamente la nueva generación ha sabido insurgir oportunamente contra este intento.

Los jóvenes distinguen lo que en la obra de González Prada hay de contingente y temporal de lo que hay de perenne y eterno. Saben que no es la letra sino el espíritu lo que en Prada representa un valor duradero. Los falsos gonzález-pradistas repiten la letra; los verdaderos repiten el espíritu.

■

El estudio de González Prada pertenece a la crónica y a la crítica de nuestra literatura antes que a las de nuestra política. González Prada fue más literato que político. El hecho de que la trascendencia política de su obra sea mayor que su trascendencia literaria no desmiente ni contraría el hecho anterior y primario, de que esa obra, en sí, más que política es literaria.

Todos constatan que González Prada no fue acción sino verbo. Pero no es esto lo que a González Prada define como literato más que como político. Es su verbo mismo.

El verbo puede ser programa, doctrina. Y ni en *Páginas libres* ni en *Horas de lucha* encontramos una doctrina ni un programa propiamente dichos. En los discursos, en los ensayos que componen estos libros, González Prada no trata de definir la realidad peruana en un lenguaje de estadista o de sociólogo. No quiere sino sugerirla en un lenguaje de literato. No concreta su pensamiento en proposiciones ni en conceptos. Lo esboza en frases de gran vigor panfletario y retórico, pero de poco valor práctico y científico. "El Perú es una montaña coronada por un cementerio." "El Perú es un organismo enfermo: donde se aplica el dedo brota el pus." Las frases más recordadas de González Prada delatan al hombre de letras: no al hombre de Estado. Son las de un acusador, no las de un realizador.

El propio movimiento radical aparece en su origen como un fenómeno literario y no como un fenómeno político. El embrión de la Unión Nacional o partido radical se llamó Círculo Literario. Este grupo literario se transformó en grupo político obedeciendo al mandato de su época. El proceso biológico del Perú no necesitaba literatos sino políticos. La literatura es lujo, no es pan. Los literatos que rodeaban a González Prada sintieron vaga pero perentoriamente la necesidad vital de esta nación desgarrada y empobrecida. "El Círculo Literario, la pacífica sociedad de poetas y soñadores —decía González Prada en su discurso del Olimpo de 1887—, tiende a convertirse en un centro militante y propagandista. ¿De dónde nacen los impulsos de radicalismo en literatura? Aquí llegan ráfagas de los huracanes que azotan a las capitales europeas, repercuten voces de la Francia republicana e incrédula. Hay aquí una juventud que lucha abiertamente por matar con muerte violenta lo que parece destinado a sucumbir con agonía inoportunamente larga, una juventud, en fin, que se impacienta por suprimir los obstáculos y abrirse camino para enarbolar la bandera roja en los desmantelados torreones de la literatura nacional."[22]

González Prada no resistió el impulso histórico que lo empujaba a pasar de la tranquila especulación parnasiana a la áspera batalla política. Pero no pudo trazar a su falange un plan de acción. Su espíritu individualista, anárquico, solitario, no era adecuado para la dirección de una vasta obra colectiva.

Cuando se estudia el movimiento radical, se dice que González Prada no tuvo temperamento de conductor, de caudillo, de condotiero. Mas no es ésta la única constata-

232

ción que hay que hacer. Se debe agregar que el temperamento de González Prada era fundamentalmente literario. Si González Prada no hubiese nacido en un país urgido de reorganización y moralización políticas y sociales, en el cual no podía fructificar una obra exclusivamente artística, no lo habría tentado jamás la idea de formar un partido.

Su cultura coincidía, como es lógico, con su temperamento. Era una cultura principalmente literaria y filosófica. Leyendo sus discursos y sus artículos, se nota que González Prada carecía de estudios específicos de economía y política. Sus sentencias, sus imprecaciones, sus aforismo, son de inconfundible factura e inspiración literarias. Engastado en su prosa elegante y bruñida, se descubre frecuentemente un certero concepto sociológico o histórico. Ya he citado alguno. Pero en conjunto, su obra tiene siempre el estilo y la estructura de una obra de literato.

Nutrido del espíritu nacionalista y positivista de su tiempo, González Prada exaltó el valor de la ciencia. Mas esta actitud es peculiar de la literatura moderna de su época. La Ciencia, la Razón, el Progreso, fueron los mitos del siglo XIX. González Prada, que por la ruta del liberalismo y del enciclopedismo llegó a la utopía anarquista, adoptó fervorosamente estos mitos. Hasta en sus versos hallamos la expresión enfática de su racionalismo.

¡Guerra al menguado sentimiento!
¡Culto divino a la Razón!

Le tocó a González Prada enunciar solamente lo que hombres de otra generación debían hacer. Predicó realismo. Condenando los gaseosos verbalismos de la retórica tropical, conjuró a sus contemporáneos a asentar bien los pies en la tierra, en la materia. "Acabemos ya —dijo— el viaje milenario por regiones de idealismo sin consistencia y regresemos al seno de la realidad, recordando que fuera de la naturaleza no hay más que simbolismos ilusorios, fantasías mitológicas, desvanecimientos metafísicos. A fuerza de ascender a cumbres enrarecidas, nos estamos volviendo vaporosos, aeriformes: solidifiquémonos. Más vale ser hierro que nube."[23]

Pero él mismo no consiguió nunca ser un realista. De su tiempo fue el materialismo histórico. Sin embargo, el pensamiento de González Prada, que no impuso nunca límites a su audacia ni a su libertad, dejó a otros la empresa de crear el socialismo peruano. Fracasado el partido radical, dio su adhesión al lejano y abstracto utopismo de Kropotkin. Y en la polémica entre marxistas y bakuninistas, se pronunció por los segundos. Su temperamento reaccionaba en éste como en todos sus conflictos con la realidad, conforme a su sensibilidad literaria y aristocrática.

La filiación literaria del espíritu, y la cultura de González Prada, es responsable de que el movimiento radical no nos haya legado un conjunto elemental siquiera de estudios de la realidad peruana y un cuerpo de ideas concretas sobre sus problemas. El programa del partido radical, que por otra parte no fue elaborado por González Prada, queda como un ejercicio de prosa política de "un círculo literario". Ya hemos visto cómo la Unión Nacional, efectivamente, no fue otra cosa.

■

El pensamiento de González Prada, aunque subordinado a todos los grandes mitos de su época, no es monótonamente positivista. En González Prada arde el fuego de los racionalistas del siglo XVIII. Su Razón es apasionada. Su razón es revolucionaria. El positivismo, el historicismo del siglo XIX representan un racionalismo domesticado. Traducen el humor y el interés de una burguesía a la que la asunción del poder ha tornado conservadora. El racionalismo, el cientificismo de González Prada no se contentan con las mediocres y pávidas conclusiones de una razón y una ciencia burguesas. En

234

González Prada subsiste, intacto en su osadía, el jacobino.

Javier Prado, García Calderón, Riva Agüero, divulgan un positivismo conservador. González Prada enseña un positivismo revolucionario. Los ideólogos del civilismo, en perfecto acuerdo con sus sentimientos de clase, nos sometieron a la autoridad de Taine; el ideólogo del radicalismo se reclamó siempre de pensamiento superior y distinto del que, concomitante y consustancial en Francia con un movimiento de reacción política, sirvió aquí a la apología de las oligarquías ilustradas.

No obstante su filiación racionalista y cientificista, González Prada no cae casi nunca en un intelectualismo exagerado. Lo preservan de este peligro su sentimiento artístico y su exaltado anhelo de justicia. En el fondo de este parnasiano, hay un romántico que no desespera nunca del poder del espíritu.

Una de sus agudas opiniones sobre Renan, el que *ne dépasse pas le doute*, nos prueba que González Prada percibió muy bien el riesgo de un criticismo exacerbado. "Todos los defectos de Renan se explican por la exageración del espíritu crítico; el temor de engañarse y la manía de creerse un espíritu delicado y libre de pasión, le hacían muchas veces afirmar todo con reticencias o negar todo con restricciones, es decir, no afirmar ni negar hasta contradecirse, pues le acontecía emitir una idea y en seguida, valiéndose de un pero, defender lo contrario. De ahí su escasa popularidad: la multitud sólo comprende y sigue a los hombres que franca y hasta brutalmente afirman con las palabras como Mirabeau, con los hechos como Napoleón."

González Prada prefiere siempre la afirmación a la negación, a la duda. Su pensamiento es atrevido, intrépido, temerario. Teme a la incertidumbre. Su espíritu siente hondamente la angustiosa necesidad de *dépasser le doute*. La fórmula de Vasconcelos pudo ser también la de González Prada: "pesimismo de la realidad, optimismo del ideal". Con frecuencia, su frase es pesimista: casi nunca

235

es escéptica.

En un estudio sobre la ideología de González Prada, que forma parte de su libro *El nuevo absoluto*, Mariano Iberico Rodríguez define bien al pensador de *Páginas libres* cuando escribe lo siguiente: "Concorde con el espíritu de su tiempo, tiene gran fe en la eficacia del trabajo científico. Cree en la existencia de leyes universales inflexibles y eternas, pero no deriva del cientificismo ni del determinismo, una estrecha moral eudemonista ni tampoco la resignación a la necesidad cósmica que realizó Spinoza. Por el contrario, su personalidad, descontenta y libre, superó las consecuencias lógicas de sus ideas y profesó el culto de la acción y experimentó la ansiedad de la lucha y predicó la afirmación de la libertad y de la vida. Hay evidentemente algo del rico pensamiento de Nietzsche en las exclamaciones anárquicas de Prada. Y hay en éste como en Nietzsche la oposición entre un concepto determinista de la realidad y el empuje triunfal del libre impulso interior."[24]

Por éstas y otras razones, si nos sentimos lejanos de muchas ideas de González Prada, no nos sentimos, en cambio, lejanos de su espíritu. González Prada se engañaba, por ejemplo, cuando nos predicaba antirreligiosidad. Hoy sabemos mucho más que en su tiempo sobre la religión como sobre otras cosas. Sabemos que una revolución es siempre religiosa. La palabra religión tiene un nuevo valor, un nuevo sentido. Sirve para algo más que para designar un rito o una iglesia. Poco importa que los soviets escriban en sus *affiches* de propaganda que "la religión es el.opio de los pueblos". El comunismo es esencialmente religioso. Lo que motiva aún equívocos es la vieja acepción del vocablo. González Prada predecía el tramonto de todas las creencias sin advertir que él mismo era predicador de una creencia, confesor de una fe. Lo que más se admira en este racionalista es su pasión. Lo que más se respeta en este ateo, un tanto pagano, es su ascetismo moral. Su ateísmo es religioso. Lo es, sobre todo, en los instantes en que parece más vehemente y más absoluto. Tiene González Prada algo de esos ascetas laicos que concibe Romain Rolland. Hay que buscar al verdadero González Prada en su credo de justicia, en su doctrina de amor no en el anticlericalismo un poco vulgar de algunas páginas de *Horas de lucha*.

La ideología de *Páginas libres* y de *Horas de lucha* es hoy, en gran parte, una ideología caduca. Pero no depende de la validez de sus conceptos ni de sus sentencias lo que existe de fundamental ni de perdurable en González Prada. Los conceptos no son siquiera lo característico de su obra. Como lo observa Iberico, en González Prada lo característico "no se ofrece como una rígida sistematización de conceptos —símbolos provisionales de un estado de espíritu— lo está en un cierto sentimiento, en una cierta determinación constante de la personalidad entera, que se traducen por el admirable contenido artístico de la obra y por la viril exaltación del esfuerzo y de la lucha".[25]

He dicho ya que lo duradero en la obra de González Prada es su espíritu. Los hombres de la nueva generación en González Prada admiramos y estimamos, sobre todo, el austero ejemplo moral. Estimamos y admiramos, sobre todo, la honradez intelectual, la noble y fuerte rebeldía.

Pienso, además, por mi parte, que González Prada no reconocería a la nueva generación peruana, una generación de discípulos y herederos de su obra, si no encontrara en sus hombres la voluntad y el aliento indispensables para superarla. Miraría con desdén a los repetidores mediocres de sus frases. Amaría sólo una juventud capaz de traducir en acto lo que en él no pudo ser sino idea y no se sentiría renovado y renacido sino en hombres que supieran decir una palabra verdaderamente nueva, verdaderamente actual.

De González Prada debe decirse lo que él, en *Páginas libres*, dice de Vigil. "Pocas vidas tan puras, tan llenas, tan dignas de ser imitadas. Puede atacarse la forma y el fondo de sus escritos, puede tacharse hoy sus libros de

237

anticuados e insuficientes, puede en fin derribarse todo el
edificio levantado por su inteligencia; pero una cosa permanecerá invulnerable y de pie, el hombre."

VI. Melgar

Durante su periodo colonial, la literatura peruana se pre
senta, en sus más salientes peripecias y en sus má
conspicuas figuras, como un fenómeno limeño. No im
porta que en su elenco estén representadas las provin
cias. El modelo, el estilo, la línea, han sido de la capital
Y esto se explica. La literatura es un producto urbano
La gravitación de la urbe influye fuertemente en todo
los procesos literarios. En el Perú, de otro lado, Lima no
ha sufrido las concurrencias de otras ciudades de análo
gos fueros. Un centralismo extremo le ha asegurado su
dominio.

Por culpa de esta hegemonía absoluta de Lima, no ha
podido nuestra literatura nutrirse de savia indígena. Lima
ha sido la capital española primero. Ha sido la capital crio
lla después. Y su literatura ha tenido esta marca.

El sentimiento indígena no ha carecido totalmente de
expresión en este periodo de nuestra historia literaria. Su
primer expresador de categoría es Mariano Melgar. La
crítica limeña lo trata con un poco de desdén. Lo siente
demasiado pupular, poco distinguido. Le molesta en su
versos, junto con una sintaxis un tanto callejera, el
empleo de giros plebeyos. Le disgusta, en el fondo, el
género mismo. No puede ser de su gusto un poeta que
casi no ha dejado sino yaravíes. Esta crítica aprecia má
cualquier oda soporífera de Pando.

Por reacción, no superestimo artísticamente a Melgar
Lo juzgo dentro de la incipiencia de la literatura peruana
de su época. Mi juicio no se separa de un criterio de relati
vidad.

Melgar es un romántico. Lo es no sólo en su arte sino
también en su vida. El romanticismo no había llegado
todavía, oficialmente a nuestras letras. En Melgar no es

238

or ende, como más tarde en otros, un gesto imitativo; es un arranque espontáneo. Y éste es un dato de su sensibilidad artística. Se ha dicho que debe a su muerte heroica una parte de su renombre literario. Pero esta valorización disimula mal la antipatía desdeñosa que la inspira. La muerte creó al héroe, frustró al artista. Melgar murió muy joven. Y aunque resulta siempre un poco aventurada toda hipótesis sobre la probable trayectoria de un artista sorprendido prematuramente por la muerte, no es excesivo que Melgar, maduro, habría producido un arte más purgado de retórica y amaneramiento clásicos y, por consiguiente, más nativo, más puro. La ruptura con la metrópoli habría tenido en su espíritu consecuencias particulares y, en todo caso, diversas de las que tuvo en el espíritu de los hombres de letras de una ciudad tan española, tan colonial como Lima. Mariano Melgar, siguiendo el camino de su impulso romántico, habría encontrado una inspiración cada vez más rural, cada vez más indígena.

Los que se duelen de la vulgaridad de su léxico y sus imágenes parten de un prejuicio aristocratista y academista. El artista que en el lenguaje del pueblo escribe un poema de perdurable emoción vale, en todas làs literaturas, mil veces más que el que, en lenguaje académico, escribe una acrisolada pieza de antología. De otra parte, como lo observa Carlos Octavio Bunge en un estudio sobre la literatura argentina, la poesía popular ha precedido siempre a la poesía artística. Algunos yaravíes de Melgar viven sólo como fragmentos de poesía popular. Pero, con este título, han adquirido sustancia inmortal.

Tienen, a veces, en sus imágenes sencillas, una ingenuidad pastoril, que revela su trama indígena, su fondo autóctono. La poesía oriental se caracteriza por un rústico panteísmo en la metáfora. Melgar se muestra muy indio en su imaginismo primitivo y campesino.

Este romántico, finalmente, se entrega apasionadamente a la revolución. En él la revolución no es liberalismo enciclopedista. Es, fundamentalmente, cálido pa-

triotismo. Como en Pumacahua, en Melgar el senti
miento revolucionario se nutre de nuestra propia sangre
nuestra propia historia.

Para Riva Agüero, el poeta de los yaravíes no es sin
"un momento curioso de la literatura peruana". Rectifi
quemos su juicio, diciendo que es el primer momento pe
ruano de esta literatura.

VII. Abelardo Gamarra

Abelardo Gamarra no tiene hasta ahora un sitio en la
antologías. La crítica relega desdeñosamente su obra
un plano secundario. Al plano, casi negligible para s
gusto cortesano, de la literatura popular. Ni siquiera e
el criollismo se le reconoce un rol cardinal. Cuando s
historia el criollismo se cita siempre antes a un coloni
lista tan inequívoco como don Felipe Pardo.

Sin embargo, Gamarra es uno de nuestros literato
más representativos. Es, en nuestra literatura esencia
mente capitalina, el escritor que con más pureza traduc
y expresa a las provincias. Tiene su prosa reminiscencia
indígenas. Ricardo Palma es un criollo de Lima; El Tu
nante es un criollo de la sierra. La raíz india está viva e
su arte jaranero.

Del indio tiene El Tunante la tesonera y sufrida natu
raleza, la panteísta despreocupación del más allá, el alm
dulce y rural, el buen sentido campesino, la imaginació
realista y sobria. Del criollo, tiene el decir donairoso,
risa zumbona, el juicio agudo y socarrón, el espíritu
aventurero y juerguista. Procedente de un pueblo s
rrano, El Tunante se asimiló a la capital y a la costa, si
desnaturalizarse ni deformarse. Por su sentimiento, po
su entonación, su obra es la más genuinamente peruan
de medio siglo de imitaciones y balbuceos.

Lo es también por su espíritu. Desde su juventud, Ga
marra militó en la vanguardia. Participó en la protest
radical, con verdadera adhesión a su patriotismo revol

cionario. Lo que en otros corifeos del radicalismo era sólo una actitud intelectual y literaria, en El Tunante era un sentimiento vital, un impulso anímico. Gamarra sentía hondamente, en su carne y en su espíritu, la repulsa de la aristocracia encomendera y de su corrompida e ignorante clientela. Comprendió siempre que esta gente no representaba al Perú; que el Perú era otra cosa. Este sentimiento, lo mantuvo en guardia contra el civilismo y sus expresiones intelectuales e ideológicas. Su seguro instinto lo preservó, al mismo tiempo, de la ilusión "demócrata". El Tunante no se engañó sobre Piérola. Percibió el verdadero sentido histórico del gobierno del 95. Vio claro que no era una revolución democrática sino una restauración civilista. Y, aunque hasta su muerte guardó el más fervoroso culto a González Prada, cuyas retóricas catilinarias tradujo a un lenguaje popular, se mostró nostalgioso de un espíritu más realizador y constructivo. Su intuición histórica echaba de menos en el Perú a un Alberdi, a un Sarmiento. En sus últimos años, sobre todo se dio cuenta de que una política idealista y renovadora debe asentar bien los pies en la realidad y en la historia.

No es su obra la de un simple costumbrista satírico. Bajo el animado retrato de tipos y costumbres, es demasiado evidente la presencia de un generoso idealismo político y social. Esto es lo que coloca a Gamarra muy por encima de Segura. La obra del Tunante tiene un ideal; la de Segura no tiene ninguno.

Por otra parte, el criollismo del Tunante es más integral, más profundo que el de Segura. Su versión de las cosas y los tipos es más verídica, más viviente. Gamarra tiene en su obra —que no por azar es la más popular, la más leída en provincias— muchos atisbos agudísimos, muchos aciertos plásticos. El Tunante es un Pancho Fierro de nuestras letras. Es un ingenio popular; un escritor intuitivo y espontáneo.

Heredero del espíritu de la revolución de la independencia, tuvo lógicamente que sentirse distinto y opuesto

241

a los herederos del espíritu de la Conquista y la Colonia. Y, por esto, no diploma ni breveta su obra la autoridad de academias ni ateneos. ("¡De las Academias, líbranos Señor!", pensaba seguramente, como Rubén Darío, El Tunante.) Se le desdeña por su sintaxis. Se le desdeña por su ortografía. Pero se le desdeña, ante todo, por su espíritu.

La vida se burla alegremente de las reservas y los remilgos de la crítica, concediendo a los libros de Gamarra la supervivencia que niega a los libros de renombre y mérito oficialmente sancionados. A Gamarra no lo recuerda casi la crítica; no lo recuerda sino el pueblo. Pero esto le basta a su obra para ocupar de hecho en la historia de nuestras letras el puesto que formalmente se le regatea.

La obra de Gamarra aparece como una colección dispersa de croquis y bocetos. No tiene una creación central. No es una afinada modulación artística. Este es su defecto. Pero de este defecto no es responsable totalmente la calidad del artista. Es responsable también la incipiencia de la literatura que representa.

El Tunante quería hacer arte en el lenguaje de la calle. Su intento no era equivocado. Por el mismo camino han ganado la inmortalidad los clásicos de los orígenes de todas las literaturas.

VIII. Chocano

José Santos Chocano pertenece, a mi juicio, al periodo colonial de nuestra literatura. Su poesía grandílocua tiene todos sus orígenes en España. Una crítica verbalista la presenta como una traducción del alma autóctona. Pero éste es un concepto artificioso, una ficción retórica. Su lógica, tan simplista como falsa, razona así: Chocano es exuberante, luego es autóctono. Sobre este principio, una crítica fundamentalmente incapaz de sentir lo autóctono, ha asentado casi todo el dogma del americanismo y el tropicalismo esenciales del poeta de *Alma América*.

Este dogma pudo ser incontestable en un tiempo de absoluta autoridad del colonialismo. Ahora una generación iconoclasta lo pasa incrédulamente por la criba de su análisis. La primera cuestión que se plantea es ésta: ¿Lo autóctono es, efectivamente, exuberante?

Un crítico sagaz, extraño en este caso a todo interés polémico como Pedro Henríquez Ureña, examinando precisamente el tema de la exuberancia en la literatura hispanoamericana, observa que esta literatura en su mayor parte no aparece por cierto como un producto del trópico. Procede, más bien, de ciudades de clima templado y hasta un poco otoñal. Muy aguda y certeramente apunta Henríquez Ureña: "En América conservamos el respeto al énfasis mientras Europa nos lo prescribió; aún hoy nos quedan tres o cuatro poetas vibrantes, como decían los románticos. ¿No se atribuirá a influencia del trópico la que es influencia de Victor Hugo? ¿O de Byron, o de Espronceda o de Quintana?" Para Henríquez Ureña la teoría de la exuberancia espontánea de la literatura americana es una teoría falsa. Esta literatura es menos exuberante de lo que parece. Se toma por exuberancia la verbosidad. Y "si abunda la palabrería es porque escasea la cultura, la disciplina y no por peculiar exuberancia nuestra".[26] Los casos de verbosidad no son imputables a la geografía ni al medio.

Para estudiar el caso de Chocano, tenemos que empezar por localizarlo, ante todo, en el Perú. Y bien, en el Perú lo autóctono es lo indígena, vale decir, lo incaico.

Y lo indígena, lo incaico, es fundamentalmente sobrio. El arte indio es la antítesis, la contradicción del arte de Chocano. El indio esquematiza, estiliza las cosas con un sintetismo y un primitivismo hieráticos.

Nadie pretende encontrar en la poesía de Chocano la emoción de los Andes. La crítica que la proclama autóctona, la imagina únicamente depositaria de la emoción de la "montaña", esto es de la floresta. Riva Agüero

243

es uno de los que suscriben este juicio. Pero los literatos que, sin noción ninguna de la "montaña", se han apresurado a descubrirla o reconocerla íntegramente en la ampulosa poesía de Chocano, no han hecho otra cosa que tomar al pie de la letra una conjetura del poeta. No han hecho sino repetir a Chocano, quien desde hace mucho tiempo se supone "el cantor de América autóctona y salvaje".

La "montaña" no es sólo exuberancia. Es, sustancialmente, muchas otras cosas que no están en la poesía de Chocano. Ante su espectáculo, ante sus paisajes, la actitud de Chocano es la de un espectador elocuente. Nada más. Todas sus imágenes son las de una fantasía exterior y extranjera. No se oye la voz de un hombre de la floresta. Se oye, a lo más, la voz de un forastero imaginativo y ardoroso que cree poseerla y expresarla.

Y esto es muy natural. La "montaña" no existe casi sino como naturaleza, como paisaje, como escenario. No ha producido todavía una estirpe, un pueblo, una civilización. Chocano, en todo caso, no se ha nutrido de su savia. Por su sangre, por su mentalidad, por su educación, el poeta de *Alma América* es un hombre de la costa. Procede de una familia española. Su formación espiritual e intelectual se ha cumplido en Lima. Y su énfasis —este énfasis que, en último análisis, resulta la única prueba de su autoctonismo y de su americanismo artístico o estético— desciende totalmente de España.

Los antecedentes de la técnica y los modelos de la elocuencia de Chocano están en la literatura española. Todos reconocen en su manera la influencia de Quintana, en su espíritu la de Espronceda. Chocano se reclama de Byron y de Hugo. Pero las influencias más directas que se constatan en su arte son siempre las de poetas de idioma español. Su egoísmo romántico es el de Díaz Mirón, de quien tiene también el acento arrogante y soberbio. Y el modernismo y el decadentismo que llegan hasta las puertas de su romanticismo son los de Rubén Darío.

Estos rasgos deciden y señalan demasiado netamente

la verdadera filiación artística de Chocano quien, a pesar
de las sucesivas ondas de modernidad que han visitado
su arte sin modificarlo absolutamente en su escencia, ha
conservado en su obra la entonación y el temperamento
de un supérstite del romanticismo español y de su grandi-
locuencia. Su filiación espiritual coincide, por otra parte,
con su filiación artística. El "cantor de América autóctona y salvaje" es de la estirpe de los conquistadores.
Lo siente y lo dice él mismo en su poesía, que si no carece
de admiración literaria y retórica a los incas, desborda de
amor a los héroes de la Conquista y a los magnates del
virreinato.

■

Chocano no pertenece a la plutocracia capitalina. Este
hecho lo diferencia de los literatos específicamente colonialistas. No consiente, por ejemplo, identificarlo con
Riva Agüero. En su espíritu se reconoce al descendiente
de la Conquista más bien que al descendiente del virreinato. (Y Conquista y virreinato social y económicamente
constituyen dos fases de un mismo fenómeno, pero espiritualmente no tienen idéntica categoría. La Conquista fue
una aventura heroica; el virreinato fue una empresa burocrática. Los conquistadores eran, como diría Blaise
Cendrars, de la fuerte raza de los aventureros; los virreyes
y los oidores eran blandos hidalgos y mediocres bachilleres.)
   Las primeras peripecias de la poesía de Chocano son
de carácter romántico. No en balde el cantor de *Iras
santas* se presenta como un discípulo de Espronceda. No
en balde se siente en él algo de romanticismo byroniano.
La actitud de Chocano es, en su juventud, una actitud de
protesta. Esta protesta tiene a veces un acento
anárquico. Tiene otras veces un tinte de protesta social.
Pero carece de concreción. Se agota en una delirante y bizarra ofensiva verbal contra el gobierno militar de la
época. No consigue ser más que un gesto literario.

Chocano aparece, luego, políticamente enrolado en el pierolismo. Su revolucionarismo se conforma con la revolución del 95 que liquida un régimen militar para restaurar, bajo la gerencia provisoria de don Nicolás de Piérola, el régimen civilista. Más tarde, Chocano se deja incorporar en la clientela intelectual de la plutocracia. No se aleja de Piérola y su seudodemocracia para acercarse a González Prada sino para saludar en Javier Prado y Ugarteche al pensador de su generación.

La trayectoria política de un literato no es también su trayectoria artística. Pero sí es, casi siempre, su trayectoria espiritual. La literatura, de otro lado, está como sabemos íntimamente permeada de política, aun en los casos en que parece más lejana y más extraña a su influencia. Y lo que queremos averiguar, por el momento, no es estrictamente la categoría artística de Chocano sino su filiación espiritual, su posición ideológica.

Una y otra no están nítidamente expresadas por su poesía. Tenemos, por consiguiente, que buscarlas en su prosa, la cual, además de haber sido más explícita que su poesía, no ha sido esencialmente contradicha ni atenuada por ella.

La poesía de Chocano nos coloca, primero, ante un caso de individualismo exasperado y egoísta, asaz frecuente y casi característico en la falange romántica. Este individualismo es todo el anarquismo de Chocano.

Y, en los últimos años, el poeta lo reduce y lo limita. No renuncia absolutamente a su egotismo sensual; pero sí renuncia a una buena parte de su individualismo filosófico. El culto del Yo se ha asociado al culto de la jerarquía. El poeta se llama individualista, pero no se llama liberal. Su individualismo deviene un "individualismo jerárquico". Es un individualismo que no ama la libertad. Que la desdeña casi. En cambio, la jerarquía que respeta no es la jerarquía eterna que crea el espíritu; es la jerarquía precaria que imponen, en la mudable perspectiva de lo presente, la fuerza, la tradición y el dinero.

Del mismo modo doma el poeta los primitivos arranques de su espíritu. Su arte, en su plenitud, acusa —por su exaltado aunque retórico amor a la naturaleza— un panteísmo un poco pagano. Y este panteísmo —que producía un poco de animismo en sus imágenes— es en él la sola nota que refleja a una "América autóctona y salvaje". (El indio es panteísta, animista, materialista.) Chocano, sin embargo, lo ha abandonado tácitamente. La adhesión al principio de la jerarquía lo ha reconducido a la Iglesia romana. Roma es, ideológicamente, la ciudadela histórica de la reacción. Los que peregrinan por sus colinas y sus basílicas en busca del evangelio cristiano regresan desilusionados; pero los que se contentan con encontrar, en su lugar, el fascismo y la Iglesia —la autoridad y la jerarquía en el sentido romano—, arriban a su meta y hallan su verdad. De estos últimos peregrinos es el poeta de *Alma América*. El, que nunca ha sido cristiano, se confiesa finalmente católico. Romántico fatigado, hereje converso, se refugia en el sólido aprisco de la tradición y del orden, de donde creyó un día partir para siempre a la conquista del futuro.

IX. Riva Agüero y su influencia. La generación "futurista"

La generación "futurista" —como paradójicamente se le apoda— señala un momento de restauración colonialista y civilista en el pensamiento y la literatura del Perú.

La autoridad sentimental e ideológica de los herederos de la Colonia se encontraba comprometida y socavada por quince años de predicación radical. Después de un periodo de caudillaje militar análogo al que siguió a la revolución de la Independencia, la clase latifundista había restablecido su dominio político pero no había restablecido igualmente su dominio intelectual. El radicalismo, alimentado por la reacción moral de la derrota —de la cual el pueblo sentía responsable a la plutocracia—, había encontrado un ambiente favorable a la propagación de su verbo revolucionario. Su propaganda había rebelado, sobre todo, a las provincias. Una marejada de ideas avanzadas había pasado por la República.

La antigua guardia intelectual del civilismo, envejecida y debilitada, no podía reaccionar eficazmente contra la generación radical. La restauración tenía que ser realizada por una falange de hombres jóvenes. El civilismo contaba con la universidad. A la universidad le tocaba darle, por ende, esta milicia intelectual. Pero era indispensable que la acción de sus hombres no se contentase con ser una acción universitaria. Su misión debía constituir una reconquista integral de la inteligencia y el sentimiento. Como uno de sus objetivos naturales y sustantivos, aparecía la recuperación del terreno perdido en la literatura. La literatura llega a donde no llega la universidad. La obra de un solo escritor del pueblo, discípulo de González Prada, El Tunante, era entonces una obra mucho más propagada y entendida que la de todos los escritores de la universidad juntos.

Las circunstancias históricas propiciaban la restauración. El dominio político del civilismo se presentaba sólidamente consolidado. El orden económico y político inaugurado por Piérola el 95 era esencialmente un orden civilista. Muchos profesionales y literatos que en el periodo caótico de nuestra posguerra se sintieron atraídos por el campo radical, se sentían ahora empujados al campo civilista. La generación radical estaba, en verdad disuelta. González Prada, retirado a un displicente ascetismo, vivía desconectado de sus dispersos discípulos. De suerte que la generación "futurista" no encontró casi resistencia.

En sus rangos se mezclaban y se confundían "civilistas" y "demócratas", separados en la lucha partidista. Su advenimiento era saludado, en consecuencia, por toda la gran prensa de la capital. *El Comercio* y *La Prensa* auspiciaban a la "nueva generación". Esta generación se mostraba destinada a realizar la armonía entre civilistas y demócratas que la coalición del 95 dejó sólo iniciada. Su líder y capitán Riva Agüero, en quien la tradición civilista y plutocrática se conciliaba con una devoción casi filial al "califa" demócrata, reveló desde el primer momento tal tendencia. En su tesis sobre la "literatura del Perú independiente", arremetiendo contra el radicalismo dijo lo siguiente: "Los partidos propios no sólo no producirían bienes, sino que crearían males irreparables. En el actual sistema, las diferencias entre los partidos no son muy grandes ni muy hondas sus divisiones. Se coaligan sin dificultad, colaboran con frecuencia. Los gobernantes sagaces pueden, sin muchos esfuerzos, aprovechar del concurso de todos los hombres útiles."

La resistencia a los partidos de principios denuncia el sentimiento y la inspiración clasista de la generación de Riva Agüero. Su esfuerzo manifiesta de un modo demasiado inequívoco el propósito de asegurar y consolidar un régimen de clase. Negar a los principios, a las ideas, el derecho de gobernar el país significaba fundamentalmente, reservar ese derecho para una casta. Era preconizar el dominio de la "gente decente", de la "clase ilustrada". Riva Agüero, a este respecto, como a otros, se muestra en riguroso acuerdo con Javier Prado y Francisco García Calderón. Y es que Prado y García Calderón representan la misma restauración. Su ideología tiene los mismos rasgos esenciales. Se reduce en el fondo a un positivismo conservador. Un fraseario más o menos idealista y progresista disimula el ideario tradicional. Como ya lo he observado, Riva Agüero, Prado y García Calderón coinciden en el acatamiento a Taine. Riva Agüero, para esclarecernos más su filiación, nos descubre en sus varias veces citada tesis —que es incontestablemente el primer manifiesto político y literario de la generación "futurista"— su adhesión a Brunetière.

La revisión de valores de la literatura con que debutó Riva Agüero en la política, corresponde absolutamente a los fines de una restauración. Idealiza y glorifica la Colonia, buscando en ella las raíces de la nacionalidad. Superestima la literatura colonialista exaltando enfáticamente a sus mediocres cultores. Trata desdeñosamente el romanticismo de Mariano Melgar. Reprueba a Gonzalez Prada lo más válido y fecundo de su obra: su protesta.

La generación "futurista" se muestra, al mismo tiempo universitaria, académica, retórica. Adopta del modernismo sólo los elementos que le sirven para condenar la inquietud romántica.

Una de sus obras más características y peculiares es la organización de la Academia correspondiente de la Lengua Española. Uno de sus esfuerzos artísticos más marcados es su retorno a España en la prosa y en el verso.

El rasgo más característico de la generación apodada "futurista" es su pasadismo. Desde el primer momento sus literatos se entregan a idealizar el pasado. Riva Agüero, en su tesis, reivindica con energía los fueros de los hombres y las cosas tradicionales.

Pero el pasado, para esta generación, no es muy remoto ni muy próximo. Tiene límites definidos: los del virreinato. Toda su predilección, toda su ternura, son para esta época. El pensamiento de Riva Agüero a este respecto es inequívoco. El Perú, según él, desciende de la Conquista. Su infancia es la Colonia.

La literatura peruana deviene desde este momento acentuadamente colonialista. Se inicia un fenómeno que no ha terminado todavía y que Luis Alberto Sánchez designa con el nombre de "perricholismo".

En este fenómeno —en sus orígenes, no en sus consecuencias— se combinan y se identifican dos sentimientos: limeñismo y pasadismo. Lo que, en política, se traduce así: centralismo y conservantismo. Porque el pasadismo de la generación de Riva Agüero no constituye un gesto romántico de inspiración meramente literaria. Esta generación es tradicionalista pero no romántica. Su literatura, más o menos teñida de "modernismo", se presenta por el contrario como una reacción contra la literatura del romanticismo. El romanticismo condena radicalmente el presente en el nombre del pasado o del futuro. Riva Agüero y sus contemporáneos, en cambio, aceptan el presente, aunque para gobernarlo y dirigirlo invoquen y evoquen el pasado. Se caracterizan, espiritual e ideológicamente, por un conservantismo positivista, por un tradicionalismo oportunista.

Naturalmente, ésta es sólo la tonalidad general del fenómeno, en el cual no faltan matices más o menos discrepantes. José Gálvez, por ejemplo, individualmente escapa a la definición que acabo de esbozar. Su pasadismo es de fondo romántico. Haya lo llama "el único palmista sincero", refiriéndose sin duda al carácter literario y sentimental de su pasadismo. La distinción no está netamente expresada. Pero parte de un hecho evidente. Gálvez —cuya poesía desciende de la de Chocano, repitiendo, atenuadamente unas veces, desteñidamente otras, su verbosidad— tiene trama de romántico. Su pasadismo, por eso, está menos localizado en el tiempo que el del núcleo de su generación. Es un pasadismo integral. Enamorado del virreinato, Gálvez no se siente, sin embargo, acaparado exclusivamente por el culto de esta época. Para él "todo tiempo pasado fue mejor". Puede observarse que, en cambio, su pasadismo está más localizado en el espacio. El tema de sus evocaciones es casi siempre limeño. Pero también esto me parece en Gálvez un rasgo romántico.

Gálvez, de otro lado, se aparta a veces del credo de Riva Agüero. Sus opiniones sobre la posibilidad de una literatura genuinamente nacional son heterodoxas dentro del fenómeno "futurista". Acerca del americanismo en la literatura, Gálvez, aunque sea con no pocas reservas y concesiones, se declara de acuerdo con la tesis del líder de su generación y su partido. No lo convence la aserción de que es imposible revivir poéticamente las antiguas civilizaciones americanas. "Por mucho que sean civilizaciones desaparecidas y por honda que haya sido la influencia española —escribe—, ni el material mismo se ha extinguido, ni tan puros hispanos somos los que más lo fuéramos, que no sintamos vinculaciones con aquella raza, cuya tradición áurea bien merece un recuerdo y cuyas ruinas imponentes y misteriosas nos subyugan; y nos impresionan. Precisamente porque andamos tan mezclados y son tan encontradas nuestras raíces históricas, por lo mismo que nuestra cultura no es tan honda como parece, el material literario de aquellas épocas definitivamente muertas es enorme para nosotros, sin que esto signifique que lo consideremos primordial y porque alguna levadura debe haber en nuestras almas de la gestación del imperio incaico y de las luchas de las dos razas, la indígena y la española, cuando aún nos encoge el alma y nos sacude con emoción extraña y dolorida la música temblorosa del yaraví. Además, nuestra historia no puede partir sólo de la Conquista y por vago que fuese el legado psíquico que hayamos recibido de los indios, siempre tenemos algo de aquella raza vencida, que en viviente ruina anda preterida y maltratada en nuestras serranías, constituyendo un grave problema social, que si palpita dolorosamente en nuestra vida, ¿por qué no puede tener un lugar en nuestra literatura que ha sido tan fecunda en sensaciones históricas de otras razas que realmente nos son extranjeras y peregrinas?"[27] No acierta Gálvez, sin embargo, en la definición de una literatura nacional. "Es cuestión de volver el alma —dice— a las rumorosas palpitaciones de lo que nos rodea." Mas, a renglón seguido, reduce sus elementos a "la historia, la tradición y la naturaleza". El pasadista reaparece aquí íntegramente. Una literatura genuinamente nacionalista, en su concepto, debe nutrirse sobre todo de la historia, la leyenda, la tradición, esto es, del pasado. El presente es también historia. Pero seguramente Gálvez no lo pensaba cuando escogía las fuentes de nuestra literatura. La historia, en su sentimiento, no era entonces sino pasado. No dice Gálvez que la literatura nacional debe traducir totalmente al Perú. No le pide una función realmente creadora. Le niega el derecho de ser una literatura del pueblo. Polemizando con El Tunante, sostiene que el artista "debe desdeñar altivamente la facilidad que le ofrece el modismo callejero, admirable muchas veces para el artículo de costumbres, pero que está distante de la fina aristocracia que debe tener la forma artística".[28]

El pensamiento de la generación futurista es, por otra parte, el de Riva Agüero. El voto en contra o, mejor, el voto en blanco de Gálvez, en este y otros debates, no tiene sino un valor individual. La generación futurista, en tanto, utiliza totalmente el pasadismo y el romanticismo de Gálvez en la serenata bajo los balcones del virreinato, destinada políticamente a reanimar una leyenda indispensable al dominio de los herederos de la Colonia.

La casta feudal no tiene otros títulos que los de la tradición colonial. Nada más concordante con su interés que una corriente literaria tradicionalista. En el fondo de la literatura colonialista, no existe sino una orden perentoria, una exigencia imperiosa del impulso vital de una clase, de una "casta".

Y quien dude del origen fundamentalmente político del fenómeno "futurista" no tiene sino que reparar en el hecho de que esta falange de abogados, escritores, literatos, etcétera, no se contentó con ser sólo un movimiento. Cuando llegó a su mayor edad quiso ser un partido.

X. "Colónida" y Valdelomar

"Colónida" representó una insurrección —decir una revolución sería exagerar su importancia— contra el academicismo y sus oligarquías, su énfasis retórico, su gusto conservador, su galantería dieciochesca y su melancolía mediocre y ojerosa. Los colónidas virtualmente reclamaron sinceridad y naturalismo. Su movimiento, demasiado heteróclito y anárquico, no pudo condensarse en una tendencia ni concretarse en una fórmula. Agotó su energía en su grito iconoclasta y su orgasmo esnobista.

Una efímera revista de Valdelomar dio su nombre a este movimiento. Porque "Colónida" no fue un grupo, no fue un cenáculo, no fue una escuela, sino un movi-

253

miento, una actitud, un estado de ánimo. Varios escritores hicieron "colonidismo" sin pertenecer a la capilla de Valdelomar. El "colonidismo" careció de contornos definidos. Fugaz meteoro literario, no pretendió nunca cuajarse en un forma. No impuso a sus adherentes un verdadero rumbo estético. El "colonidismo" no constituía una idea ni un método. Constituía un sentimiento ególatra, individualista, vagamente iconoclasta, imprecisamente renovador. "Colónida" no era siquiera un haz de temperamentos afines; no era al menos propiamente una generación. En sus rangos, con Valdelomar, More, Gibson, etcétera, militábamos algunos escritores adolescentes, novísimos, principiantes. Los "colónidos" no coincidían sino en la revuelta contra todo academicismo. Insurgían contra los valores, las reputaciones y los temperamentos académicos. Su nexo era una protesta; no una afirmación. Conservaron sin embargo, mientras convivieron en el mismo movimiento, algunos rasgos espirituales comunes. Tendieron a un gusto decadente, elitista, aristocrático, algo mórbido. Valdelomar trajo de Europa gérmenes de d'annunzianismo que se propagaron en nuestro ambiente voluptuoso, retórico y meridional.

La bizarría, la agresividad, la injusticia y hasta la extravagancia de los "colónidos" fueron útiles. Cumplieron una función renovadora. Sacudieron la literatura nacional. La denunciaron como una vulgar rapsodia de la más mediocre literatura española. Le propusieron nuevos y mejores modelos, nuevas y mejores rutas. Atacaron a sus fetiches, a sus iconos. Iniciaron lo que algunos escritores calificarían como "una revisión de nuestros valores literarios". "Colónida" fue una fuerza negativa, disolvente, beligerante. Un gesto espiritual de varios literatos que se oponían al acaparamiento de la fama nacional por un arte anticuado, oficial y *pompier*.

De otro lado, los "colónidos" no se comportaron siempre con injusticia. Simpatizaron con todas las figuras heréticas, heterodoxas, solitarias de nuestra literatura. Loaron y rodearon a González Prada. En el "colonidismo" se advierte algunas huellas de influencia del autor de *Páginas libres* y *Exóticas*. Se observa también que los "colónidos" tomaron de González Prada lo que menos les hacía falta. Amaron lo que en González Prada había de aristócrata, de parnasiano, de individualista; ignoraron lo que en González Prada había de agitador, de revolucionario. More definía a González Prada como "un griego nacido en un país de zambos". "Colónida", además, valorizó a Eguren, desdeñado y desestimado por el gusto mediocre de la crítica y del público de entonces.

El fenómeno "colónida" fue breve. Después de algunas escaramuzas polémicas, el "colonidismo" tramontó definitivamente. Cada uno de los "colónidos" siguió su propia trayectoria personal. El movimiento quedó limitado. Nada importa que perduren algunos de sus ecos y que se agiten, en el fondo de más de un temperamento joven, algunos de sus sedimentos. El "colonidismo", como actitud espiritual, no es de nuestro tiempo. La apetencia de renovación que generó el movimiento "colónida" no podía satisfacerse con un poco de decadentismo y otro poco de exotismo. "Colónida" no se disolvió explícita ni sensiblemente porque jamás fue una facción, sino una postura interina, un ademán provisorio.

El "colonidismo" negó e ignoró la política. Su elitismo, su individualismo, lo alejaban de las muchedumbres, lo aislaban de sus emociones. Los "colónidos" no tenían orientación ni sensibilidad políticas. La política les parecía una función burguesa, burocrática, prosaica. La revista *Colónida* era escrita para el Palais Concert y el jirón de la Unión. Federico More tenía afición orgánica a la conspiración y al panfleto; pero sus concepciones políticas eran antidemocráticas, antisociales, reaccionarias. More soñaba con una aristarquía, casi con una artecracia. Desconocía y despreciaba la realidad social. Detestaba el vulgo y el tumulto.

Pero terminado el experimento "colónida", los escritores que en él intervinieron, sobre todo los más jóvenes, empezaron a interesarse por las nuevas corrientes políticas. Hay que buscar las raíces de esta conversión en el prestigio de la literatura política de Unamuno, de Araquistain, de Alomar y de otros escritores de la revista *España*; en los efectos de la predicación de Wilson, elocuente y universitaria, propugnando una nueva libertad; y en la sugestión de la mentalidad de Víctor M. Maúrtua cuya influencia en el orientamiento socialista de varios de nuestros intelectuales casi nadie conoce. Esta nueva actitud espiritual fue marcada también por una revista más efímera aún que *Colónida: Nuestra Epoca*. En *Nuestra Epoca*, destinada a las muchedumbres y no al Palais Concert, escribieron Félix del Valle, César Falcón, César Ugarte, Valdelomar, Percy Gibson, César A. Rodríguez, César Vallejo y yo. Este era ya, hasta estructuralmente, un conglomerado distinto del de *Colónida*. Figuraban en él un discípulo de Maúrtua, un futuro catedrático de la Universidad: Ugarte; y un agitador obrero: del Barzo. En este movimiento, más político que literario, Valdelomar no era ya un líder. Seguía a escritores más jóvenes y menos conocidos que él. Actuaba en segunda fila.

Valdelomar, sin embargo, había evolucionado. Un gran artista es casi siempre un hombre de gran sensibilidad. El gusto de la vida muelle, plácida, sensual, no le hubiera consentido ser un agitador; pero, como Oscar Wilde, Valdelomar habría llegado a amar el socialismo. Valdelomar no era un prisionero de la torre de marfil. No renegaba su pasado demagógico y tumultuario de billinghurista. Se complacía de que en su historia existiera ese episodio. Malgrado su aristocratismo, Valdelomar se sentía atraído por la gente humilde y sencilla. Lo acreditan varios capítulos de su literatura, no exenta de notas cívicas. Valdelomar escribió para los niños de las escuelas de Huaura su oración a San Martín. Ante un auditorio de obreros, pronunció en algunas ciudades del norte, durante sus andanzas de conferencista nómada, una oración al trabajo. Recuerdo que, en nuestros últimos coloquios, escuchaba con interés y con respeto mis primeras divagaciones socialistas. En este instante de gravidez, de maduración, de tensión máximas, lo abatió la muerte.

■

No conozco ninguna definición certera, exacta, nítida, del arte de Valdelomar. Me explico que la crítica no la haya formulado todavía. Valdelomar murió a los treinta años, cuando él mismo no había conseguido aún encontrarse, definirse. Su producción desordenada, dispersa, versátil, y hasta un poco incoherente, no contiene sino los elementos materiales de la obra que la muerte frustró. Valdelomar no logró realizar plenamente su personalidad rica y exuberante. Nos ha dejado, a pesar de todo, muchas páginas magníficas.

Su personalidad no sólo influyó en la actitud espiritual de una generación de escritores. Inició en nuestra literatura una tendencia que luego se ha acentuado. Valdelomar, que trajo del extranjero influencias pluricolores e internacionales y que, por consiguiente, introdujo en nuestra literatura elementos de cosmopolitismo, se sintió, al mismo tiempo, atraído por el criollismo y el incaísmo. Buscó sus temas en lo cotidiano y lo humilde. Revivió su infancia en una aldea de pescadores. Descubrió, inexperto pero clarividente, la cantera de nuestro pasado autóctono.

Uno de los elementos esenciales del arte de Valdelomar es su humorismo. La egolatría de Valdelomar era en gran parte humorística. Valdelomar decía en broma casi todas las cosas que el público tomaba en serio. Las decía *pour épater les bourgeois*. Si los burgueses se hubiesen reído de él con sus "poses" megalomaniacas, Valdelomar no hubiese insistido tanto en su uso. Valdelomar impregnó su obra de un humorismo elegante, alado, ático, nuevo hasta entonces entre nosotros. Sus artículos de periódicos, sus "diálogos máximos", solían estar llenos del más gentil donaire. Esta prosa habría podido ser más cincelada, más elegante, más duradera; pero Valdelomar no tenía casi tiempo para pulirla. Era una prosa improvisada y periodística.[29]

Ningún humorismo menos acerbo, menos amargo, menos acre, menos maligno que el de Valdelomar. Valdelomar caricaturizaba a los hombres, pero los caricaturizaba piadosamente. Miraba las cosas con una sonrisa bondadosa. Evaristo, el empleado de la botica aldeana, hermano gemelo de un sauce hepático y desdichado, es una de esas caricaturas melancólicas que a Valdelomar le agradaba trazar. En el acento de esta novela de sabor pirandelliano se siente la ternura de Valdelomar por su desventurado, pálido y canijo personaje.

Valdelomar parece caer a veces en la desesperanza y en el pesimismo. Pero éstos son desmayos pasajeros, depresiones precarias de su ánimo. Era Valdelomar demasiado panteísta y sensual para ser pesimista. Creía con D'Annunzio que "la vida es bella y digna de ser magníficamente vivida". En sus cuentos y paisajes aldeanos se reconoce este rasgo de su espíritu. Valdelomar buscó perennemente la felicidad y el placer. Pocas veces logró gozarlos; pero estas pocas veces supo poseerlos plena, absoluta, exaltadamente.

En su *Confiteor* —que es tal vez la más noble, la más pura, la más bella poesía erótica de nuestra literatura— Valdelomar toca el más alto grado de exaltación dionisiaca. Transido de emoción erótica, el poeta piensa que la naturaleza, el universo, no pueden ser extraños ni indiferentes a su amor. Su amor no es egoísta: necesita sentirse rodeado por una alegría cósmica. He aquí esta nota suprema de *Confiteor*:

Mi amor animará el mundo

¿Qué haré el día en que sus ojos
tengan para mí una mirada de amor?
Mi alma llenará el mundo de alegría,
la Naturaleza vibrará con el temblor de mi corazón,
todos serán felices:

el cielo, el mar, los árboles, el paisaje... Mi pasión
pondrá en el universo, ahora triste,
las alegres notas de una divina coloración;
cantarán las aves, las copas de los árboles
entonarán una balada: hasta el panteón
llegará la alegría de mi alma
y los muertos sentirán el soplo fresco de mi amor.

¿Es posible sufrir?

¿Quién dice que la vida es triste?
¿Quién habla de dolor?
¿Quién se queja?... ¿Quién sufre?...¿Quién llora?

Confiteor es la ingenua confidencia lírica de un enamorado exultante de amor y de felicidad. Delante de la ama-
da, el poeta "tiembla como un junco débil". Y con la
cándida convicción de los enamorados, dice que no todos pueden comprender su pasión. La imagen de su ama-
da, es una imagen prerrafaelista, presentada sólo por los
que han "contemplado el lienzo de Burne Jones donde
está el ángel de la Anunciación". En el amor, ninguno de
nuestros poetas había llegado antes a este lirismo absoluto. Hay algo de *allegro* beethoveniano en los versos
transcritos.
A Valdelomar, a pesar de *El hermano ausente*, a pesar
del *Confiteor* y otros versos, se le regatea el título de poeta que en cambio se discierne, por ejemplo, a don Felipe
Pardo. No cabe Valdelomar dentro de las clasificaciones
arbitrarias y ramplonas de la vieja crítica. ¿Qué puede
decir esta crítica de Valdelomar y de su obra? Los matices más nobles, las notas más delicadas del temperamento de este gran lírico no podrán ser aprehendidos nunca
por sus definiciones. Valdelomar fue un hombre nómada, versátil, inquieto como su tiempo. Fue "muy moderno, audaz, cosmopolita". En su humorismo, en su liris-

mo, se descubre a veces lineamientos y matices de la moderna literatura de vanguardia.

Valdelomar no es todavía, en nuestra literatura, el hombre matinal. Actuaban sobre él demasiadas influencias decadentistas. Entre "las cosas inefables e infinitas", que intervienen en el desarrollo de sus leyendas incaicas, con la fe, el mar y la muerte, pone al crepúsculo. Desde su juventud, su arte estuvo bajo el signo de D'Annunzio. En Italia, el tramonto romano, el atardecer voluptuoso del Janiculum, la vendimia autumnal, Venecia anfibia —marítima y palúdica—, exacerbaron en Valdelomar las emociones crepusculares de *Il fuoco*.

Pero a Valdelomar lo preserva de una excesiva intoxicación decadentista su vivo y puro lirismo. El *humour*, esa nota tan frecuente de su arte, es la senda por donde se evade del universo d'annunziano. El *humour* da el tono al mejor de sus cuentos: *Hebaristo, el sauce que se murió de amor*. Cuento pirandelliano, aunque Valdelomar acaso no conociera a Pirandello que, en la época de la visita de nuestro escritor a Italia, estaba muy distante de la celebridad ganada para su nombre por sus obras teatrales. Pirandelliano por el método: identificación panteísta de las vidas paralelas de un sauce y un boticario; pirandelliano por el personaje: levemente caricaturesco, mesocrático, pequeñoburgués, inconcluso; pirandelliano por el drama: el fracaso de una existencia que, en una tentativa superior a su ritmo sórdido, siente romperse su resorte con grotesco y risible traquido.

Un sentimiento panteísta, pagano, empujaba a Valdelomar a la aldea, a la naturaleza. Las impresiones de su infancia, trascurrida en una apacible caleta de pescadores gravitan melodiosamente en su subconsciencia. Valdelomar es singularmente sensible a las cosas rústicas. La emoción de su infancia está hecha de hogar, de playa y de campo. El "soplo denso, perfumado del mar", la impregna de una tristeza tónica y salobre:

y lo que él me dijera aún en mi alma persiste;

mi padre era callado y mi madre era triste
y la alegría nadie me la supo enseñar.

(Tristitía)

Tiene, empero, Valdelomar la sensibilidad cosmopolita y viajera del hombre moderno. Nueva York, *Time Square*, son motivos que lo atraen tanto como la aldea encantada y el "caballero carmelo". Del piso 54 de Woolworth pasa sin esfuerzo a la yerbasanta y la verdolaga de los primeros soledosos caminos de su infancia. Sus cuentos acusan la movilidad caleidoscópica de su fantasía. El dandysmo de sus cuentos yanquis y cosmopolitas, el exotismo de sus imágenes chinas u orientales ("mi alma tiembla como un junco débil"), el romanticismo de sus leyendas incaicas, el impresionismo de sus relatos criollos son en su obra estaciones que se suceden, se repiten, se alternan en el itinerario del artista, sin transiciones y sin rupturas espirituales.

Su obra es esencialmente fragmentaria y escisípara. La existencia y el trabajo del artista se resentían de indisciplina y exuberancia criollas. Valdelomar reunía, elevadas a su máxima potencia, las cualidades y los defectos del mestizo costeño. Era un temperamento excesivo, que del más exasperado orgasmo creador caía en el más asiático y fatalista renunciamiento de todo deseo. Simultáneamente ocupaban su imaginación un ensayo estético, una divagación humorística, una tragedia pastoril (*Verdolaga*), una vida romancesca (*La Mariscala*). Pero poseía el don del creador. Los gallinazos del Martinete, la Plaza del Mercado, las riñas de gallos, cualquier tema podía poner en marcha su imaginación, con fructuosa cosecha artística. De muchas cosas, Valdelomar es descubridor. A él se le reveló, primero que a nadie en nuestras letras, la trágica belleza agonal de las corridas de toros. En tiempos en que este asunto estaba reservado aún a la prosa pedestre de los iniciados en la tauromaquia, escribió su *Belmonte, el trágico*.

La "greguería" empieza con Valdelomar en nuestra literatura. Me consta que los primeros libros de Gómez de la Serna que arribaron a Lima, gustaron sobremanera a Valdelomar. El gusto atomístico de la "greguería" era, además, innato en él, aficionado a la pesquisa original y a la búsqueda microcósmica. Pero, en cambio, Valdelomar no sospechaba aún en Gómez de la Serna al descubridor del Alba. Su retina de criollo impresionista era experta en gozar voluptosamente, desde la ribera dorada, los colores ambiguos del crepúsculo.

Impresionismo: ésta es, dentro de su variedad espacial, la filiación más precisa de su arte.

XI. Nuestros "independientes"

Al margen de los movimientos, de las tendencias, de los cenáculos y hasta de las propias generaciones, no han faltado en el proceso de nuestra literatura casos más o menos independientes y solitarios de vocación literaria. Pero en el proceso de una literatura se borra lentamente el recuerdo del escritor y del artista que no dejan descendencia. El escritor, el artista, pueden trabajar fuera de todo grupo, de toda escuela, de todo movimiento. Mas su obra entonces no puede salvarlo del olvido si no es en sí misma un mensaje a la posteridad. No sobrevive sino el precursor, el anticipador, el suscitador. Por esto, las individualidades me interesan, sobre todo, por su influencia. Las individualidades, en mi estudio, no tienen su más esencial valor en sí mismas, sino en su función de signos.

Ya hemos visto cómo a una generación o, mejor, a un movimiento radical que reconoció su líder en González Prada, siguió un movimiento neocivilista o colonialista que proclamó su patriarca a Palma. Y cómo vino después un movimiento "colónida" precursor de una nueva generación. Pero eso no quiere decir que toda la literatura de este largo periodo corresponda necesariamente al fenómeno "futurista" o al fenómeno "colónida".

Tenemos el caso del poeta Domingo Martínez Luján, bizarro espécimen de la vieja bohemia romántica, algunos de cuyos versos señalarán en las antologías algo así como la primera nota rubendariana de nuestra poesía. Tenemos el caso de Manuel Beingolea, cuentista de fino humorismo y de exquisita fantasía que cultiva, en el cuento, el decadentismo de lo raro y lo extraordinario. Tenemos el caso de José María Eguren, que representa en nuestra historia literaria la poesía "pura", antes que la poesía simbolista.

El caso de Eguren, empero, por su excepcional ascendiente, no se mantiene extraño al juego de las tendencias. Constituye un valor surgido aparte de una generación, pero que deviene luego un valor polémico en el diálogo de dos generaciones en contraste. Desconocido, desdeñado por la generación "futurista" que aclama como su poeta a Gálvez, Eguren es descubierto y adoptado por el movimiento "colónida"

La revelación de Eguren empieza en la revista *Contemporáneos* sobre la que debo decir algunas palabras. *Contemporáneos* marca incontestablemente una fecha en nuestra historia literaria. Fundada por Enrique Bustamante y Ballivián y Julio Alfonso Hernández, esta revista aparece como el órgano de un grupo de "independientes" que sienten la necesidad de afirmar su autonomía del cenáculo "colonialista". De la generación de Riva Agüero, estos "independientes" repudian más la estética que el espíritu. *Contemporáneos* se presenta, ante todo, como la avanzada del modernismo en èl Perú. Su programa es exclusivamente literario. Hasta como simple revista de renovación literaria, le faltan agresividad, exaltación, beligerancia. Tiene la ponderación parnasiana de Enrique Bustamante y Ballivián, su director. Mas sus actitudes poseen de todos modos un sentido de protesta. Los "independientes" de *Contemporáneos* buscan la amistad de González Prada. Este gesto afirma por sí solo una "secesión". El poeta de *Exóticas,* el prosador de *Páginas libres*, que entonces no colaboraba sino en algún acre y pobre periódico anarquista, reaparece en 1909 ante el público de las revistas literarias, en compañía de unos independientes que estimaban en él al parnasiano, al aristócrata, más que al acusador, más que al rebelde. Pero no importa. Este hecho anuncia ya una reacción.

La revista *Contemporáneos*, despararecida después de unos cuantos números, intenta renacer en una revista más voluminosa, *Cultura*. Bustamante y Ballivián se asocia para esta tentativa a Valdelomar. Pero antes del primer número los codirectores riñen. *Cultura* sale sin Valdelomar. El primer y único número da la impresión de una revista más ecléctica, menos representativa que *Contemporáneos*. El fracaso de este experimento prepara a *Colónida*.

Pero estos y otros intentos revelan que si la generación de Riva Agüero no pudo desdoblarse y dividirse en dos bandos, en los grupos antagónicos y definidos, no constituyó tampoco una generación uniforme y unánime. En ninguna generación se presentan esta uniformidad, esta unanimidad. La de Riva Agüero tuvo sus "independientes", tuvo sus heterodoxos. Espiritual e ideológicamente, el de más personalidad y significación fue sin duda Pedro S. Zulen. A Zulen no le disgustaban únicamente el academicismo y la retórica de los "futuristas"; le disgustaba profundamente el espíritu conservador y tradicionalista. Frente a una generación "colonialista", Zulen se declaró "pro-indigenista". Los demás "independientes" —Enrique Bustamante y Ballivián, Alberto J. Ureta, etcétera— se contentaron con una implícita secesión literaria.

XII. Eguren

José María Eguren representa en nuestra historia literaria la poesía pura. Este concepto no tiene ninguna afinidad con la tesis del Abate Brémond. Quiero simplemente expresar que la poesía de Eguren se distingue de la mayor parte de la poesía peruana en que no pretende ser historia, ni filosofía ni apologética sino exclusiva y solamente poesía.

Los poetas de la República no heredaron de los poetas de la Colonia la afición a la poesía teológica —mal llamada religiosa o mística— pero sí heredaron la afición a la poesía cortesana y ditirámbica. El parnaso peruano se engrosó bajo la República con nuevas odas, magras unas, hinchadas otras. Los poetas pedían un punto de apoyo para mover el mundo, pero este punto de apoyo era siempre un evento, un personaje. La poesía se presentaba, por consiguiente, subordinada a la cronología. Odas a los héroes o hechos de América cuando no a los reyes de España, constituían los más altos monumentos de esta poesía de efemérides o de ceremonia que no cerraba la emoción de una época o de una gesta sino apenas de una fecha. La poesía satírica estaba también, por razón de su oficio, demasiado encadenada al evento, a la crónica.

En otros casos, los poetas cultivaban el poema filosófico que generalmente no es poesía ni es filosofía. La poesía degeneraba en un ejercicio de declamación metafísica.

El arte de Eguren es la reacción contra este arte gárrulo y retórico, casi íntegramente compuesto de elementos temporales y contingentes. Eguren se comporta siempre como un poeta puro. No escribe un solo verso de ocasión, un solo canto sobre medida. No se preocupa del gusto del público ni de la crítica. No canta a España, ni a Alfonso XIII, ni a Santa Rosa de Lima. No recita siquiera sus versos ni en veladas ni fiestas. Es un poeta que en sus versos dice a los hombres únicamente su mensaje divino.

¿Cómo salva este poeta su personalidad? ¿Cómo encuentra y afina en esta turbia atmósfera literaria sus medios de expresión? Enrique Bustamante y Ballivián que lo conoce íntimamente nos ha dado un interesante esquema de su formación artística: "Dos han sido los más importantes factores en la formación del poeta dotado de riquísimo temperamento: las impresiones campestres recibidas en su infancia en Chuquitanta, haciendo de su familia en las inmediaciones de Lima, y las lecturas que desde su niñez le hiciera de los clásicos españoles su hermano Jorge. Diéronle las primeras no sólo el paisaje que da fondo a muchos de sus poemas, sino el profundo sentimiento de la naturaleza expresado en símbolos como lo siente la gente del campo que lo anima con leyendas y consejas y lo puebla de duendes y brujas, monstruos y trasgos. De aquellas clásicas lecturas, hechas con culto criterio y ponderado buen gusto, sacó la afición literaria, la riqueza de léxico y ciertos giros arcaicos que dan sabor peculiar a su muy moderna poesía. De su hogar, profundamente cristiano y místico, de recia moralidad cerrada, obtuvo la pureza de alma y la tendencia al ensueño. Puede agregarse que en él, por su hermana Susana, buena pianista y cantante, obtuvo la afición musical que es tendencia de muchos de sus versos. En cuanto al color y a la riqueza plástica, no se debe olvidar que Eguren es un buen pintor (aunque no llegue a su altura de poeta) y que comenzó a pintar antes de escribir. Ha notado algún crítico que Eguren es un poeta de la infancia y que allí está su virtud principal. Ello seguramente ha de tener origen (aunque discrepemos de la opinión del crítico) en que los primeros versos del poeta fueron escritos para sus sobrinas y que son cuadros de la infancia en que ellas figuran.''[30]

Encuentro excesivo o, más bien, impreciso, calificar a Eguren de poeta de la infancia. Pero me parece evidente su calidad esencial de poeta de espíritu y sensibilidad infantiles. Toda su poesía es una versión encantada y alucinada de la vida. Su simbolismo viene, ante todo, de sus impresiones de niño. No depende de influencias ni de sugestiones literarias. Tiene sus raíces en la propia alma del poeta. La poesía de Eguren es la prolongación de su infancia. Eguren conserva íntegramente en sus versos la ingenuidad y la *rêverie* del niño. Por eso su poesía es una visión tan virginal de las cosas. En sus ojos deslumbrados de infante, está la explicación total del milagro.

266

Este rasgo del arte de Eguren no aparece sólo en las que específicamente pueden ser clasificadas como poesías de tema infantil. Eguren expresa siempre las cosas y la naturaleza con imágenes que es fácil identificar y reconocer como escapadas de su subconciencia de niño. La plástica imagen de un "rey colorado de barba de acero" —una de las notas preciosas de *Eroe*, poesía de música rubendariana— no puede ser encontrada sino por la imaginación de un infante. "Los reyes rojos", una de las más bellas creaciones del simbolismo de Eguren, acusa análogo origen en su bizarra composición de calcomanía:

Desde la aurora
combaten dos reyes rojos
con lanza de oro.

Por verde bosque
y en los purpurinos cerros
vibra su ceño.

Falcones reyes
batallan en lejanías
de oro azulinas.

Por la luz cadmio,
airadas se ven pequeñas
sus formas negras.

Viene la noche
y firmes combaten foscos
los reyes rojos.

Nace también de este encantamiento del alma de Eguren su gusto por lo maravilloso y lo fabuloso. Su mundo es el mundo indescifrable y aladinesco de "la niña de la lámpara azul". Con Eguren aparece por primera vez en nuestra literatura la poesía de lo maravilloso. Uno de los elementos y de las características de esta poesía es el exotismo. *Simbólicas* tiene un fondo de mitología escandina-

267

va y de medievo germano. Los mitos helenos no asoman nunca en el paisaje wagneriano y grotesco de sus cromos sintetistas.

■

Eguren no tiene ascendientes en la literatura peruana. Bustamante y Ballivián afirma que González Prada "no encontraba en ninguna literatura origen al simbolismo de Eguren". También yo recuerdo haber oído a González Prada más o menos las mismas palabras

Clasifico a Eguren entre los precursores del periodo cosmopolita de nuestra literatura. Eguren —he dicho ya— aclimata en un clima poco propicio la flor preciosa y pálida del simbolismo. Pero esto no quiere decir que yo comparta, por ejemplo, la opinión de los que suponen en Eguren influencias vivamente perceptibles del simbolismo francés. Pienso, por el contrario, que esta opinión es equivocada. El simbolismo francés no nos da la clave del arte de Eguren. Se pretende que en Eguren hay trazas especiales de la influencia de Rimbaud. Mas el gran Rimbaud era, temperamentalmente, la antítesis de Eguren. Nietzscheano, agónico, Rimbaud habría exclamado con el Guillén de *Deucalión*: "Yo he de ayudar al diablo a conquistar el cielo". André Rouveyre lo declara "el prototipo del sarcasmo demoniaco y del blasfemo despreciante". Mílite de la Comuna, Rimbaud tenía una psicología de aventurero y de revolucionario. "Hay que ser absolutamente moderno", repetía. Y para serlo dejó a los veintidós años la literatura y París. A ser poeta en París prefirió ser *pioneer* en Africa. Su vitalidad excesiva no se resignaba a una bohemia citadina y decadente, más o menos verlainiana. Rimbaud, en una palabra, era un ángel rebelde. Eguren, en cambio, se nos muestra siempre exento de satanismo. Sus tormentas, sus pesadillas son encantadas e infantilmente feéricas. Eguren encuentra pocas veces su acento y su alma tan cristalinamente como en "Los ángeles tranquilos":

Pasó el vendaval; ahora
con perlas y berilos,
cantan la soledad aurora
los ángeles tranquilos.

Modulan canciones santas
en dulces bandolines;
viendo caídas las hojosas plantas
de campos y jardines.

Mientras el sol en la neblina
vibra sus oropeles,
besan la muerte blanquecina
en los Saharas crueles.

Se alejan de madrugada
con perlas y berilos
y con la luz del cielo en la mirada
los ángeles tranquilos.

El poeta de *Simbólicas* y de *La canción de las figuras* representa, en nuestra poesía, *el* simbolismo; pero no *un* simbolismo. Y mucho menos una escuela simbolista. Que nadie le regatee originalidad. No es lícito regatearla a quien ha escrito versos tan absoluta y rigurosamente originales como los de "El Duque":

Hoy se casa el duque Nuez;
viene el chantre, viene el juez
y con pendones escarlata
florida cabalgata;
a la una, a las dos, a las diez;
que se casa el Duque primor
con la hija de Clavo de Olor.
Allí están con pieles de bisonte,
los caballos de Lobo del Monte,
y con ceño triunfante,
Galo Cetrino, Rodolfo Montante.

269

Y en la capilla está la bella,
mas no ha venido el Duque tras ella;
los magnates postradores,
aduladores
al suelo el penacho inclinan;
los corvados, los bisiestos
dan sus gestos, sus gestos, sus gestos;
y la turba melenuda
estornuda, estornuda, estornuda.
Y a los pórticos y a los espacios
mira la novia con ardor...
son sus ojos dos topacios
de brillor.
Y hacen fieros ademanes,
nobles rojos como alacranes;
concentrando sus resuellos
grita el más hercúleo de ellos:
¿Quién al gran Duque entretiene?
¡ya el gran cortejo se irrita!...
Pero el Duque no viene;...
se lo ha comido Paquita.

Rubén Darío creía pensar en francés más bien que en castellano. Probablemente no se engañaba. El decadentismo, el preciosismo, el bizantinismo de su arte son los del París finisecular y verlainiano del cual el poeta se sintió huésped y amante. Su barca "provenía del divino astillero del divino Watteau". Y el galicismo de su espíritu engendraba el galicismo de su lenguaje. Eguren no presenta el uno ni el otro. Ni siquiera su estilo se resiente de afrancesamiento.[31] Su forma es española; no es francesa. Es frecuente y es sólito en sus versos, como lo remarca Bustamante y Ballivián, el giro arcaico. En nuestra literatura, Eguren es uno de los que representan la reacción contra el españolismo porque, hasta su orto, el españolismo era todavía retoricismo barroco o romanticismo grandilocuente. Eguren, en todo caso, no es como Rubén Darío un enamorado de la Francia siglo XVIII y rococó.

Su espíritu desciende del medievo, más bien que del sete-
cientos. Yo lo hallo hasta más gótico que latino. Ya he
aludido a su predilección por los mitos escandinavos y
germánicos. Constataré ahora que en algunas de sus primeras composiciones, de acento y gusto un poco ruben-
darianos, como "Las bodas vienesas" y "Lis", la imaginación de Eguren abandona siempre el mundo diecio-
chesco para partir en busca de un color o una nota medievales:

> Comienzan ambiguas
> añosas marquesas
> sus danzas antiguas
> y sus polonesas
>
> Y llegan arqueros
> de largos bigotes
> y evitan los fieros
> de los monigotes.

Me parece que algunos elementos de su poesía —la ternura y el candor de la fantasía, verbigracia— emparentan
vagamente a veces a Eguren con Maeterlinck —el Maeterlinck de los buenos tiempos—. Pero esta indecisa afinidad no revela precisamente una influencia maeterlinckia-
na. Depende más bien de que la poesía de Eguren, por las
rutas de lo maravilloso, por los caminos del sueño, toca
el misterio. Mas Eguren interpreta el misterio con la inocencia de un niño alucinado y vidente. Y en Maeterlinck
el misterio es con frecuencia un producto de alquimia literaria.

Objetando su galicismo, analizando su simbolismo, se
abre de improviso, feéricamente, en un encantamiento,
la puerta secreta de una interpretación genealógica del
espíritu y del temperamento de José M. Eguren.

■

Eguren desciende del medievo. Es un eco puro —extra-

271

viado en el trópico americano— del Occidente medieval. No procede de la España morisca sino de la España gótica. No tiene nada de árabe en su temperamento ni en su espíritu. Ni siquiera tiene mucho de latino. Sus gustos son un poco nórdicos. Pálido personaje de Van Dyck, su poesía se puebla a veces de imágenes y reminiscencias flamencas y germanas. En Francia el clasicismo le reprocharía su falta de orden y claridad latinas. Maurras lo hallaría demasiado tudesco y caótico. Porque Eguren no procede de la Europa renacentista o rococó. Procede espiritualmente de la edad de las cruzadas y las catedrales. Su fantasía bizarra tiene un parentesco característico con la de los decoradores de las catedrales góticas en su afición a lo grotesco. El genio infantil de Eguren se divierte en lo grotesco, finamente estilizado con gusto prerrenacentista:

Dos infantes oblongos deliran
y al cielo levantan sus rápidas manos
y dos rubias gigantes suspiran
y el coro preludian cretinos ancianos.
Y al dulzor de virgíneas camelias
va en pos del cortejo la banda macrovia
y rígidas, fuertes, las tías Adelias,
y luego cojeando, cojeando la novia.

(Las bodas vienesas)

A la sombra de los estucos
llegan viejos y zancos,
en sus mamelucos
los vampiros blancos.

(Diosa ambarina)

Los magnates postradores
aduladores
al suelo el penacho inclinan
los corvados, los bisiestos
dan sus gestos, sus gestos, sus gestos;

y la turba melenuda
estornuda, estornuda, estornuda.

(El Duque)

En Eguren subsiste, mustiado por los siglos, el espíritu
aristocrático. Sabemos que en el Perú la aristocracia colonial se transformó en burguesía republicana. El antiguo "encomendero" remplazó formalmente sus principios feudales y aristocráticos por los principios demoburgueses de la revolución libertadora. Este sencillo
cambio le permitió conservar sus privilegios de "encomendero" y latifundista. Por esta metamorfosis, así como
no tuvimos bajo el virreinato una auténtica aristocracia,
no tuvimos tampoco bajo la República una auténtica burguesía. Eguren —el caso tenía que darse en un poeta— es tal
vez el único descendiente de la genuina Europa medieval y
gótica. Biznieto de la España aventurera que descubrió
América, Eguren se satura en la hacienda costeña, en el solar nativo, de ancianos aromas de leyenda. Su siglo y su
medio no sofocan en él de todo el alma medieval. (En España, Eguren habría amado como Valle Inclán los héroes
y los hechos de las guerras carlistas.) No nace cruzado —es
demasiado tarde para serlo—, pero nace poeta. La afición
de su raza a la aventura se salva en la goleta corsaria de su
imaginación. Como no le es dado tener el alma aventurera,
tiene al menos aventurera la fantasía.

Nacida medio siglo antes, la poesía de Eguren habría
sido romántica,[32] aunque no por esto de mérito menos
imperecedero. Nacida bajo el signo de la decadencia novecentista, tenía que ser simbolista. (Maurras no se engaña cuando mira en el simbolismo la cola de la cola del romanticismo.) Eguren habría necesitado siempre evadirse
de su época, de la realidad. El arte es una evasión cuando
el artista no puede aceptar ni traducir la época y la realidad que le tocan. De estos artistas han sido en nuestra
América —dentro de sus temperamentos y sus tiempos
disímiles— José Asunción Silva y Julio Herrera y Reissig.
Estos artistas maduran y florecen extraños y contra-

rios al penoso y áspero trabajo de crecimiento de sus pueblos. Como diría Jorge Luis Borges, son artistas de una cultura, no de una estirpe. Pero son quizá los únicos artistas que, en cierto periodos de su historia, puede poseer un pueblo, puede producir una estirpe. Valerio Brussiov, Alejandro Block, simbolistas y aristócratas también, representaron en los años anteriores a la revolución la poesía rusa. Venida la revolución, los dos descendieron de su torre solariega al ágora ensangrentada y tempestuosa.

Eguren, en el Perú, no comprende ni conoce al pueblo. Ignora al indio, lejano de su historia y extraño a su enigma. Es demasiado occidental y extranjero espiritualmente para asimilar el orientalismo indígena. Pero, igualmente, Eguren no comprende ni conoce tampoco la civilización capitalista, burguesa, occidental. De esta civilización, le interesa y le encanta únicamente, la colosal juguetería. Eguren se puede suponer moderno porque admira el avión, el submarino, el automóvil. Mas en el avión, en el automóvil, etcétera, admira no la máquina sino el juguete fantástico que el hombre ha construido para atravesar los mares y los continentes. Eguren ve al hombre jugar con la máquina; no ve, como Rabindranath Tagore, a la máquina esclavizar al hombre.

La costa mórbida, blanda, parda, lo ha aislado tal vez de la historia y de la gente peruanas. Quizá la sierra lo habría hecho diferente. Una naturaleza incolora y monótona es responsable, en todo caso, de que su poesía sea algo así como una poesía de cámara. Poesía de estancia y de interior. Porque así como hay una música y una pintura de cámara, hay también una poesía de cámara. Que, cuando es la voz de un verdadero poeta, tiene el mismo encanto.

XIII. Alberto Hidalgo

Alberto Hidalgo significó en nuestra literatura, de 1917 a

1918, la exasperación y la terminación del experimento "colónida". Hidalgo llevó la megalomanía, la egolatría, la beligerancia del gesto "colónida" a sus más extremas consecuencias. Los bacilos de esta fiebre, sin la cual no habría sido posible tal vez elevar la temperatura de nuestras letras, alcanzaron en el Hidalgo, todavía provinciano de *Panoplia lírica,* su máximo grado de virulencia. Valdelomar estaba ya de regreso de su aventuroso viaje por los dominios d'annunzianos, en el cual —acaso porque en D'Annunzio junto a Venecia bizantina está el Abruzzo rústico y la playa adriática— descubrió la costa de la criolledad y entrevió lejano el continente del incaísmo. Valdelomar había guardado, en sus actitudes másególatras, su humorismo. Hidalgo, un poco tieso aún dentro de su chaqué arequipeño, no tenía la misma agilidad para la sonrisa. El gesto "colónida" en él era patético. Pero Hidalgo, en cambio, iba a aportar a nuestra renovación literaria, quizá por su misma bronca virginidad de provinciano, a quien la urbe no había aflojado, un gusto viril por la mecánica, el maquinismo, el rascacielo, la velocidad, etcétera. Si con Valdelomar incorporamos en nuestra sensibilidad, antes estragada por el espeso chocolate escolástico, a D'Annunzio, con Hidalgo asimilamos a Marinetti, explosivo, trepidante, camorrista. Hidalgo, panfletista y lapidario, continuaba, desde otro punto de vista, la línea de González Prada y More. Era un personaje excesivo para un público sedentario y reumático. La fuerza centrífuga y secesionista que lo empuja, se lo llevó de aquí en un torbellino.

Hoy Hidalgo es, aunque no se mueva de un barrio de Buenos Aires, un poeta del idioma. Apenas sí, como antecedente, se puede hablar de sus aventuras de poeta local. Creciendo, creciendo, ha adquirido efectiva estatura americana. Su literatura tiene circulación y cotización en todos los mercados del mundo hispano. Como siempre, su arte es de sucesión. El clima austral ha temperado y robustecido sus nervios un poco tropicales, que conocen todos los grados de la literatura y todas las latitudes de la

275

imaginación. Pero Hidalgo está· —como no podía dejar de estar— en la vanguardia. Se siente —según sus palabras— en la izquierda de la izquierda.

Esto quiere decir, ante todo, que Hidalgo ha visitado las diversas estaciones y recorrido los diversos caminos del arte ultramoderno. La experiencia vanguardista le es, íntegramente, familiar. De esta gimnasia incesante, ha sacado una técnica poética depurada de todo rezago sospechoso. Su expresión es límpida, bruñida, certera, desnuda. El lema de su arte es este: "simplismo".

Pero Hidalgo por su espíritu está, sin quererlo y sin saberlo, en la última estación romántica. En muchos versos suyos, encontramos la confesión de su individualismo absoluto. De todas las tendencias literarias contemporáneas, el unanimismo es, evidentemente, la más extraña y ausente de su poesía. Cuando logra su más alto acento de lírico puro, se evade a veces de su egocentrismo. Así, por ejemplo, cuando dice: "Soy apretón de manos a todo lo que vive. / Poseo plena la vecindad del mundo." Mas con estos versos empieza su poema "Envergadura del anarquista" que es la más sicera y lírica efusión de su individualismo. Y desde el segundo verso, la idea de "vecindad del mundo" acusa el sentimiento de secesión y de soledad.

El romanticismo —entendido como movimiento literario y artístico anexo a la revolución burguesa— se resuelve, conceptual y sentimentalmente, en individualismo. El simbolismo, el decadentismo, no han sido sino estaciones románticas. Y lo han sido también las escuelas modernistas en los artistas que no han sabido escapar al subjetivismo excesivo de la mayor parte de sus proposiciones.

Hay un síntoma sustantivo en el arte individualista, que indica, mejor que ningún otro, un proceso de disolución: el empeño con que cada arte y hasta cada elemento artístico, reivindica su autonomía. Hidalgo es uno de los que más radicalmente adhieren a este empeño, si nos atenemos a su tesis del "poema de varios lados". "Poema en el que cada uno de sus versos constituye un ser libre, a pesar de hallarse al servicio de una idea o de una emoción centrales." Tenemos así proclamada, categóricamente, la autonomía, la individualidad del verso. La estética del anarquista no podía ser otra.

Políticamente, históricamente, el anarquismo es, como está averiguado, la extrema izquierda del liberalismo. Entra, por tanto, a pesar de todas las protestas inocentes o interesadas, en el orden ideológico burgués. El anarquista, en nuestro tiempo, puede ser un *revolté,* pero no es, históricamente, un revolucionario.

Hidalgo —aunque lo niegue— no ha podido sustraerse a la emoción revolucionaria de nuestro tiempo cuando ha escrito su *Ubicación de Lenin* y su *Biografía de la palabra revolución.* En el prefacio de su último libro *Descripción del cielo,* la visión subjetiva lo hace, sin embargo, escribir que el primero "es un poema de exaltación, de pura lírica, no de doctrina" y que "Lenin ha sido un pretexto para crear como pudo serlo una montaña, un río o una máquina", y que *"Biografía de la palabra revolución* es un elogio de la revolución pura, de la revolución en sí, cualquiera que sea la causa que la dicte". La revolución pura, la revolución en sí, querido Hidalgo, no existe para la historia y no existe tampoco para la poesía. La revolución pura es una abstracción. Existen la revolución liberal, la revolución socialista, otras revoluciones. No existe la revolución pura, como cosa histórica ni como tema poético.

De las tres categorías primarias en que, por comodidad de clasificación y de crítica, cabe, a mi juicio, dividir la poesía de hoy —lírica pura, disparate absoluto y épica revolucionaria—, Hidalgo siente, sobre todo, la primera; y aquí está su fuerza más grande, la que le ha dado sus más bellos poemas. El poema a Lenin es una creación lírica. (Hidalgo se engaña sólo en cuanto se supone ajeno a la emoción histórica.) Este poema, que ha salvado íntegramente todos los riesgos profesionales, es a la vez de una gran pureza poética. Lo transcribiría entero, si estos versos no bastasen:

En el corazón de los obreros su nombre se levanta antes que el sol.
Lo bendicen los carretes de hilo
desde lo alto de los mástiles
de todas las máquinas de coser

Pianos de la época las máquinas de escribir tocan so-
   natas en su honor.

Es el descanso automático
que hace leve el andar del vendedor ambulante

Cooperativa general de esperanzas

Su pregón cae en la alcancía de los humildes
ayudando a pagar la casa a plazos

Horizonte hacia el que se abre la ventana del pobre

Colgado del badajo del sol
golpea en los metales de la tarde
para que salgan a las 17 los trabajadores.

Su lirismo salva a Hidalgo de caer en un arte excesivamente cerebral, subjetivo, nihilista. No es posible dudar
de él, capaz de recrearse en este "Dibujo del niño":

Infancia pueblo de los recuerdos
tomo el tranvía para irme a él.

La evasión de las cosas se inicia con terquedad de acei-
   te que se esparce

El suelo no está aquí
Pasa una nube y borra el cielo
Desaparecen aire y luz y esto queda vacío.

Entonces sales de un brinco del fondo inabordable de
   mi olvido

Fue en el recodo de una tarde señalado de luz por tu si-
    lueta
Una emoción sin nombre tenía encadenadas nuestras
    manos

Tus miradas convocaban mi beso
Pero tu risa río entre los dos corría separándonos niña
Y yo desde mi orilla te postergué hasta el sueño.

Ahora tengo treinta años menos de los que me entre-
    garon para darte
Si tú has muerto yo guardo este paisaje de mi corazón
    pintado en ti.

El disparate —si enjuiciamos la actualidad de Hidalgo
por *Descripción del cielo*— desaparece casi completamente de su poesía. Es, más bien, uno de los elementos de su
prosa; y nunca es, en verdad, disparate absoluto. Carece
de su incoherencia alucinada: tiende, más bien, al disparate lógico, racional. La épica revolucionaria —que
anuncia un nuevo romanticismo indemne del individualismo del que termina— no se concilia con su temperamento ni con su vida, violentamente anárquicos.

A su individualismo exasperado, debe Hidalgo su dificultad para el cuento o la novela. Cuando los intenta, se
mueve dentro de un género que exige la extraversión del
artista. Los cuentos de Hidalgo son los de un artista in-
travertido. Sus personajes aparecen esquemáticos, artificiales, mecánicos. Le sobra a su creación, hasta cuando
es más fantástica, la excesiva, intolerante y tiránica presencia del artista, que se niega a dejar vivir a sus criaturas
por su propia cuenta, porque pone demasiado en todas
ellas su individualidad y su intención.

XIV. César Vallejo

El primer libro de César Vallejo, *Los heraldos negros,* es

el orto de una nueva poesía en el Perú. No exagera, por fraterna exaltación, Antenor Orrego, cuando afirma que "a partir de este sembrador se inicia una nueva época de la libertad, de la autonomía poética, de la vernácula articulación verbal".[33]

Vallejo es el poeta de una estirpe, de una raza. En Vallejo se encuentra, por primera vez en nuestra literatura, sentimiento indígena virginalmente expresado. Melgar —signo larvado, frustrado— en sus yaravíes es aún un prisionero de la técnica clásica, un gregario de la retórica española. Vallejo, en cambio, logra en su poesía un estilo nuevo. El sentimiento indígena tiene en sus versos una modulación propia. Su canto es íntegramente suyo. Al poeta no le basta traer un mensaje nuevo. Necesita traer una técnica y un lenguaje nuevo también. Su arte no tolera el equívoco y artificial dualismo de la esencia y la forma. "La derogación del viejo andamiaje retórico —remarca certeramente Orrego— no era un capricho o arbitrariedad del poeta, era una necesidad vital. Cuando se comienza a comprender la obra de Vallejo, se comienza a comprender también la necesidad de una técnica renovada y distinta."[34] El sentimiento indígena es en Melgar algo que se vislumbra sólo en el fondo de sus versos; en Vallejo es algo que se ve aflorar plenamente al verso mismo cambiando su estructura. En Melgar no es sino el acento; en Vallejo es el verbo. En Melgar, en fin, no es sino queja erótica; en Vallejo es empresa metafísica. Vallejo es un creador absoluto. *Los heraldos negros* podía haber sido su obra única. No por eso Vallejo habría dejado de inaugurar en el proceso de nuestra literatura una nueva época. En estos versos del pórtico de *Los heraldos negros* principia acaso la poesía peruana. (Peruana, en el sentido de indígena.)

Hay golpes en la vida, tan fuertes... ¡Yo no sé!
Golpes como del odio de Dios; como si ante ellos,
la resaca de todo lo sufrido
se empozara en el alma... ¡Yo no sé!

Son pocos; pero son... Abren zanjas oscuras
en el rostro más fiero y en el lomo más fuerte.
Serán tal vez los potros de bárbaros atilas;
o los heraldos negros que nos manda la Muerte.

Son las caídas hondas de los Cristos del alma,
de alguna fe adorable que el Destino blasfema.
Esos golpes sangrientos son las crepitaciones
de algún pan que en la puerta del horno se nos quema.

Y el hombre... ¡Pobre... pobre! Vuelve los ojos, como
cuando por sobre el hombro nos llama una palmada;
vuelve los ojos locos, y todo lo vivido
se empoza, como un charco de culpa, en la mirada.

Hay golpes en la vida, tan fuertes... ¿Yo no sé!

Clasificado dentro de la literatura mundial, este libro,
Los heraldos negros, pertenece parcialmente, por su título
verbigracia, al ciclo simbolista. Pero el simbolismo es de
todos los tiempos. El simbolismo, de otro lado, se presta
mejor que ningún otro estilo a la interpretación del espíritu indígena. El indio, por animista y por bucólico, tiende a expresarse en símbolos e imágenes antropomórficas
o campesinas. Vallejo además no es sino en parte simbolista. Se encuentra en su poesía —sobre todo de la primera manera— elementos de simbolismo, tal como se encuentra elementos de expresionismo, de dadaísmo y de
suprarrealismo. El valor sustantivo de Vallejo es el creador. Su técnica está en continua elaboración. El procedi-
miento, en su arte, corresponde a un estado de ánimo.
Cuando Vallejo en sus comienzos toma en préstamo, por
ejemplo, su método a Herrera Reissig, lo adapta a su personal lirismo.

Mas lo fundamental, lo característico en su arte es la
nota india. Hay en Vallejo un americanismo genuino y
escencial; no un americanismo descriptivo o localista.
Vallejo no recurre al folklore. La palabra quechua, el giro

vernáculo no se injertan artificiosamente en su lenguaje; son en él producto espontáneo, célula propia, elemento orgánico. Se podría decir que Vallejo no elige sus vocablos. Su autoctonismo no es deliberado. Vallejo no se hunde en la tradición, no se interna en la historia, para extraer de su oscuro *substractum* perdidas emociones. Su poesía y su lenguaje emanan de su carne y su ánima. Su mensaje está en él. El sentimiento indígena obra en su arte quizá sin que él lo sepa ni lo quiera.

Uno de los rasgos más netos y claros del indigenismo de Vallejo me parece su frecuente actitud de nostalgia. Valcárcel, a quien debemos tal vez la más cabal interpretación del alma autóctona, dice que la tristeza del indio no es sino nostalgia. Y bien, Vallejo es acendradamente nostálgico. Tiene la ternura de la evocación. Pero la evocación en Vallejo es siempre subjetiva. No se debe confundir su nostalgia concebida con tanta pureza lírica con la nostalgia literaria de los pasadistas. Vallejo es nostalgioso, pero no meramente retrospectivo. No añora el Imperio como el pasadismo perricholesco añora el virreinato. Su nostalgia es una protesta sentimental o una protesta metafísica. Nostalgia de exilio; nostalgia de ausencia.

Qué estará haciendo esta hora mi andina y dulce Rita
de junco y capulí;
ahora que me asfixia Bizancio, y que dormita
la sangre, como flojo cognac, dentro de mí.
("Idilio muerto", *Los heraldos negros*)

¡Hermano, hoy estoy en el poyo de la casa,
donde nos haces una falta sin fondo!
Me acuerdo que jugábamos esta hora, y que mamá
nos acariciaba: "Pero hijos..."
("A mi hermano Miguel", *Los heraldos negros*)

He almorzado solo ahora, y no he tenido
madre, ni súplica, ni sírvete, ni agua,

ni padre que en el facundo ofertorio
de los choclos, pregunte para su tardanza
de imagen, por los broches mayores del sonido.

(XXVIII, Trilce)

Se acabó el extraño, con quien, tarde
la noche, regresabas parla y parla.
Ya no habrá quien me aguarde,
dispuesto mi lugar, bueno lo malo.

Se acabó la calurosa tarde;
tu gran bahía y tu clamor; la charla
con tu madre acabada
que nos brindaba un té lleno de tarde.

(XXXIV, Trilce)

Otras veces Vallejo presiente o predice la nostalgia que vendrá:

¡Ausente! La mañana en que a la playa
del mar de sombra y del callado imperio,
como un pájaro lúgubre me vaya,
será el blanco panteón tu cautiverio.

("Ausente", Los heraldos negros)

Verano, ya me voy. Y me dan pena
las manitas sumisas de tus tardes.
Llegas devotamente; llegas viejo;
y ya no encontrarás en mi alma a nadie.

("Verano", Los heraldos negros)

Vallejo interpreta a la raza en un instante en que todas us nostalgias, punzadas por un dolor de tres siglos, se xacerban. Pero —y en esto se identifica también un ras- o del alma india— sus recuerdos están llenos de esa dul- ura de maíz tierno que Vallejo gusta melancólicamente uando nos habla del "facundo ofertorio de los cho- los".

Vallejo tiene en su poesía el pesimismo del indio. Su hesitación, su pregunta, su inquietud, se resuelven escépticamente en un "¡para qué!". En este pesimismo se encuentra siempre un fondo de piedad humana. No hay en él nada de satánico ni de morboso. Es el pesimismo de un ánima que sufre y expía "la pena de los hombres" como dice Pierre Hamp. Carece este pesimismo de todo origen literario. No traduce una romántica desesperanza de adolescente turbado por la voz de Leopardi o de Schopenhauer. Resume la experiencia filosófica, condensa la actitud espiritual de una raza, de un pueblo. No se le busque parentesco ni afinidad con el nihilismo o el escepticismo intelectualista de Occidente. El pesimismo de Vallejo, como el pesimismo del indio, no es un concepto sino un sentimiento. Tiene una vaga trama de fatalismo oriental que lo aproxima, más bien, al pesimismo cristiano y místico de los eslavos. Pero no se confunden nunca con esa neurastenia agustiada que conduce al suicidio a los lunáticos personajes de Andreiev y Arzibachev. Se podría decir que así como no es un concepto, tampoco es una neurosis.

Este pesimismo se presenta lleno de ternura y caridad. Y es que no lo engendra un egocentrismo, un narcisismo, desencantados y exasperados, como en casi todos los casos del ciclo romántico. Vallejo siente todo el dolor humano. Su pena no es personal. Su alma "está triste hasta la muerte" de la tristeza de todos los hombres. Y de la tristeza de Dios. Porque para el poeta no sólo existe la pena de los hombres. En estos versos nos habla de la pena de Dios:

Siento a Dios que camina
tan en mí, con la tarde y con el mar.
Con él nos vamos juntos. Anochece.
Con él anochecemos. Orfandad...

Pero yo siento a Dios. Y hasta parece
que él me dicta no sé qué buen color.

Como un hospitalario, es bueno y triste;
mustia un dulce desdén de enamorado:
debe dolerle mucho el corazón.

Oh, Dios mío, recién a ti me llego,
hoy que amo tanto en esta tarde; hoy
que en la falsa balanza de unos senos,
miro y lloro una frágil Creación.

Y tú, cuál llorarás... tú, enamorado
de tanto enorme seno girador...
Yo te consagro Dios, porque amas tanto;
porque jamás sonríes; porque siempre
debe dolerte mucho el corazón.

Otros versos de Vallejo niegan esta intuición de la divinidad. En "Los dados eternos" el poeta se dirige a Dios
con amargura rencorosa. "Tú que estuviste siempre bien,
no sientes nada de tu creación." Pero el verdadero sentimiento del poeta, hecho siempre de piedad y de amor, no
es éste. Cuando su lirismo, exento de toda coerción racionalista, fluye libre y generosamente, se expresa en versos como éstos, los primeros que hace diez años me reve-
laron el genio de Vallejo:

El suertero que grita "La de a mil"
contiene no sé qué fondo de Dios.

Pasan todos los labios. El hastío
despunta en una arruga su yanó.
Pasa el suertero que atesora, acaso
nominal, como Dios.
entre panes tantálicos, humana
impotencia de amor.

Yo le miro al andrajo. Y él pudiera
darnos el corazón;
pero la suerte aquella que en sus manos

285

aporta, pregonando en alta voz
como un pájaro cruel, irá a parar
adonde no lo sabe ni lo quiere
este bohemio dios.

Y digo en este viernes tibio que anda
a cuestas bajo el sol:
¡por qué se habrá vestido de suertero
la voluntad de Dios!

"El poeta —escribe Orrego— habla individualmente, particulariza el lenguaje, pero piensa, siente y ama universalmente." Este gran lírico, este gran subjetivo, se comporta como un intérprete del universo, de la humanidad. Nada recuerda en su poesía la queja egolátrica y narcisista del romanticismo. El romanticismo del siglo XIX fue esencialmente individualista; el romanticismo del novecientos es, en cambio, espontánea y lógicamente socialista, unanimista. Vallejo, desde este punto de vista, no sólo pertenece a su raza, pertenece también a su siglo, a su evo.[35]

Es tanta su piedad humana que a veces se siente responsable de una parte del dolor de los hombres. Y entonces se acusa a sí mismo. Lo asalta el temor, la congoja de estar también él, robando a los demás:

Todos mis huesos son ajenos;
¡yo tal vez los robé!
Yo vine a darme lo que acaso estuvo
asignado para otro;
¡y pienso que, si no hubiera nacido,
otro pobre tomara este café!
Yo soy un mal ladrón... ¡A dónde iré!

¡Y en esta hora fría, en que la tierra
trasciende a polvo humano y es tan triste,
quisiera yo tocar todas las puertas,
y suplicar a no sé quién, perdón,

y hacerle pedacitos de pan fresco
aquí, en el horno de mi corazón...!

La poesía de *Los heraldos negros* es así siempre. El
ma de Vallejo se da entera al sufrimiento de los pobres.

Arriero, vas fabulosamente vidriado de sudor.
La Hacienda Menocucho.
cobra mil sinsabores diarios por la vida.

Este arte señala el nacimiento de una nueva sensibili-
d. Es un arte nuevo, un arte rebelde, que rompe con la
adición cortesana de una literatura de bufones y la-
yos. Este lenguaje es el de un poeta y un hombre. El
an poeta de *Los heraldos negros* y de *Trilce* —ese gran
eta que ha pasado ignorado y desconocido por las ca-
s de Lima tan propicias y rendidas a los laureles de los
glares de feria— se presenta, en su arte, como un pre-
rsor del nuevo espíritu, de la nueva conciencia.
Vallejo, en su poesía, es siempre un alma ávida de infi-
to, sedienta de verdad. La creación en él es, al mismo
mpo, inefablemente dolorosa y exultante. Este artista
aspira sino a expresarse pura e inocentemente. Se des-
ja, por eso, de todo ornamento retórico, se desviste de
da vanidad literaria. Llega a la más austera, a la más
milde, a la más orgullosa sencillez en la forma. Es un
ístico de la pobreza que se descalza para que sus pies
nozcan desnudos la dureza y la crueldad de su camino.
e aquí lo que escribe a Antenor Orrego después de ha-
er publicado *Trilce*: "El libro ha nacido en el mayor va-
o. Soy responsable de él. Asumo toda la responsabili-
d de su estética. Hoy, y más que nunca quizás, siento
avitar sobre mí, una hasta ahora desconocida obliga-
ón sacratísima de hombre y de artista: ¡la de ser libre! Si
he de ser hoy libre, no lo seré jamás. Siento que gana el
co de mi frente su más imperativa fuerza de heroicidad.
e doy en la forma más libre que puedo y ésta es mi

287

mayor cosecha artística. ¡Dios sabe hasta dónde es cierta y verdadera mi libertad! ¡Dios sabe cuánto he sufrido para que el ritmo no traspasara esa libertad y cayera en libertinaje! ¡Dios sabe hasta qué bordes espeluznantes me he asomado colmado de miedo, temeroso de que todo se vaya a morir a fondo para que mi pobre ánima viva!" Este es inconfundiblemente el acento de un verdadero creador, de un auténtico artista. La confesión de su sufrimiento es la mejor prueba de su grandeza.

XV. Alberto Guillén

Alberto Guillén heredó de la generación "colónida" el espíritu iconoclasta y ególatra. Extremó en su poesía la exaltación paranoica del yo. Pero, a tono con el nuevo estado de ánimo que maduraba ya, tuvo su poesía un acento viril. Extraño a los venenos de la urbe, Guillén discurrió, con rústico y pánico sentimiento, por los caminos del agro y la égloga. Enfermo de individualismo y nietzscheanismo, se sintió un superhombre. En Guillén la poesía peruana renegaba, un poco desgarbada pero oportuna y definitivamente, sus surtidores y sus fortunas.

Pertenecen a este momento de Guillén *Belleza humilde* y *Prometeo*. Pero es en *Deucalión* donde el poeta encuentra su equilibrio y realiza su personalidad. Clasifico *Deucalión* entre los libros que más alta y puramente representan la lírica peruana de la primera centuria. En *Deucalión* no hay un bardo que declama en un tinglado ni un trovador que canta una serenata. Hay un hombre que sufre, que exulta, que afirma, que duda y que niega. Un hombre henchido de pasión, de ansia, de anhelo. Un hombre, sediento de verdad, que sabe que "nuestro destino es hallar el camino que lleva al Paraíso". *Deucalión* es la canción de la partida.

¿Hacia dónde?
¡No importa! La Vida esconde
mundos en germen

que aún falta descubrir:
¡Corazón, es hora de partir
hacia los mundos que duermen!

Este nuevo caballero andante no vela sus armas en
ninguna venta. No tiene rocín ni escudero ni armadura.
Camina desnudo y grave como el "Juan Bautista" de
Rodin.

Ayer salí desnudo
a retar al Destino
el orgullo de escudo
y yelmo el de Mambrino.

Pero la tensión de la vigilia de espera ha sido demasiado dura para sus nervios jóvenes. Y luego, la primera
aventura, como la de Don Quijote, ha sido desventurada
y ridícula. El poeta, además, no revela su flaqueza desde
esta jornada. No está bastante loco para seguir la ruta de
Don Quijote, insensible a las burlas del destino. Lleva
acurrucado en su propia alma al maligno Sancho con sus
refranes y sus sarcasmos. Su ilusión no es absoluta. Su
locura no es cabal. Percibe el lado grotesco, el flanco
cómico de su andanza. Y, por consiguiente, fatigado, va-
cilante, se detiene para interrogar a todas las esfinges y a
todos los enigmas.

¿Para qué te das corazón,
para qué te das,
si no has de hallar tu ilusión
jamás?

Pero la duda, que roe el corazón del poeta, no puede
aún prevalecer sobre su esperanza. El poema tiene

289

mucha sed de infinito. Su ilusión está herida; pero todavía logra ser imperativa y perentoria. Este soneto resume entero el episodio:

A mitad del camino
pregunté, como Dante:
¿sabes tú mi destino,
mi ruta, caminante?

Como un eco un pollino
me respondió hilarante,
pero el buen peregrino
me señaló adelante;

luego se alzó en mí mismo
una voz de heroísmo
que me dijo: —¡Marchad!

¡Y yo arrojé mi duda
y, en mi mano, desnuda.
llevo mi voluntad!

No es tan fuerte siempre el caminante. El diablo lo tienta a cada paso. La duda, a pesar suyo, empieza a filtrarse sagazmente en su conciencia, emponzoñándola y aflojándola. Guillén conviene con el diablo en que "no sabemos si tiene razón Quijote o Panza". Mina su voluntad una filosofía relativista y escéptica. Su gesto se vuelve un poco inseguro y desconfiado. Entre la nada y el mito. su impulso vital lo conduce al mito. Pero Guillén conoce ya su relatividad. La duda es esteril. La fe es fecunda Sólo por esto Guillén se decide por el camino de la fe. Su quijotismo ha perdido su candor y su pureza. Se ha tornado pragmatista."Piensa que te conviene / no perder la esperanza." Esperar, creer, es una cuestión de conveniencia y de comodidad. Nada importa que luego esta intuición se precise en términos más nobles: "Y, mejor, no razones, más valen ilusiones que la razón más fuerte."

Pero todavía el poeta recupera, de rato en rato, su divina locura. Todavía está encendida su alucinación. Todavía es capaz de expresarse con una pasión sobrehumana:

Igual que el viejo Pablo
fue postrado en el suelo,
me ha mordido el venablo
del infinito anhelo:

por eso, en lo que os hablo,
pongo el ansia del vuelo
yo he de ayudar al Diablo
a conquistar el Cielo.

Y, en este admirable soneto, grávido de emoción, religioso en su acento, el poeta formula su evangelio:

Desnuda el corazón
de toda vanidad
y pon tu voluntad
donde esté tu ilusión;

opón tu puño, opón
toda tu libertad
contra el viejo aluvión
de la Fatalidad;

y que tus pensamientos,
como los elementos
destrocen toda brida,

como se abre el grano
a pesar del gusano
y del lodo a la vida.

La raíz de esta poesía está a veces en Nietzsche, a veces en Rodó, a veces en Unamuno; pero la flor, la espiga, el grano, son de Guillén. No es posible discutirle ni contestarle su propiedad. El pensamiento y la forma se consustancian, se identifican totalmente en *Deucalión*. La forma es como el pensamiento, desnuda, plástica, tensa, urgente. Colérica y serena al mismo tiempo. (Una de las cosas que yo amo más en *Deucalión* es, precisamente, su prescindencia casi absoluta de decorado y de indumento; su voluntario y categórico renunciamiento a lo ornamental y a lo retórico.) *Deucalión* es una diana. Es un orto. En *Deucalión* parte un hombre, mozo y puro todavía, en busca de Dios o a la conquista del mundo.

Mas en su camino, Guillén se corrompe. Peca por vanidad y por soberbia, olvida la meta ingenua de su juventud. Pierde su inocencia. El espectáculo y las emociones de la civilización urbana y cosmopolita enervan y relajan su voluntad. Su poesía se contagia del humor negativo y corrosivo de la literatura de Occidente. Guillén deviene socarrón, befardo, cínico, ácido. Y el pecado trae la expiación. Todo lo que es posterior a *Deucalión* es también inferior. Lo que le falta de intensidad humana le falta, igualmente, de significación artística. *El libro de las parábolas* y *La imitación de Nuestro Señor Yo* encierran muchos aciertos; pero son libros irremediablemente monótonos. Me hacen la impresión de productos de retorta. El escepticismo y el egoísmo de Guillén destilan ahí, acompasadamente, una gota, otra gota. Tantas gotas dan una página; tantas páginas y un prólogo dan un libro.

El lado, el contorno de esta actitud de Guillén más interesante es su relativismo. Guillén se entretiene en negar la realidad del yo, del individuo. Pero su testimonio es recusable. Porque tal vez, Guillén razona según su experiencia personal: "Mi personalidad, como yo la soñé, como yo la entreví, no se ha realizado; luego la personalidad no existe."

En *La imitación de Nuestro Señor Yo*, el pensamiento de Guillén es pirandelliano. He aquí algunas pruebas: "El, ella, todos existen, pero en ti." "Soy todos los hombres en mí" "¿Mis contradicciones no son una prueba de que llevo en mí a muchos hombres?" "Mentira. Ellos no mueren: como nosotros que morimos en ellos."

Estas líneas contienen algunas briznas de la filosofía del *Uno, ninguno, cien mil* de Pirandello.

No creo, sin embargo, que Guillén, si persevera por esta ruta, llegue a clasificarse entre los especímenes de la literatura humorista y cosmopolita de Occidente. Guillén, en el fondo, es un poeta un poco rural y franciscano. No toméis al pie de la letra sus blasfemias. Muy adentro del alma, guarda un poco de romanticismo de provincia. Su psicología tiene muchas raíces campesinas. Permanece, íntimamente, extraña al espíritu quintaesenciado de la urbe. Cuando se lee a Guillén se advierte, en seguida, que no consigue manejar con destreza el artificio.

El título del último libro de Guillén, *Laureles*, resume la segunda fase de su literatura y de su vida. Por conquistar estos y otros laureles, que él mismo secretamente desdeña, ha luchado, ha sufrido, ha peleado. El camino del laurel lo ha desviado del camino del cielo. En la adolescencia su ambición era más alta. ¿Se contenta ahora de algunos laureles municipales o académicos?

Yo coincido con Gabriel Alomar en acusar a Guillén de sofocar al poeta de *Deucalión* con sus propias manos. A Guillén lo pierde la impaciencia. Quiere laureles a toda costa. Pero los laureles no perduran. La gloria se construye con materiales menos efímeros. Y es para los que logran renunciar a sus falaces y ficticias anticipaciones. El deber del artista es no traicionar su destino. La impaciencia en Guillén se resuelve en abundancia. Y la abundancia es lo que más perjudica y disminuye el mérito de su obra que, en los últimos tiempos, aunque adopte en verso la moda vanguardista, se resiente de cansancio, de desgana y de repetición de sus primeros motivos.

XVI. Magda Portal

Magda Portal es ya otro valor-signo en el proceso de nuestra literatura. Con su advenimiento le ha nacido al Perú su primera poetisa. Porque hasta ahora habíamos tenido sólo mujeres de letras, de las cuales una que otra con temperamento artístico o más específicamente literario. Pero no habíamos tenido propiamente una poetisa.

Conviene entenderse sobre el término. La poetisa es hasta cierto punto, en la historia de la civilización occidental, un fenómeno de nuestra época. Las épocas anteriores produjeron sólo poesía masculina. La de las mujeres también lo era, pues se contentaba con ser una variación de sus temas líricos o de sus motivos filosóficos. La poesía que no tenía el signo del varón, no tenía tampoco el de la mujer —virgen, hembra, madre—. Era una poesía asexual. En nuestra época, las mujeres ponen al fin en su poesía su propia carne y su propio espíritu. La poetisa es ahora aquella que crea una poesía femenina. Y desde que la poesía de la mujer se ha emancipado y diferenciado espiritualmente de la del hombre, las poetisas tienen una alta categoría en el elenco de todas las literaturas. Su existencia es evidente e interesante a partir del momento en que ha empezado a ser distinta.

En la poesía de Hispanoamérica, dos mujeres, Gabriela Mistral y Juana de Ibarbourou, acaparan desde hace tiempo más atención que ningún otro poeta de su tiempo. Delmira Agustini tiene en su país y en América larga y noble descendencia. Al Perú ha traído su mensaje Blanca Luz Brum. No se trata de casos solitarios y excepciones. Se trata de un vasto fenómeno, común a todas las literaturas. La poesía, un poco envejecida en el hombre, renace rejuvenecida en la mujer.

Un escritor de brillantes intuiciones, Félix del Valle, me decía un día, constatando la multiplicidad de poetisas de mérito en el mundo, que el cetro de la poesía había pasado a la mujer. Con su humorismo ingénito formulaba así su proposición: "La poesía deviene un oficio de mujeres." Esta es sin duda una tesis extrema. Pero lo cierto es que la poesía que, en los poetas, tiende a una actitud nihilista, deportiva, escéptica, en las poetisas tiene frescas raíces y cándidas flores. Su acento acusa más *élan* vital, mas fuerza biológica.

Magda Portal no es aún bastante conocida y apreciada en el Perú ni en Hispanoamérica. No ha publicado sino un libro de prosa: *El derecho de matar* (La Paz, 1926) y un libro de versos: *Una esperanza y el mar* (Lima, 1927). *El derecho de matar* nos presenta casi sólo uno de sus lados: ese espíritu rebelde y ese mesianismo revolucionario que testimonian incontestablemente en nuestros días la sensibilidad histórica de un artista. Además, en la prosa de Magda Portal se encuentra siempre un girón de su magnífico lirismo. "El poema de la cárcel", "La sonrisa de Cristo" y "Círculos violeta" —tres poemas de este volumen— tienen la caridad, la pasión y la ternura exaltada de Magda. Pero este libro no la caracteriza ni la define. *El derecho de matar*: título de gusto anarcoide y nihilista, en el cual no se reconoce el espíritu de Magda.

Magda es esencialmente lírica y humana. Su piedad se emparenta —dentro de la autónoma personalidad de uno y otro— con la piedad de Vallejo. Así se nos presenta, en los versos de "Anima absorta" y "Una esperanza y el mar." Y así es seguramente. No le sienta ningún gesto de decadentismo o paradojismo novecentistas.

En sus primeros versos Magda Portal es, casi siempre, la poetisa de la ternura. Y en algunos se reconoce precisamente su lirismo en su humanidad. Exenta de egolatría megalómana, de narcisismo romántico, Magda Portal nos dice: "Pequeña soy...!"

Pero, ni piedad, ni ternura solamente, en su poesía se encuentran todos los acentos de una mujer que vive apasionada y vehementemente, encendida de amor y de anhelo y atormentada de verdad y de esperanza.

Magda Portal ha escrito en el frontispicio de uno de sus libros estos pensamientos de Leonardo de Vinci: "El alma, primer manantial de la vida, se refleja en todo lo que crea." "La verdadera obra de arte es como un espejo en que se mira el alma del artista." La fervorosa adhesión de Magda a estos principios de creación es un dato de un sentido del arte que su poesía nunca contradice y siempre ratifica.

En su poesía Magda nos da, ante todo, una limpia versión de sí misma. No se escamotea, no se mistifica, no se idealiza. Su poesía es su verdad. Magda no trabaja por ofrecernos una imagen aliñada de su alma en *toilette* de gala. En un libro suyo podemos entrar sin desconfianza, sin ceremonia, seguros de que no nos aguarda ningún simulacro, ninguna celada. El arte de esta honda y pura lírica, reduce al mínimo, casi a cero, la proporción de artificio que necesita para ser arte.

Esta es para mí la mejor prueba del alto valor de Magda. En esta época de decadencia de un orden social —y por consiguiente de un arte— el más imperativo deber del artista es la verdad. Las únicas obras que sobrevivirán a esta crisis serán las que constituyan una confesión y un testimonio.

El perenne y oscuro contraste entre dos principios —el de vida y el de muerte— que rigen el mundo, está presente siempre en la poesía de Magda. En Magda se siente a la vez un anhelo angustiado de acabar y de no ser y un ansia de crear y de ser. El alma de Magda es un alma agónica. Y su arte traduce cabal e íntegramente las dos fuerzas que la desgarran y la impulsan. A veces triunfa el principio de vida; a veces triunfa el principio de muerte.

La presencia dramática de este conflicto da a la poesía de Magda Portal una profundidad metafísica a la que arriba libremente el espíritu por la propia ruta de su lirismo, sin apoyarse en el bastón de ninguna filosofía.

También le da una profundidad psicológica que le permite registrar todas las contradictorias voces de su diálogo, de su combate, de su agonía.

La poetisa logra con una fuerza extraordinaria la expresión de sí misma en estos versos admirables:

¡Ven, bésame!...
¿qué importa que algo oscuro
me esté royendo el alma
con sus dientes?

Yo soy tuya y tú eres mío... ¡bésame!...
No lloro hoy... Me ahoga la alegría,
una extraña alegría
que yo no sé de dónde viene.

Tú eres mío... ¿Tú eres mío?...
Una puerta de hielo
hay entre tú y yo:
¡tu pensamiento!

Eso que te golpea en el cerebro
y cuyo martillar
me escapa...

Ven, bésame... ¿Qué importa?
Te llamó el corazón toda la noche,
y ahora que estás tú, tu carne y tu alma
¿qué he de fijarme en lo que has hecho ayer?... ¡Qué
      importa!

Ven, bésame... tus labios,
tus ojos y tus manos...
Luego... nada.
¿Y tu alma? ¡Y tu alma!

Esta poetisa nuestra, a quien debemos saludar ya
como a una de las primeras poetisas de Indoamérica, no
desciende de la Ibarbourou. No desciende de la Agustini.
No desciende siquiera de la Mistral, de quien, sin embargo, por cierta afinidad de acento, se le siente más
próxima que de ninguna. Tiene un temperamento original y autónomo. Su secreto, su palabra, su fuerza, nacie-
ron con ella y están en ella.

En su poesía hay más dolor que alegría, hay más sombra que claridad. Magda es triste. Su impulso vital la mueve hacia la luz y la fiesta. Y Magda se siente impotente para gozarlas. Este es su drama. Pero no la amarga ni la enturbia.

En "Vidrios de amor" poema en dieciocho canciones emocionadas, toda Magda está en estos versos:

¿Con cuántas lágrimas me forjaste?

he tenido tantas veces
la actitud de los árboles suicidas
en los caminos polvorientos y solos—

secretamente, sin que lo sepas
debe dolerte todo
por haberme hecho así, sin una dulzura
    para mis ácidos dolores

¿de dónde vine yo con mi fiereza
para conformarme?
yo no conozco la alegría
carroussel de niñez que no he soñado nunca

¡ah! —y sin embargo
amo de tal manera la alegría
como amarán las amargas plantas
un fruto dulce

madre
receptora alerta
hoy no respondas porque te ahogarías
hoy no respondas a mi llanto
casi sin lágrimas

hundo mi angustia en mí para mirar
la rama izquierda de mi vida

que no haya puesto sino amor
al amasar el corazón de mi hija

quisiera defenderla de mí misma
como de una fiera
de estos ojos delatores
de esta voz desgarrada
donde el insomnio hace cavernas

y para ella ser alegre, ingenua, niña
como si todas las campanas de alegría
sonaran en mi corazón su pascua eterna.

¿Toda Magda está en estos versos? Toda Magda, no.
Magda no es sólo madre, no es sólo amor. ¿Quién sabe
de cuántas oscuras potencias, de cuántas contrarias ver-
dades está hecha un alma como la suya?

XVII. Las corrientes de hoy. El indigenismo

La corriente "indigenista", que caracteriza a la nueva literatura peruana, no debe su propagación presente ni su
exageración posible a las causas eventuales o contingentes que determinan comúnmente una moda literaria. Y
tiene una significación mucho más profunda. Basta observar su coincidencia visible y su consanguinidad íntima
con una corriente ideológica y social que recluta cada día
más adhesiones en la juventud, para comprender que el
indigenismo literario traduce un estado de ánimo, un estado de conciencia del Perú nuevo.
Este indigenismo que está sólo en un periodo de germi-
nación   falta aún un poco para que dé sus flores y sus
frutos− podría ser comparado −salvadas todas las diferencias de tiempo y de espacio− al "mujikismo" de la literatura rusa prerrevolucionaria. El "mujikismo" tuvo
parentesco estrecho con la primera fase de la agitación

social en la cual se preparó e incubó la revolución rusa. La literatura "mujikista" llenó una misión histórica. Constituyó un verdadero proceso del feudalismo ruso, del cual salió éste inapelablemente condenado. La socialización de la tierra, actuada por la revolución bolchevique, reconoce entre sus pródromos la novela y la poesía "mujikista". Nada importa que al retratar al mujik —tampoco importa si deformándolo o idealizándolo— el poeta o el novelista ruso estuvieran muy lejos de pensar en la socialización.

De igual modo el "constructivismo" y el "futurismo" rusos, que se complacen en la representación de máquinas, rascacielos, aviones, usinas, etcétera, corresponden a una época en que el proletariado urbano, después de haber creado un régimen cuyos usufructuarios son hasta ahora los campesinos, trabaja por occidentalizar Rusia llevándola a un grado máximo de industrialismo y electrificación.

El "indigenismo" de nuestra literatura actual no está desconectado de los demás elementos nuevos de esta hora. Por el contrario, se encuentra articulado con ellos. El problema indígena, tan presente en la política, la economía y la sociología, no puede estar ausente de la literatura y del arte. Se equivocan gravemente quienes, juzgándolo por la incipiencia o el oportunismo de pocos o muchos de sus corifeos, lo consideran, en conjunto, artificioso.

Tampoco cabe dudar de su vitalidad por el hecho de que hasta ahora no ha producido una obra maestra. La obra maestra no florece sino en un terreno largamente abonado por una anónima u oscura multitud de obras mediocres. El artista genial no es ordinariamente un principio sino una conclusión. Aparece, normalmente, como el resultado de una vasta experiencia.

Menos aún cabe alarmarse de episódicas exasperaciones ni de anecdóticas exageraciones. Ni unas ni otras encierran el secreto ni conducen la savia del hecho histórico. Toda afirmación necesita tocar sus límites extremos. Detenerse a especular sobre la anécdota es exponerse a quedar fuera de la historia.

Esta corriente, de otro lado, encuentra un estímulo en la asimilación por nuestra literatura de elementos de cosmopolitismo. Ya he señalado la tendencia autonomista y nativista del vanguardismo en América. En la nueva literatura argentina nadie se siente más porteño que Girondo y Borges ni más gaucho que Güiraldes. En cambio quienes como Larreta permanecen enfeudados al clasicismo español, se revelan radical y orgánicamente incapaces de interpretar a su pueblo.

Otro acicate, en fin, es en algunos el exotismo que, a medida que se acentúan los síntomas de decadencia de la civilización occidental, invade la literatura europea. A César Moro, a Jorge Seoane y a los demás artistas que últimamente han emigrado a París, se les pide allá temas nativos, motivos indígenas. Nuestra escultora Carmen Saco ha llevado en sus estatuas y dibujos de indios el más pulido pasaporte de su arte.

Este último factor exterior es el que decide a cultivar el indigenismo aunque sea a su manera y sólo episódicamente, a literatos que podríamos llamar "emigrados" como Ventura García Calderón, a quienes no se puede atribuir la misma artificiosa moda vanguardista ni el mismo contagio de los ideales de la nueva generación supuestos en los literatos jóvenes que trabajan en el país.

■

El criollismo no ha podido prosperar en nuestra literatura, como una corriente de espíritu nacionalista, ante todo porque el criollo no representa todavía la nacionalidad. Se constata, casi uniformemente, desde hace tiempo, que somos una nacionalidad en formación. Se percibe ahora, precisando ese concepto, la subsistencia de una dualidad de raza y de espíritu. En todo caso, se conviene, unánimemente, en que no hemos alcanzado aún un grado elemental siquiera de fusión de los elementos raciales que conviven en nuestro suelo y que componen nuestra población. El criollo no está netamente definido. Hasta ahora la palabra "criollo" no es casi más que un término que nos sirve para designar genéricamente una pluralidad, muy matizada, de mestizos. Nuestro criollo carece del carácter que encontramos, por ejemplo, en el criollo argentino. El argentino es identificable fácilmente en cualquier parte del mundo: el peruano, no. Esta confrontación es, precisamente, la que nos evidencia que existe ya una nacionalidad argentina, mientras no existe todavía, con peculiares rasgos, una nacionalidad peruana. El criollo presenta aquí una serie de variedades. El costeño se diferencia fuertemente del serrano. En tanto que en la sierra la influencia telúrica indigeniza al mestizo, casi hasta su absorción por el espíritu indígena, en la costa el predominio colonial mantiene el espíritu heredado de España.

En el Uruguay, la literatura nativista, nacida como en la Argentina de la experiencia cosmopolita, ha sido criollista, porque ahí la población tiene la unidad que a la nuestra le falta. El nativismo, en el Uruguay, por otra parte, aparece como un fenómeno esencialmente literario. No tiene, como el indigenismo en el Perú, una subconsciente inspiración política y económica. Zum Felde, uno de sus suscitadores como crítico, declara que ha llegado ya la hora de su liquidación. "A la devoción imitativa de lo extranjero —escribe— había que oponer el sentimiento autonómico de lo nativo. Era un movimiento de emancipación literaria. La reacción se operó; la emancipación fue, luego, un hecho. Los tiempos estaban maduros para ello. Los poetas jóvenes volvieron sus ojos a la realidad nacional. Y, al volver a ella sus ojos, vieron aquello que, por contraste con lo europeo, era más genuinamente americano: lo gauchesco. Mas, cumplida ya su misión, el tradicionalismo debe a su vez pasar. Hora es ya de que pase, para dar lugar a un americanismo lírico más acorde con el imperativo de la vida. La sensibilidad de nuestros días se nutre ya de realidades, idealidades distintas. El ambiente platense ha dejado definitivamente de ser gaucho; y todo lo gauchesco —después de arrinconarse en los más huraños pagos— va pasando al culto silencioso de los museos. La vida rural del Uruguay está toda transformada en sus costumbres y en sus caracteres, por el avance del cosmopolitismo urbano."[36]

En el Perú, el criollismo, aparte de haber sido demasiado esporádico y superficial, ha estado nutrido de sentimiento colonial. No ha constituido una afirmación de autonomía. Se ha contentado con ser el sector costumbrista de la literatura colonial sobreviviente hasta hace muy poco. Abelardo Gamarra es, tal vez, la única excepción en este criollismo domesticado, sin orgullo nativo.

Nuestro "nativismo" —necesario también literariamente como revolución y como emancipación— no puede ser simple "criollismo". El criollo peruano no ha acabado aún de emanciparse espiritualmente de España. Su europeización —a través de la cual debe encontrar, por reacción, su personalidad— no se ha cumplido sino en parte. Una vez europeizado, el criollo de hoy difícilmente deja de darse cuenta del drama del Perú. Es él precisamente el que, reconociéndose a sí mismo como un español bastardeado, siente que el indio debe ser el cimiento de la nacionalidad. (Valdelomar, criollo costeño, de regreso de Italia, impregnado de d'annunzianismo y de esnobismo, experimenta su máximo deslumbramiento cuando descubre o, más bien, imagina el Incario.) Mientras el criollo puro conserva generalmente su espíritu colonial, el criollo europeizado se rebela, en nuestro tiempo, contra ese espíritu, aunque sólo sea como protesta contra su limitación y su arcaísmo.

Claro que el criollo, diverso y múltiple, puede abastecer abundantemente a nuestra literatura —narrativa, descriptiva, costumbrista, folklorista, etcétera— de tipos y motivos. Pero lo que subconscientemente busca la genuina corriente indigenista en el indio, no es sólo el tipo o el motivo. Menos aún el tipo o el motivo pintoresco. El "indigenismo" no es aquí un fenómeno esencialmente literario como el "nativismo" en el Uruguay. Sus raíces se alimentan de otro humus histórico. Los "indigenistas" auténticos —que no deben ser confundidos con los que explotan temas indígenas por mero "exotismo"— colaboran, conscientemente o no, en una obra política y económica de reivindicación —no de restauración ni resurrección.

El indio no representa únicamente un tipo, un tema, un motivo, un personaje. Representa un pueblo, una raza, una tradición, un espíritu. No es posible, pues, valorarlo y considerarlo, desde puntos de vista exclusivamente literarios, como un color o un aspecto nacional, colocándolo en el mismo plano que otros elementos étnicos del Perú.

A medida que se le estudia, se averigua que la corriente indigenista no depende de simples factores literarios sino de complejos factores sociales y económicos. Lo que da derecho al indio a prevalecer en la visión del peruano de hoy es, sobre todo, el conflicto y el contraste entre su predominio demográfico y su servidumbre —no sólo inferioridad— social y económica. La presencia de tres a cuatro millones de hombres de la raza autóctona en el panorama mental de un pueblo de cinco millones, no debe sorprender a nadie en una época en que este pueblo siente la necesidad de encontrar el equilibrio que hasta ahora le ha faltado en su historia.

■

El indigenismo, en nuestra literatura, como se desprende de mis anteriores proposiciones, tiene fundamentalmente el sentido de una reivindicación de lo autóctono. No llena la función puramente sentimental que llenaría, por ejemplo, el criollismo. Habría error, por consiguiente, en apreciar el indigenismo como equivalente del criollismo, al cual no remplaza ni subroga.

Si el indio ocupa el primer plano en la literatura y el arte peruanos no será, seguramente, por su interés literario o plástico, sino porque las fuerzas nuevas y el impulso vital de la nación tienden a reivindicarlo. El fenómeno es más instintivo y biológico que intelectual y teorético. Repito que lo que subconscientemente busca la genuina corriente indigenista en el indio no es sólo el tipo o el motivo y menos aún el tipo o el motivo "pintoresco". Si esto no fuese cierto, es evidente que el "zambo", verbigracia, interesaría al literato o al artista criollo —en especial al criollo— tanto como el indio. Y esto no ocurre por varias razones. *Porque el carácter de esta corriente no es naturalista o costumbrista sino, más bien, lírico, como lo prueban los intentos o esbozos de poesía andina.* Y porque una reivindicación de lo autóctono no puede confundir al "zambo" o al mulato con el indio. El negro, el mulato, el "zambo", representan, en nuestro pasado, elementos coloniales. El español importó al negro cuando sintió su imposibilidad de sustituir al indio y su incapacidad de asimilarlo. El esclavo vino al Perú a servir los fines colonizadores de España. La raza negra constituye uno de los aluviones humanos depositados en la costa por el coloniaje. Es uno de los estratos, poco densos y fuertes, del Perú sedimentado en el tierra baja durante el virreinato y la primera etapa de la República. Y, en este ciclo, todas las circunstancias han concurrido a mantener su solidaridad con la Colonia. El negro ha mirado siempre con hostilidad y desconfianza la sierra, donde no ha podido aclimatarse física ni espiritualmente. Cuando se ha mezclado al indio ha sido para bastardearlo comunicándole su domesticidad zalamera y su psicología exteriorizante y mórbida. Para su antiguo amo blanco ha guardado, después de su manumisión, un sentimiento de liberto adicto. La sociedad colonial, que hizo del negro un doméstico —muy pocas veces un artesano, un obrero— absorbió y asimiló a la raza negra, hasta intoxicarse con su sangre tropical y caliente. Tanto como impenetrable y huraño el indio, le fue asequible y doméstico el negro. Y nació así una subordinación cuya primera razón está en el origen mismo de la importación de esclavos y de la que sólo redime al negro y al mulato la evolución social y económica que, convirtiéndolo en obrero, cancela y extirpa poco a poco la herencia espiritual del esclavo. El mulato, colonial aún en sus gustos, inconscientemente está por el hispanismo, contra el autoctonismo. Se siente espontáneamente más próximo de España que del Incario. Sólo el socialismo, despertando en él conciencia clasista, es capaz de conducirlo a la ruptura definitiva con los últimos rezagos de espíritu colonial.

El desarrollo de la corriente indigenista no amenaza ni paraliza el de otros elementos vitales de nuestra litertura. El "indigenismo" no aspira indudablemente a acaparar la escena literaria. No excluye ni estorba otros impulsos ni otras manifestaciones. Pero representa el color y la tendencia más característicos de una época por su afinidad y coherencia con la orientación espiritual de las nuevas generaciones, condicionada, a su vez, por imperiosas necesidades de nuestro desarrollo económico y social.

Y la mayor injusticia en que podría incurrir un crítico sería cualquier apresurada condena de la literatura indigenista por su falta de autoctonismo integral o la presencia, más o menos acusada en sus obras, de elementos de artificio en la interpretación y en la expresión. La literatura indigenista no puede darnos una versión rigurosamente verista del indio. Tiene que idealizarlo y estilizarlo. Tampoco puede darnos su propia ánima. Es todavía una literatura de mestizos. Por eso se llama indigenista y no indígena. Una literatura indígena, si debe venir, vendrá a su tiempo. Cuando los propios indios estén en grado de producirla.

No se puede equiparar, en fin, la actual corriente indigenista a la vieja corriente colonialista. El colonialismo, reflejo del sentimiento de la casta feudal, se entretenía en la idealización nostálgica del pasado. El indigenismo en cambio tiene raíces vivas en el presente. Extrae su inspiración de la protesta de millones de hombres. El virreinato era; el indio es. Y mientras la liquidación de los residuos de feudalidad colonial se impone como una condición elemental de progreso, la reivindicación del indio, y por ende de su historia, nos viene insertada en el programa de una revolución.

■

Está, pues, esclarecido que de la civilización incaica, más que lo que ha muerto, nos preocupa lo que ha quedado. El problema de nuestro tiempo no está en saber cómo *ha sido* el Perú. Está, más bien, en saber cómo *es* el Perú. El pasado nos interesa en la medida en que puede servirnos para explicarnos el presente. Las generaciones constructivas sienten el pasado como una raíz, como una causa. Jamás lo sienten como un programa.

Lo único casi que sobrevive del Tawantinsuyo es el indio. La civilización ha perecido; no ha perecido la raza. El material biológico del Tawantinsuyo se revela, después de cuatro siglos, indestructible, y, en parte, inmutable.

El hombre muda con más lentitud de la que en este siglo de la velocidad se supone. La metamorfosis del hombre bate el récord en el evo moderno. Pero éste es un fenómeno peculiar de la civilización occidental que se caracteriza, ante todo, como una civilización dinámica. No es por un azar que a esta civilización le ha tocado averiguar la relatividad del tiempo. En las sociedades asiáticas —afines si no consanguíneas con la sociedad incaica—, se nota en cambio cierto quietismo y cierto éxtasis. Hay épocas en que parece que la historia se detiene. Y una misma forma social perdura, petrificada, muchos siglos. No es aventurada, por tanto, la hipótesis de que el indio en cuatro siglos ha cambiado poco espiritualmente. La servidumbre ha deprimido, sin duda, su psiquis y su carne. Le ha vuelto un poco más melancólico, un poco más nostálgico. Bajo el peso de estos cuatro siglos, el indio se ha encorvado moral y físicamente. Mas el fondo oscuro de su alma casi no ha mudado. En la sierras abruptas, en las quebradas lontanas, a donde no ha llegado la ley del blanco, el indio guarda aún su ley ancestral.

El libro de Enrique López Albújar, escritor de la generación radical, *Cuentos andinos*, es el primero que en nuestro tiempo explora estos caminos. Los *Cuentos andinos* aprehenden, en sus secos y duros dibujos, emociones sustantivas de la vida de la sierra, y nos presentan algunos escorzos del alma del indio. López Albújar coincide con Valcárcel en buscar en los Andes el origen del sentimiento cósmico de los quechuas. "Los tres jircas" de López Albújar y "Los hombres de piedra"[37] de Valcárcel traducen la misma mitología. Los agonistas y las escenas de López Albújar tienen el mismo telón de fondo que la teoría y las ideas de Valcárcel. Este resultado es singularmente interesante porque es obtenido por diferentes temperamentos y con métodos disímiles. La literatura de López Albújar quiere ser, sobre todo, naturalista y analítica; la de Valcárcel, imaginativa y sintética. El rasgo esencial de López Albújar es su criticismo; el de Valcárcel, su lirismo. López Albújar mira al indio con ojos y alma de costeño, Valcárcel, con ojos y alma de serrano. No hay parentesco espiritual entre los dos escritores; no hay semejanza de género ni de estilo entre los dos libros. Sin embargo, uno y otro escuchan en el alma del quechua idéntico lejano latido.[38]

La Conquista ha convertido formalmente al indio al catolicismo. Pero, en realidad, el indio no ha renegado sus viejos mitos. Su sentimiento místico ha variado. Su *animismo* subsiste. El indio sigue sin entender la metafísica católica. Su filosofía panteísta y materialista ha desposado, sin amor, al catecismo. Mas no ha renunciado a su propia concepción de la vida que no interroga a la razón sino a la naturaleza. Los tres "jircas", los tres cerros de Huánuco, pesan en la conciencia del indio huanuqueño más que el ultratumba cristiano.

"Los tres jircas" y "Cómo habla la coca" son, a mi juicio, las páginas mejor escritas de *Cuentos andinos*. Pero ni "Los tres jircas" ni "Cómo habla la coca" se clasifican propiamente como cuentos. "Ushanam Jampi", en cambio, tiene una vigorosa contextura de relato. Y a este mérito une "Ushanam Jampi" el de ser un precioso documento del comunismo indígena. Este relato nos entera de la forma como funciona en los pueblecitos indígenas, a donde no arriba casi la ley de la República, la justicia popular. Nos encontramos aquí ante una situación sobreviviente del régimen autóctono. Ante una institución que declara categóricamente a favor de la tesis de que la organización incaica fue una organización comunista.

En un régimen de tipo individualista, la administración de justicia se burocratiza. Es función de un magistrado. El liberalismo, por ejemplo, la atomiza, la individualiza en el juez profesional. Crea una casta, una burocracia de jueces de diversas jerarquías. Por el contrario, en un régimen de tipo comunista, la administración de justicia es función de la sociedad entera. Es, como en el comunismo indio, función de los *yayas*, de los ancianos.[39]

■

El porvenir de la América Latina depende, según la mayoría de los pronósticos de ahora, de la suerte del mestizaje. Al pesimismo hostil de los sociólogos de la tendencia de Le Bon sobre el mestizo, ha sucedido un optimismo mesiánico que pone en el mestizo la esperanza del continente. El trópico y el mestizo son, en la vehemente profecía de Vasconcelos, la escena y el protagonista de una nueva civilización. Pero la tesis de Vasconcelos que esboza una utopía —en la acepción positiva y filosófica de esta palabra— en la misma medida en que aspira a predecir el porvenir, suprime e ignora el presente. Nada es más extraño a su especulación y a su intento que la crítica de la realidad contemporánea, en la cual busca exclusivamente los elementos favorables a su profecía.

El mestizaje que Vasconcelos exalta no es precisamente la mezcla de las razas española, indígena y africana, operada ya en el continente, sino la fusión y refusión acrisoladoras, de las cuales nacerá, después de un trabajo secular, la raza cósmica. El mestizo actual, concreto, no es para Vasconcelos el tipo de una nueva raza, de una nueva cultura, sino apenas su promesa. La especulación del filósofo, del utopista, no conoce límites de tiempo ni de espacio. Los siglos no cuentan en su construcción ideal más que como momentos. La labor del crítico, del historiógrafo, del político, es de otra índole. Tiene que atenerse a resultados inmediatos y contentarse con perspectivas próximas.

El mestizo real de la historia, no el ideal de la profecía, constituye el objeto de su investigación o el factor de su plan. En el Perú, por la impronta diferente del medio y por la combinación múltiple de las razas entrecruzadas, el término mestizo no tiene siempre la misma significación. El mestizaje es un fenómeno que ha producido una variedad compleja, en vez de resolver una dualidad, la del español y el indio.

El doctor Uriel García halla el neoindio en el mestizo. Pero este mestizo es el que proviene de la mezcla de las razas española e indígena, sujeta al influjo del medio y la vida andinas. El medio serrano en el cual sitúa el doctor Uriel García su investigación, se ha asimilado al blanco invasor. Del brazo de las dos razas, ha nacido el nuevo indio, fuertemente influido por la tradición y el ambiente regionales.

Este mestizo, que en el proceso de varias generaciones, y bajo la presión constante del mismo medio telúrico y cultural, ha adquirido ya rasgos estables, no es el mestizo engendrado en la costa por las mismas razas. El sello de la costa es más blando. El factor español, más activo.

El chino y el negro complican el mestizaje costeño. Ninguno de estos dos elementos ha aportado aún a la formación de la nacionalidad valores culturales ni energías progresivas. El *coolí* chino es un ser segregado de su país por la superpoblación y el pauperismo. Injerta en el Perú su raza, mas no su cultura. La inmigración china no nos ha traído ninguno de los elementos esenciales de la civilización china, acaso porque en su propia patria han perdido su poder dinámico y generador. Lao Tse y Confucio han arribado a nuestro conocimiento por la vía de Occidente. La medicina china es quizá la única importación directa de Oriente, de orden intelectual, y debe, sin duda, su venida, a razones prácticas y mecánicas, estimuladas por el atraso de una población en la cual conserva todo su hondo arraigo el curanderismo en todas sus manifestaciones. La habilidad y excelencia del pequeño agricultor chino apenas si han fructificado en los valles de Lima, donde la vecindad de un mercado importante ofrece seguros provechos a la horticultura. El chino, en cambio, parece haber inoculado en su descendencia el fatalismo, la apatía. Las tareas del Oriente decrépito. El juego, esto es, un elemento de relajamiento e inmoralidad, singularmente nocivo en un pueblo propenso a confiar más en el azar que en el esfuerzo, recibe su mayor impulso de la inmigración china. Sólo a partir del movimiento nacionalista —que tan extensa resonancia ha encontrado entre los chinos expatriados del continente—, la colonia china ha dado señales activas de interés cultural e impulsos progresistas. El teatro chino, reservado casi únicamente al divertimiento nocturno de los individuos de esa nacionalidad, no ha conseguido en nuestra literatura más eco que el propiciado efímeramente por los gustos exóticos y artificiales del decadentismo. Valdelomar y los "colónidas" lo descubrieron entre sus sesiones de opio, contagiados del orientalismo de Loti y Farrère. El chino, en suma, no transfiere al mestizo ni su disciplina moral, ni su tradición cultural y filosófica, ni su habilidad de agricultor y artesano. Un idioma inasequible, la calidad del inmigrante y el desprecio hereditario que por él siente el criollo, se interponen entre su cultura y el medio.

El aporte del negro, venido como esclavo, casi como mercadería aparece más nulo y negativo aún. El negro trajo su sensualidad, su superstición, su primitivismo. No estaba en condiciones de contribuir a la creación de una cultura, sino más bien de estorbarla con el crudo y viviente influjo de su barbarie.

El prejuicio de las razas ha decaído; pero la noción de las diferencias y desigualdades en la evolución de los pueblos se ha ensanchado y enriquecido, en virtud del progreso de la sociología y la historia. La inferioridad de las razas de color no es ya uno de los dogmas de que se alimenta el maltrecho orgullo blanco. Pero todo el relativismo de la hora no es bastante para abolir la inferioridad de cultura.

La raza es apenas uno de los elementos que determinan la forma de una sociedad. Entre estos elementos, Vilfredo Pareto dintingue las siguientes categorías: "1. El suelo, el clima, la flora, la fauna, las circunstancias geológicas, mineralógicas, etcétera; 2. Otros elementos externos a una dada sociedad, en un dado tiempo, esto es, las acciones de las otras sociedades sobre ella, que son externas en el espacio, y las consecuencias del estado anterior de esa sociedad, que son externas en el tiempo; 3. Elementos internos, entre los cuales los principales son la raza, los residuos o sea los sentimientos que manifiestan, las inclinaciones, los intereses, las aptitudes al razonamiento, a la observación, el estado de los conocimientos, etcétera." Pareto afirma que la forma de la sociedad es determinada por todos los elementos que operan sobre ella que, una vez determinada, opera a su vez sobre esos elementos, de manera que se puede decir que se efectúa una mutua determinación.[40]

Lo que importa, por consiguiente, en el estudio sociológico de los estratos indio y mestizo, no es la medida en que el mestizo hereda las cualidades o los defectos de las razas progenitoras sino su aptitud para evolucionar, con más facilidad que el indio, hacia el estado social, o el tipo de civilización del blanco. El mestizaje necesita ser analizado, no como cuestión étnica, sino como cuestión sociológica. El problema étnico en cuya consideración se han complacido sociologistas rudimentarios y especuladores ignorantes, es totalmente ficticio y supuesto. Asume una importancia desmesurada para los que, ciñendo servilmente su juicio a una idea acariciada por la civilización europea en su apogeo —y abandonada ya por esta misma civilización, propensa en su declive a una concepción relativista de la historia—, atribuyen las creaciones de la sociedad occidental a la superioridad de la raza blanca. Las aptitudes intelectuales y técnicas, la voluntad creadora, la disciplina moral de los pueblos blancos, se reducen, en el criterio simplista de los que aconsejan la regeneración del indio por el cruzamiento, a meras condiciones zoológicas de la raza blanca.

Pero si la cuestión racial —cuyas sugestiones conducen a sus superficiales críticos a inverosímiles razonamientos zootécnicos— es artificial, y no merece la atención de quienes estudian concreta y políticamente el problema indígena, otra es la índole de la cuestión sociológica. El mestizaje descubre en este terreno sus verdaderos conflictos, su íntimo drama. El color de la piel se borra como contraste; pero las costumbres, los sentimientos, los mitos —los elementos espirituales y formales de esos fenómenos que se designan con los términos de sociedad y cultura— reivindican sus derechos. El mestizaje —dentro de las condiciones económico-sociales subsistentes entre nosotros— no sólo produce un nuevo tipo humano y étnico sino un nuevo tipo social; y si la imprecisión de aquél, por una abigarrada combinación de razas, no importa en sí misma una inferioridad, y hasta puede anunciar, en ciertos ejemplares felices, los rasgos de la raza "cósmica", la imprecisión o hibridismo del tipo social, se traduce, por un oscuro predominio de sedimentos negativos, en una estagnación sórdida y morbosa. Los aportes del negro y del chino se dejan sentir, en este mestizaje, en un sentido casi siempre negativo y desorbitado. En el mestizo no se prolonga la tradición del blanco ni del indio: ambas se esterilizan y contrastan. Dentro de un ambiente urbano, industrial, dinámico, el mestizo salva rápidamente las distancias que lo separan del blanco, hasta asimilarse la cultura occidental, con sus costumbres, impulsos y consecuencias. Puede escaparle —le escapa generalmente— el complejo fondo de creencias, mitos y sentimientos, que se agita bajo las creaciones materiales e intelectuales de la civilización europea o blanca; pero la mecánica y la disciplina de ésta le imponen automáticamente sus hábitos y sus concepciones. En contacto con una civilización maquinista, asombrosamente dotada para el dominio de la naturaleza, la idea del progreso, por ejemplo, es de un irresistible poder de contagio o seducción. Pero este proceso de asimilación o incorporación se cumple prontamente sólo en un medio en el cual actúan vigorosamente las energías de la cultura industrial. En el latifundio feudal, en el burgo retardado, el mestizaje carece de elementos de ascensión. En su sopor extenuante, se anulan las virtudes y los valores de las razas entremezcladas; y, en cambio, se imponen prepotentes las más enervantes supersticiones.

Para el hombre del poblacho mestizo —tan sombríamente descrito por Valcárcel con una pasión no exenta de preocupaciones sociológicas— la civilización occidental constituye un confuso espectáculo, no un sentimiento. Todo lo que en esta civilización es íntimo, esencial, intransferible, energético, permanece ajeno a su ambiente vital. Algunas imitaciones externas, algunos hábitos subsidiarios, pueden dar la impresión de que este hombre se mueve dentro de la órbita de la civilización moderna. Mas la verdad es otra.

Desde este punto de vista, el indio, en su medio nativo mientras la emigración no lo desarraiga ni deforma, no tiene nada que envidiar al mestizo. Es evidente que no está incorporado aún en esta civilización expansiva, dinámica, que aspira a la universalidad. Pero no ha roto con su pasado. Su proceso histórico está detenido, paralizado, mas no ha perdido, por esto, su individualidad. El indio tiene una existencia social que conserva sus costumbres, su sentimiento de la vida, su actitud ante el universo. Los "residuos" y las derivaciones de que nos habla la sociología de Pareto, que continúan obrando sobre él, son los de su propia historia. *La vida del indio tiene estilo.* A pesar de la conquista, del latifundio, del gamonal, el indio de la sierra se mueve todavía, en cierta medida, dentro de su propia tradición. El *ayllu* es un tipo social bien arraigado en el medio y la raza.[41]

El indio sigue viviendo su antigua vida rural. Guarda hasta hoy su traje, sus costumbres, sus industrias típicas. Bajo el más duro feudalismo, los rasgos de la agrupación social indígena no han llegado a extinguirse. La sociedad indígena puede mostrarse más o menos primitiva o retardada; pero es un tipo orgánico de sociedad y de cultura. Y ya la experiencia de los pueblos de Oriente, el Japón, Turquía, la misma China, nos han probado cómo una sociedad autóctona, aun después de un largo colapso, puede encontrar por sus propios pasos, y en muy poco tiempo, la vía de la civilización moderna y traducir, a su propia lengua, las lecciones de los pueblos de Occidente.

XVIII. Alcides Spelucín

En el primer libro de Alcides Spelucín están, entre otras, las poesías que me leyó hace nueve años cuando nos conocimos en Lima en la redacción del diario donde yo trabajaba. Abraham Valdelomar medió fraternalmente en este encuentro, después del cual Alcides y yo nos hemos reencontrado pocas veces, pero hemos estado cada día más próximos. Nuestro destinos tienen una esencial analogía dentro de su disimilitud formal. Procedemos él y yo, más que de la misma generación, del mismo tiempo. Nacimos bajo idéntico signo. Nos nutrimos en nuestra adolescencia literaria de las mismas cosas: decadentismo, modernismo, estetismo, individualismo, escepticismo. Coincidimos más tarde en el doloroso y angustiado trabajo de superar estas cosas y evadirnos de su mórbido ámbito. Partimos al extranjero en busca no del secreto de los otros sino en busca del secreto de nosotros mismos. Yo cuento mi viaje en un libro de política; Spelucín cuenta el suyo en un libro de poesía. Pero en esto no hay sino diferencia de aptitud o, si se quiere, de temperamento; no hay diferencia de peripecia ni de espíritu. Los dos nos embarcamos en la "barca de oro en pos de una isla buena". Los dos en la procelosa aventura, hemos encontrado a Dios y hemos descubierto a la humanidad. Alcides y yo, puestos a elegir entre el pasado y el porvenir, hemos votado por el porvenir. Supérstites dispersos de una escaramuza literaria, nos sentimos hoy combatientes de una batalla histórica.

El libro de la nave dorada es una estación del viaje y del espíritu de Alcides Spelucín. Orrego advierte de esto al lector, en el prefacio, henchido de emoción, grávido de pensamiento, que ha escrito para este libro. "No representa —escribe— la actualidad estética del creador. Es un libro de la adolescencia, la labor poética primigenia, que apenas rompe el claustro de la anónima intimidad. El poeta ha recorrido desde entonces mucho camino ascendente y gozoso; también mucha senda dolorosa. El espíritu está hoy más granado, la visión más luminosa, el vehículo expresivo más rico, más agilizado y más potente; el pensamiento más deslumbrado de sabiduría; más extenso de panorama; más valorizado por el acumulamiento de intuiciones; el corazón más religioso, más estremecido y más abierto hacia el mundo. Es preciso marcar esto para que el lector se dé cuenta de la penosa precocidad del poeta que cuando escribe este libro es casi un niño."[42]

Como canción del mar, como balada del trópico, este libro es en la poesía de América algo así como una encantada prolongación de la "Sinfonía en gris mayor". La poesía de Alcides tiene en esta jornada ecos melodiosos de la música rubendariana. Se nota también su posterioridad a las adquisiciones hechas por la lírica hispanoamericana en la obra de Herrera y Reissig. La huella del poeta uruguayo está espléndidamente viva en versos como éstos:

316

Y ante un despertamiento planetario de nardos
bramando lilas tristes por la ruta de oriente
se van los vesperales, divinos leopardos.

(*Caracol bermejo*)

Pero esta presencia de Herrera y Reissig y la del propio
Rubén Darío no es sensible sino en la técnica, en la
forma, en la estética. Spelucín tiene del decadentismo la
expresión; pero no tiene el espíritu. Sus estados de alma
no son nunca mórbidos. Una de las cosas que atraen en
él es su salud cabal. Alcides ha absorbido muchos de los
venenos de su época, pero su recia alma, un poco rústica
en el fondo, se ha conservado pura y sana. Así, está más
viviente y personal en esta plegaria de acendrado lirismo.

¿No me darás la arcilla de la cantera rosa
donde labrar mi base para gustar Amor?
¿No me darás un poco de tierra melodiosa
donde plasmar la fiebre de mi ensueño, Señor?

Alcides se asemeja a Vallejo en la piedad humana, en
la ternura humilde, en la efusión cordial. En una época
que era aún de egolatrismo exasperado y bizantinismo
d'annunziano, la poesía de Alcides tiene un perfume de
parábola franciscana. Su alma se caracteriza por un cristianismo espontáneo y sustancial. Su acento parece
ser siempre el de esta otra plegaria con sabor de espiga y de
ángelus como algunos versos de Francis Jammes:

Por esta dulce hermana menor de ojos suaves...

Esta claridad, esta inocencia de Alcides, son perceptibles hasta en esas "aguas fuertes" de estirpe un poco
baudelairiana, que, asumiendo íntegra la responsabilidad de su poesía de juventud, ha incluido en *El libro de la
nave dorada*. Y son tal vez la raíz de su socialismo que es
un acto de amor más que de protesta.

XIX. Balance provisorio

No he tenido en esta sumarísima revisión de valores-signos el propósito de hacer historia ni crónica. No he tenido siquiera el propósito de hacer crítica, dentro del concepto que limita la crítica al campo de la técnica literaria. Me he propuesto esbozar los lineamientos o los rasgos esenciales de nuestra literatura. He realizado un ensayo de interpretación de su espíritu; no de revisión de sus valores ni de sus episodios. Mi trabajo pretende ser una teoría o una tesis y no un análisis.

Esto explicará la prescindencia deliberada de algunas obras que, con incontestable derecho a ser citadas y tratadas en la crónica y en la crítica de nuestra literatura, carecen de significación esencial en su proceso mismo. Esta significación, en todas las literaturas, la dan dos cosas: el extraordinario valor intrínseco de la obra o el valor histórico de su influencia. El artista perdura realmente, en el espíritu de una literatura, o por su obra o por su descendencia. De otro modo, perdura sólo en sus bibliotecas y en su cronología. Y entonces puede tener mucho interés para la especulación de eruditos y bibliógrafos; pero no tiene casi ningún interés para una interpretación del sentido profundo de una literatura.

El estudio de la última generación, que constituye un fenómeno en pleno movimiento, en actual desarrollo, no puede aún ser efectuado con este mismo carácter de balance.[43] Precisamente en nombre del revisionismo de los nuevos se instaura el proceso de la literatura nacional. En este proceso como es lógico, se juzga el pasado; no se juzga el presente. Sólo sobre el pasado puede decir ya esta generación su última palabra. Los nuevos, que pertenecen más al porvenir que al presente, son en este proceso jueces, fiscales, abogados, testigos. Todo, menos acusados. Sería prematuro y precario, por otra parte, un cuadro de valores que pretendiese fijar lo que existe en potencia o en crecimiento.

La nueva generación señala ante todo la decadencia

definitiva del "colonialismo". El prestigio espiritual y sentimental del virreinato, celosa e interesadamente cultivado por sus herederos y su clientela, tramonta para siempre con esta generación. Este fenómeno literario e ideológico se presenta, naturalmente, como una faz de un fenómeno mucho más vasto. La generación de Riva Agüero realizó, en la política y en la literatura, la última tentativa por salvar la Colonia. Mas, como es demasiado evidente, el llamado "futurismo", que no fue sino un neocivilismo, está liquidado política y literariamente, por la fuga, la abdicación y la dispersión de sus corifeos.

En la historia de nuestra literatura, la Colonia termina ahora. El Perú, hasta esta generación, no se había aún independizado de la metrópoli. Algunos escritores habían sembrado ya los gérmenes de otras influencias. González Prada, hace cuarenta años, desde la tribuna del Ateneo, invitando a la juventud intelectual de entonces a la revuelta contra España, se definió como el precursor de un periodo de influencias cosmopolitas. En este siglo el modernismo rubendariano nos aportó, atenuado y contrastado por el colonialismo de la generación "futurista", algunos elementos de renovación estilística que afrancesaron un poco el tono de nuestra literatura. Y, luego, la insurrección "colónida" amotinó contra el academicismo español —solemne pero precariamente restaurado en Lima con la instalación de una Academia correspondiente— a la generación de 1915, la primera que escuchó de veras la ya vieja admonición de González Prada. Pero todavía duraba lo fundamental del colonialismo: el prestigio intelectual y sentimental del virreinato. Había decaído la antigua forma; pero no había decaído igualmente el antiguo espíritu.

Hoy la ruptura es sustancial. El "indigenismo", como hemos visto, está extirpando, poco a poco, desde sus raíces, al "colonialismo". Y este impulso no procede exclusivamente de la sierra. Valdelomar, Falcón, criollos, costeños, se cuentan —no discutamos el acierto de sus tentativas— entre los que primero han vuelto sus ojos a la raza. Nos vienen de fuera, al mismo tiempo, variadas influencias internacionales. Nuestra literatura ha entrado en su periodo de cosmopolitismo. En Lima, este cosmopolitismo se traduce en la imitación entre otras cosas, de no pocos corrosivos decadentismos occidentales y en la adopción de anárquicas modas finiseculares. Pero, bajo este flujo precario, un nuevo sentimiento, una nueva revelación se anuncian. Por los caminos universales, ecuménicos, que tanto se nos reprochan, nos vamos acercando cada vez más a nosotros mismos.

NOTAS

Esquema de la evolución económica

[1] Comentando a Donoso Cortés, el malogrado crítico italiano Piero Gobetti califica a España como "un pueblo de colonizadores, de buscadores de oro, no ajenos a hacer de esclavos en caso de desventura". Hay que rectificar a Gobetti que considera colonizadores a quienes no fueron sino conquistadores. Pero es imposible no meditar el juicio siguiente: "El culto de la *corrida* es un aspecto de este amor de la diversión y de este catolicismo del espectáculo y de la forma: es natural que el énfasis decorativo constituya el ideal del haraposo que se da el aire del señor y que no puede seguir ni la pedagogía anglosajona del heroísmo serio y testarudo, ni la tradición francesa de la fineza. El ideal español de la señorialidad confina con la holgazanería yspor esto comprende como campo propicio y como símbolo la idea de la corte."

[2] "Si Europa es obligada a reconocer los gobiernos de hecho de América —decía el vizconde de Chateaubriand— todo su política debe tender a hacer nacer monarquías en el nuevo mundo, en lugar de estas repúblicas que nos enviarán sus principios con los productos de su suelo."

[3] J. Caillaux, *Où va la France? Où va l'Europe?*, pp. 234 a 239.

[4] *El Extracto Estadístico del Perú*. En los años 1924 a 1926, el comercio con Estados Unidos ha seguido aventajando más y más al comercio con la Gran Bretaña. El porcentaje de la importación de la Gran Bretaña descendía en 1926 al 15.6 de las importaciones totales y el de la exportación a 28.5. En tanto, la importación de Estados Unidos alcanzaba un porcentaje de 46.2, que compensaba con exceso el descenso del porcentaje de la exportación a 34.5.

[5] Véase en el sexto estudio de este volumen sobre regionalismo y centralismo, la nota 4.

[6] La deuda exterior del Perú, conforme el *Extracto Estadístico* de 1926, subía al 31 de diciembre de ese año a Lp. 10 341 906. Posteriormente se ha colocado en Nueva York un empréstito de 50 millones de dólares, en virtud de la ley que autoriza al Ejecutivo a la emisión del Empréstito Nacional Peruano, a un tipo no menor del 86% y con un interés no mayor del 6%, con destino a la cancelación de los empréstitos anteriores, contratados con un interés del 7 1/2 al 8%.

[7] El *Extracto Estadístico del Perú* no consigna ningún dato sobre el

particular. La *Estadística industrial del Perú* del ingeniero Carlos P. Jiménez (1922) tampoco ofrece una cifra general.

⁸ Las condiciones en que se desenvuelve la vida agrícola del país, son estudiadas en el ensayo sobre el problema de la tierra, pp. 44 a 93 de este volumen.

⁹ "La aldea no es —escribe Lucien Romier—, como el burgo o la ciudad, el producto de un agrupamiento: es el resultado de la desmembración de un antiguo dominio, de una señoría, de una tierra laica o eclesiástica en torno de un campanario. El origen unitario de la aldea transparece en varias supervivencias: tal el 'espíritu de campanario', tales las rivalidades inmemoriales entre las parroquias. Explica el hecho tan impresionante de que las rutas antiguas no atraviesen las aldeas: las respetan como propiedades privadas y abordan de preferencia sus confines." (*Explication de Notre Temps.*)

¹⁰ Alcides Spelucín ha expuesto recientemente, en un diario de Lima, con mucha objetividad y ponderación, las causas y etapas de esta crisis. Aunque su crítica recalca sobre todo la acción invasora del capitalismo extranjero, la responsabilidad del capitalismo local —por absentismo, por imprevisión y por inercia— es a la postre la que ocupa el primer término.

¹¹ El capitalismo no es sólo una técnica; es además un espíritu. Este espíritu, que en los países anglosajones alcanza su plenitud, entre nosotros es exiguo, incipiente, rudimentario.

El problema del indio

¹ En el prólogo de *Tempestad en los Andes,* de Valcárcel, vehemente y beligerante evangelio indigenista, he explicado así mi punto de vista:

La fe en el resurgimiento indígena no proviene de un proceso de "occidentalización" material de la tierra quechua. No es la civilización, no es alfabeto del blanco, lo que levanta el alma del indio. Es el mito, es la idea de la revolución socialista. La esperanza indígena es absolutamente revolucionaria. El mismo mito, la misma idea, son agentes decisivos del despertar de otros viejos pueblos, de otras viejas razas en colapso: hindúes, chinos, etcétera. La historia universal tiende hoy como nunca a regirse por el mismo cuadrante. ¿Por qué ha de ser el pueblo incaico, que construyó el más desarrollado y armónico sistema comunista, el único insensible a la emoción mundial? La consanguinidad del movimiento indigenista con las corrientes revolucionarias mundiales es demasiado evidente para que precise documentarla. Yo he dicho ya que he llegado al entendimiento y a la valorización justa de lo indígena por la vía del socialismo. El caso de Valcárcel demuestra lo exacto de mi experiencia personal. Hombre de diversa formación intelectual, influido por sus gustos tradicionalistas, orientado por distinto género de sugestiones y estudios, Valcárcel resuelve políticamente su indigenismo en socialismo. En este libro nos dice, entre otras cosas, que "el proletariado indígena espera su Lenin". No sería diferente el lenguaje de un marxista.

La reivindicación indígena carece de concreción histórica mientras se mantienen un plano filosófico o cultural. Para adquirirla —esto es, para adquirir realidad, corporeidad— necesita convertirse en reivindicación económica y política. El socialismo nos ha enseñado a plantear el problema indígena en nuevos términos. Hemos dejado de considerarlo abstractamente como problema étnico o moral para reconocerlo concretamente como problema social, económico y político. Y entonces lo hemos sentido, por primera vez, esclarecido y demarcado.

Los que no han roto todavía el cerco de su educación liberal burguesa y, colocándose en una posición abstractista y literaria, se entretienen en barajar los aspectos raciales del problema, olvidan que la política y, por tanto la economía, lo dominan fundamentalmente. Emplean un lenguaje pseudoidealista para escamotear la realidad disimulándola bajo sus atributos y consecuencias. Oponen a la dialéctica revolucionaria un confuso galimatías crítico, conforme al cual la solución del problema indígena no puede partir de una reforma o hecho político porque a los efectos inmediatos de éste escaparía una compleja multitud de costumbres y vicios que sólo pueden transformarse a través de una evolución lenta y normal.

La historia, afortunadamente, resuelve todas las dudas y desvanece todos los equívocos. La Conquista fue un hecho político. Interrumpió bruscamente el proceso autónomo de la nación quechua, pero no implicó una repentina sustitución de las leyes y costumbres de los nativos por las de los conquistadores. Sin embargo, ese hecho político abrió, en todos los órdenes de cosas, así espirituales como materiales, un nuevo periodo. El cambio de régimen bastó para mudar desde sus cimientos la vida del pueblo quechua. La Independencia fue otro hecho político. Tampoco correspondió a una radical transformación de la estructura económica y social del Perú; pero inauguró, no obstante, otro periodo de nuestra historia, y si no mejoró prácticamente la condición del indígena, por no haber tocado casi la infraestructura económica colonial, cambió su situación jurídica, y franqueó el camino de su emancipación política y social. Si la República no siguió este camino, la responsabilidad de la omisión corresponde exclusivamente a la clase que usufructuó la obra de los libertadores tan rica potencialmente en valores y principios creadores.

El problema indígena no admite ya la mistificación a que perpetuamente lo ha sometido una turba de abogados y literatos, consciente o inconscientemente mancomunados con los intereses de la casta latifundista. La miseria moral y material de la raza indígena aparece demasiado netamente como una simple consecuencia del régimen económico y social que sobre ella pesa desde hace siglos. Este régimen sucesor de la feudalidad colonial, es el "gamonalismo". Bajo su imperio, no se puede hablar seriamente de redención del indio.

El término "gamonalismo" no designa sólo una categoría social y económica: la de los latifundistas o grandes propietarios agrarios. Disigna todo un fenómeno. El gamonalismo no está representado sólo por los gamonales propiamente dichos. Comprende una larga jerarquía de funcionarios, intermediarios, agentes, parásitos, etcétera. El indio alfabeto se transforma en un explotador de su propia raza porque se pone al servicio del gamonalismo. El factor central del fenómeno es la hegemonía de la gran propiedad semifeudal en la política y el mecanismo del Estado. Por consiguiente, es sobre este factor sobre el que se debe actuar si se quiere atacar en su raíz un mal del cual algunos se empeñan en no contemplar sino las expresiones episódicas o subsidiarias.

Esa liquidación del gamonalismo, o de la feudalidad, podía haber sido realizada por la República dentro de los principios liberales y capitalistas. Pero por las razones que llevo ya señaladas estos principios no han dirigido efectiva y plenamente nuestro proceso histórico. Saboteados por la propia clase encargada de aplicarlos, durante más de un siglo han sido impotentes para redimir al indio de una servidumbre que constituía un hecho absolutamente solidario con el de la feudalidad. No es el caso de esperar que hoy, que estos principios están en crisis en el mundo, adquieran repentinamente en el Perú una insólita vitalidad creadora.

El pensamiento revolucionario, y aun el reformista, no puede ser ya liberal sino socialista. El socialismo aparece en nuestra historia no por una razón de azar, de imitación o de moda, como espíritus superficiales suponen, sino como una fatalidad histórica. Y sucede que mientras, de un lado, los que profesamos el socialismo propugnamos lógicamente y coherentemente la reorganización del país sobre bases socialistas y —constatando que el régimen económico y político que combatimos se ha convertido gradualmente en una fuerza de colonización del país por los capitalismos imperialistas extranjeros— proclamamos que éste es un instante de nuestra historia en que no es posible ser efectivamente nacionalista y revolucionario sin ser socialista, de otro lado no existe en el Perú, como no ha existido nunca, una burguesía progresista, con sentido nacional, que se profese liberal y democrática y que inspire su política en los postulados de su doctrina.

[2] González Prada, que ya en uno de sus primeros discursos de agitador intelectual había dicho que formaban el verdadero Perú los millones de indios de los valles andinos, en el capítulo "Nuestros indios" incluido en la última edición de *Horas de lucha*, tiene juicios que lo señalan como el precursor de una nueva conciencia social: "Nada cambia más pronto ni más radicalmente la psicología del hombre que la propie-

dad: al sacudir la esclavitud del vientre, crece en cien palmos. Con sólo adquirir algo el individuo asciende algunos peldaños en la escala social, porque las clases se reducen a grupos clasificados por el monto de la riqueza. A la inversa del globo aerostático, sube más el que más pesa. Al que diga: la escuela, respóndasele: la escuela y el pan. La cuestión del indio, más que pedagógica, es económica, es social."

[3] "Sostener la condición económica del indio —escribe Encinas— es el mejor modo de elevar su condición social. Su fuerza económica se encuentra en la tierra, allí se encuentra toda su actividad. Retirarlo de la tierra es variar, profunda y peligrosamente, ancestrales tendencias de la raza. No hay como el trabajo de la tierra para mejorar sus condiciones económicas. En ninguna otra parte, ni en ninguna otra forma puede encontrar mayor fuente de riqueza como en la tierra." (*Contribución a una legislación tutelar indígena*, p. 39.) Encinas, en otra parte, dice: "Las instituciones jurídicas relativas a la propiedad tienen su origen en las necesidades económicas. Nuestro Código Civil no está en armonía con los principios económicos, porque es individualista en lo que se refiere a la propiedad. La ilimitación del derecho de propiedad ha creado el latifundio con detrimento de la propiedad indígena. La propiedad del suelo improductivo ha creado la enfeudación de la raza y su miseria." (p. 13).

[4] González Prada, *Horas de lucha*, 2a. ed., "Nuestros indios".

[5] Dora Mayer de Zulen resume así el carácter del experimento pro-indígena: "En fría concreción de datos prácticos, la Asociación Pro-Indígena significa para los historiadores lo que Mariátegui supone un experimento de rescate de la atrasada y esclavizada raza indígena por medio de un cuerpo protector extraño a ella, que gratuitamente y por vías legales ha procurado servirle como abogado en sus reclamos ante los poderes del Estado." Pero, como aparece en el mismo interesante balance de la pro-indígena, Dora Mayer piensa que esta asociación trabajó, sobre todo, por la formación de un sentido de responsabilidad. "Dormida estaba —anota— a los cien años de la emancipación republicana del Perú, la conciencia de los gobernantes, la conciencia de los gamonales, la conciencia del clero, la conciencia del público ilustrado y semilustrado, respecto a sus obligaciones para con la población que no sólo merecía un filantrópico rescate de vejámenes inhumanos, sino a la cual el patriotismo peruano debía un resarcimiento de honor nacional, porque la raza incaica había descendido a escarnio de propios y extraños." El mejor resultado de la pro-indígena resulta sin embargo, según el leal testimonio de Dora Mayer, su influencia en el despertar indígena. "Lo que era deseable que sucediera, estaba sucediendo; que los indígenas mismos, saliendo de la tutela de las clases ajenas, concibieran los medios de su reivindicación."

[6] Op. cit.

[7] "Sólo el misionero —escribe el señor José León y Bueno, uno de los líderes de la Acción Social de la Juventud— puede redimir y restituir al indio. Siendo el intermediario incansable entre el gamonal y el colono,

entre el latifundista y el comunero, evitando las arbitrariedades del gobernador que obedece sobre todo al interés político del cacique criollo; explicando con sencillez la lección objetiva de la naturaleza e interpretando la vida en su fatalidad y en su libertad; segando condenando el desborde sensual de las muchedumbres en las fiestas; segando la incontinencia en sus mismas fuentes y revelando a la raza su misión excelsa, puede devolver al Perú su unidad, su dignidad y su fuerza." (Boletín de la ASJ, mayo de 1928.)

⁸ Es demasiado sabido que la producción —y también el contrabando— de aguardiente de caña, constituye uno de los más lucrativos negocios de los hacendados de la sierra. Aun los de la costa, explotan en cierta escala este filón. El alcoholismo del peón y del colono resulta indispensable a la prosperidad de nuestra gran propiedad agrícola.

El problema de la tierra

¹ Luis E. Valcárcel, *Del ayllu al imperio,* p. 166.

² César Antonio Ugarte, *Bosquejo de la historia económica del Perú,* p. 9.

³ Javier Prado, "Estado social del Perú durante la dominación española". *Anales Universitarios del Perú,* t. XXII, pp. 125 y 126.

⁴ Ugarte, op. cit., p. 64.

⁵ José Vasconcelos, *Indología.*

⁶ Javier Prado, op. cit., p. 37.

⁷ Georges Sorel, *Introduction a l'économie moderne,* pp. 120 y 130.

⁸ Ugarte, op. cit., p. 24.

⁹ Eugène Schkaff, *La question agraire en Russie,* p. 118.

¹⁰ Esteban Echeverría, *Antecedentes y primeros pasos de la revolución de mayo.*

¹¹ Vasconcelos, conferencia sobre "El nacionalismo en la América Latina", *Amauta,* n. 4, p. 15. Este juicio exacto en lo que respecta a las relaciones entre caudillaje militar y propiedad agraria en América, no es igualmente válido para todas las épocas y situaciones históricas. No es posible suscribirlo sin esta precisa reserva.

¹² Ugarte, op. cit, p. 57.

¹³ *Le Pérou contemporain,* pp. 98 y 99.

¹⁴ Ugarte, op. cit., p. 58.

¹⁵ Si la evidencia histórica del comunismo incaico no apareciese incontestable, la comunidad, órgano específico de comunismo, bastaría para despejar cualquier duda. El "despotismo" de los incas ha herido, sin embargo, los escrúpulos liberales de algunos espíritus de nuestro tiempo. Quiero reafirmar aquí la defensa que hice del comunismo incaico objetando la tesis de su más reciente impugnador, Augusto Aguirre Morales, autor de la novela *El Pueblo del Sol.*

El comunismo moderno es una cosa distinta del comunismo incaico.

Esto es lo primero que necesita aprender y entender el hombre de estudio que explora el Tawantinsuyo. Uno y otro comunismo son un producto de diferentes experiencias humanas. Pertenecen a distintas épocas históricas. Constituyen la elaboración de disímiles civilizaciones. La de los incas fue una civilización agraria. La de Marx y Sorel es una civilización industrial. En aquélla el hombre se sometía a la naturaleza. En ésta la naturaleza se somete a veces al hombre. Es absurdo, por ende, confrontar las formas y las instituciones de uno y otro comunismo. Lo único que puede confrontarse es su incorpórea semejanza esencial, dentro de la diferencia esencial y material de tiempo y de espacio. Y para esta confrontación hace falta un poco de relativismo histórico. De otra suerte se corre el riesgo cierto de caer en los clamorosos errores en que ha caído Víctor Andrés Belaúnde en una tentativa de ese género.

Los cronistas de la conquista y de la colonia miraron el panorama indígena con ojos medievales. Su testimonio indudablemente no puede ser aceptado, sin beneficio de inventario.

Sus juicios corresponden inflexiblemente a sus puntos de vista españoles y católicos. Pero Aguirre Morales es, a su turno, víctima del falaz punto de vista. Su posición en el estudio del Imperio incaico no es una posición relativista. Aguirre considera y examina el Imperio con apriorismos liberales e individualistas. Y piensa que el pueblo incaico fue un pueblo esclavo e infeliz porque careció de libertad.

La libertad individual es un aspecto del complejo fenómeno liberal. Una crítica realista puede definirla como la base jurídica de la civilización capitalista. (Sin el libre arbitrio no habría libre tráfico, ni libre concurrencia, ni libre industria.) Una crítica idealista puede definirla como una adquisición del espíritu humano en la edad moderna. En ningún caso, esta libertad cabía en la vida incaica. El hombre del Tawantinsuyo no sentía absolutamente ninguna necesidad de libertad individual. Así como no sentía absolutamente, por ejemplo, ninguna necesidad de libertad de imprenta. La libertad de imprenta puede servirnos para algo a Aguirre Morales y a mí; pero los indios podían ser felices sin conocerla y aun sin concebirla. La vida y el espíritu del indio no estaban atormentados por el afán de especulación y de creación intelectuales. No estaban tampoco subordinados a la necesidad de comerciar, de contratar, de traficar. ¿Para qué podría servirle, por consiguiente, al indio esta libertad inventada por nuestra civilización? Si el espíritu de la libertad se reveló al quechua, fue sin duda en una fórmula liberal, jacobina e individualista de la libertad. La revelación de la libertad, como la revelación de Dios, varía con las edades, los pueblos y los climas. Consustanciar la idea abstracta de la libertad con las imágenes concretas de una libertad con gorro frigio —hija del protestantismo y del Renacimiento y de la revolución francesa— es dejarse coger por una ilusión que depende tal vez de un mero, aunque no desinteresado astigmatismo filosófico de la burguesía y de su democracia.

La tesis de Aguirre, negando el carácter comunista de la sociedad incaica, descansa íntegramente en un concepto erróneo. Aguirre parte de la idea de que autocracia y comunismo son dos términos inconciliables. El régimen incaico —constata— fue despótico y teocrático; luego —afirma— no fue comunista. Mas el comunismo no supone, históricamente, libertad individual ni sufragio popular. La autocracia y el comunismo son incompatibles en nuestra época; pero no lo fueron en sociedades primitivas. Hoy un orden nuevo no puede renunciar a ninguno de los progresos morales de la sociedad moderna. El socialismo contemporáneo —otras épocas han tenido otros tipos de socialismo que la historia designa con diversos nombres— es la antítesis del liberalismo; pero nace de su entraña y se nutre de su experiencia. No desdeña ninguna de sus conquistas intelectuales. No escarnece y vilipendia sino sus limitaciones. Aprecia y comprende todo lo que en la idea liberal hay de positivo: condena y ataca sólo lo que en esta idea hay de negativo y temporal.

Teocrático y despótico fue, ciertamente, el régimen incaico. Pero este es un rasgo común de todos los regímenes de la antigüedad. Todas las monarquías de la historia se han apoyado en el sentimiento religioso de sus pueblos. El divorcio del poder temporal y del poder espiritual es un hecho nuevo. Y más que un divorcio es una separación de cuerpos. Hasta Guillermo de Hohenzollern los monarcas han invocado su derecho divino.

No es posible hablar de tiranía abstractamente. Una tiranía es un hecho concreto. Y es real sólo en la medida en que oprime la voluntad de un pueblo o en que contraría y sofoca su impulso vital. Muchas veces, en la antigüedad, un régimen absolutista y teocrático ha encarnado y representado, por el contrario, esa voluntad y ese impulso. Este parece haber sido el caso del imperio incaico. No creo en la obra taumatúrgica de los incas. Juzgo evidente su capacidad política; pero juzgo no menos evidente que su obra consistió en construir el Imperio con los materiales humanos y los elementos morales allegados por los siglos. El *ayllu* —la comunidad— fue la célula del Imperio. Los incas hicieron la unidad, inventaron el Imperio; pero no crearon la célula. El Estado jurídico organizado por los incas reprodujo, sin duda el Estado natural preexistente. Los incas no violentaron nada. Está bien que se exalte su obra; no que se desprecie y disminuya la gesta milenaria y multitudinaria de la cual esa obra no es sino una expresión y una consecuencia.

No debe empequeñecer, ni mucho menos negar, lo que en esa obra pertenece a la masa. Aguirre, literato individualista, se complace en ignorar en la historia a la muchedumbre. Su mirada de romántico busca exclusivamente al héroe.

Los vestigios de la civilización incaica declaran unánimemente, contra la requisitoria de Aguirre Morales. El autor de *El Pueblo del Sol* invoca el testimonio de los millares de huacos que han desfilado ante sus ojos. Y bien. Esos huacos dicen que el arte incaico fue un arte popular. Y el mejor documento de la civilización incaica es, acaso, su arte. La cerámica estilizada sintetista de los indios no puede haber sido producida por un pueblo grosero y bárbaro.

James George Frazer —muy distante espiritual y físicamente de los cronistas de la colonia— escribe: "Remontando el curso de la historia, se encontrará que no es por un puro accidente que los primeros grandes pasos hacia la civilización han sido hechos bajo gobiernos despóticos y teocráticos como los de la China, del Egipto, de Babilonia, de México, del Perú, países en todos los cuales el jefe supremo exigía y obtenía la obediencia servil de sus súbditos por su doble carácter de rey y de Dios. Sería apenas una exageración decir que en esa época lejana el despotismo es el más grande amigo de la humanidad y, por paradojal que esto parezca, de la libertad. Pues después de todo, hay más libertad, en el mejor sentido de la palabra —libertad de pensar nuestros pensamientos y de modelar nuestros destinos— bajo el despotismo más absoluto y la tiranía más opresora que bajo la aparente libertad de la vida salvaje, en la cual la suerte del individuo, de la cuna a la tumba, es vaciada en el molde rígido de las costumbres hereditarias." (*The Golden Bough,* part. 1.)

Aguirre Morales dice que en la sociedad incaica se desconocía el robo por una simple falta de imaginación para el mal. Pero no se destruye con una frase de ingenioso humorismo literario un hecho social que prueba, precisamente, lo que Aguirre se obstina en negar: el comunismo incaico. El economista francés Charles Gide piensa que, más exacta que la célebre fórmula de Proudhon, es la siguiente fórmula: "El robo es la propiedad." En la sociedad incaica no existía el robo porque no existía la propiedad. O si se quiere porque existía una organización socialista de la propiedad.

Invalidemos y anulemos, si hace falta, el testimonio de los cronistas de la colonia. Pero en el caso que la teoría de Aguirre busca amparo, justamente, en la interpretación, medieval en su espíritu, de esos cronistas, de la forma de distribución de las tierras y de los productos.

Los frutos del suelo no son atesorables. No es verosímil, por consiguiente, que las dos terceras partes fuesen acaparadas para el consumo de los funcionarios y sacerdotes del Imperio. Mucho más verosímil es que los frutos, que se supone reservados para los nobles y el inca, estuviesen destinados a constituir los depósitos del Estado.

Y que representasen, en suma, un acto de providencia social, peculiar y característico en un orden socialista.

[16] Castro Pozo, *Nuestra comunidad indígena.*
[17] Ibid., pp. 16 y 17.
[18] Escrito este trabajo, encuentro en el libro de Haya de la Torre *Por la emancipacion de la América Latina,* conceptos que coinciden absolutamente con los míos sobre la cuestion agraria en general y sobre la comunidad indígena en particular. Partimos de los mismos puntos de vista, de manera que es forzoso que nuestras conclusiones sean también las mismas.

[19] Castro Pozo, op. cit., pp. 66 y 67.

[20] Ibid., p. 434

[21] Schkaff, op. cit., p. 188.

[22] Castro Pozo, op. cit., p. 47. El autor tiene observaciones muy interesantes sobre los elementos espirituales de la economía comunitaria. "La energía, perseverancia e interés —apunta— con que un comunero siega, gavilla el trigo o la cebada, *quipicha* (*quipichar*: cargar a la espalda*. Costumbre indígena extendida en toda la sierra. Los cargadores, fleteros y estibadores de la costa, cargan sobre el hombro) y desfila, a paso ligero, hacia la era alegre, corriéndole una broma al compañero o sufriendo la del que va detrás halándole el extremo de la manta, constituyen una tan honda y decisiva diferencia, comparados con la desidia, frialdad, laxitud del ánimo y al parecer, cansancio, con que prestan sus servicios los yanacones, en idénticos trabajos u otros de la misma naturaleza; que a primera vista salta el abismo que diversifica el valor de ambos estados psicofísicos, y la primera interrogación que se insinúa al espíritu, es la de ¿qué influencia ejerce en el proceso del trabajo su objetivación y finalidad concreta e inmediata?

[23] Sorel, que tanta atención ha dedicado a los conceptos de Proudhon y Le Play sobre el rol de la familia en la estructura y el espíritu de la sociedad, ha considerado con buida y sagaz penetración "la parte espiritual del medio económico". Si algo ha echado de menos en Marx, ha sido un insuficiente espíritu jurídico, aunque haya convenido en que este aspecto de la producción no escapaba al dialéctico de Tréveris. "Se sabe —escribe en su *Introduction a l'économie moderne*— que la observación de las costumbres de las familias de la plana sajona impresionó mucho a Le Play en el comienzo de sus viajes y ejerció una influencia decisiva sobre su pensamiento. Me he preguntado si Marx no había pensado en estas antiguas costumbres cuando ha acusado al capitalismo de hacer del proletario un hombre sin familia." Con relación a las observaciones de Castro Pozo, quiero recordar otro concepto de Sorel: "El trabajo depende, en muy vasta medida, de los sentimientos que experimentan los obreros ante su tarea."

[24] Schkaff, op. cit, p. 135.

[25] No hay que olvidar, por lo que toca a los braceros serranos, el efecto extenuante de la costa cálida e insalubre en el organismo del indio de la sierra, presa segura del paludismo, que lo amenaza y predispone a la tuberculosis. Tampoco hay que olvidar el profundo apego del indio a sus lares y a su naturaleza. En la costa se siente un exilado, un *mitimae*.

[26] Una de las constataciones más importantes a que este tópico conduce es la de la íntima solidaridad de nuestro problema agrario con nuestro problema demográfico. La concentración de las tierras en manos de los gamonales constituye un freno, un cáncer de la demografía nacional. Sólo cuando se haya roto esa traba del progreso peruano, se habrá adoptado realmente el principio sudamericano: "Gobernar es poblar."

[27] El proyecto concebido por el gobierno con el objeto de crear la pequeña propiedad agraria se inspira en el criterio económico liberal y capitalista. En la costa su aplicación, subordinada a la expropiación de fundos y a la irrigación de tierras eriazas, puede corresponder aún a posibilidades más o menos amplias de colonización. En la sierra sus efectos serían mucho más restringidos y dudosos. Como todas las tentativas de dotación de tierras, que registra nuestra historia republicana, se caracteriza por su prescindencia del valor social de la "comunidad" y, por su timidez ante el latifundista cuyos intereses salvaguarda con expresivo celo. Estableciendo el pago de la parcela al contado o en veinte anualidades, resulta inaplicable en las regiones de sierra donde no existe todavía una economía comercial monetaria. El pago, en estos casos, debería ser estipulado no en dinero, sino en productos. El sistema del Estado de adquirir fundos para repartirlos entre los indios manifiesta un extremado miramiento por los latifundistas, a los cuales ofrece la ocasión de vender fundos poco productivos o mal explotados, en condiciones ventajosas.

[28] Schkaff, op. cit. pp. 133-35.

[29] Francisco Ponce de León, *Sistemas de arrendamiento de terrenos de cultivo en el departamento del Cuzco y el problema de la tierra.*

[30] Los experimentos recientemente practicados, en distintos puntos de la costa, por la Comisión Impulsora del Cultivo del Trigo, han tenido, según se anuncia, éxito satisfactorio. Se han obtenido apreciables rendimientos de la variedad Kappli Emmer —inmune a la "roya"— aun en las "lomas".

[31] Herriot, *Creer.*

El proceso de la instrucción pública

[1] La participación de educadores belgas, alemanes, italianos, ingleses, etcétera, en el desarrollo de nuestra educación pública, es episódica y contingente y no implica una orientación de nuestra política, educacional.

[2] Circular del ministro don Matías León, fechada el 19 de abril de 1831.

[3] "Las reformas de la Instrucción Pública", discurso pronunciado en la apertura del año universitario de 1919. En la *Revista Universitaria* de 1919.

[4] Véase en este volumen los estudios sobre la economía nacional y el problema de la tierra.

[5] M.V. Villarán, *Estudios sobre educación nacional,* pp. 8 y 9.

[6] Es interesante y expresivo el que los reaccionarios franceses proclamen a Francia nación burguesa, más bien que capitalista.

[7] Ibid., p. 27.

[8] España es el país de la contrarreforma, y por ende el Estado antiliberal y antimoderno por excelencia.

⁹ C.A. Ugarte, *Bosquejo de la historia económica del Perú.*

¹⁰ Véase el ensayo sobre el factor religioso.

¹¹ Edouard Herriot, *Creer,* p. 95.

¹² Ibid., p. 125.

¹³ Ibid., p. 127.

¹⁴ Ibid., pp. 120, 123 y 124.

¹⁵ M. V. Villarán, op. cit., p. 74.

¹⁶ Ibid., p. 33.

¹⁷ Estudio del doctor Bouroncle sobre "Cien años de política educacional" publicado en *La Prensa* el 9 de diciembre de 1924.

¹⁸ En 1926, los egresos fiscales del presupuesto sumaron Lp. 10 518 960, correspondiendo a la instrucción Lp. 1 000 184, pero sólo Lp. 859 807 a la primaria.

¹⁹ Ley Orgánica de Enseñanza de 1920. Edición oficial, p. 84.

²⁰ Publicaciones del Círculo Médico Argentino y Centro de Estudiantes de Medicina. *La Reforma Universitaria,* 6 t., 1926-1927.

²¹ *La Reforma Universitaria,* t. 1, p. 55.

²² Ibid., p. 44.

²³ Ibid., pp. 58 y 86.

²⁴ Ibid., p. 125.

²⁵ Ibid., p. 130.

²⁶ Ibid., pp. 140 y 141.

²⁷ V. A. Belaúnde, *La vida universitaria,* p. 3.

²⁸ Alfredo L. Palacios, *La nueva universidad.*

²⁹ Véase el n. 3 de *Amauta,* noviembre de 1926.

³⁰ En *Repertorio Americano,* t. XV, p. 145 (1927).

³¹ En la *Revista Universitaria del Cuzco.* 56, 1927.

³² En *Amauta,* n. 7, marzo de 1927.

³³ En prensa esta obra, el gobierno ha dictado, en uso de una expresa autorización legislativa, un nuevo estatuto de la enseñanza universitaria que entra en vigencia en el año de estudios de 1928, abierto, por este motivo, con retardo. Esta reforma concierne casi exclusivamente a la organización de la enseñanza universitaria, colocada bajo la autoridad de un consejo superior que preside el ministro de Instrucción. El carácter, el concepto de esta enseñanza no ha sido tocado: no podría serlo sino dentro de una reforma integral de la educación que hiciese de la enseñanza universitaria el grado superior de la instrucción profesional, reservándola a los capaces, seleccionados con independencia de todo privilegio económico. La reforma, que es, sobre todo, administrativa, se inspira, tendencialmente, en los mismos principios de la ley de 1920 aunque adopte, en ciertos puntos, otra técnica. El discurso del presidente de la República, al inaugurar el año universitario, asigna a la reforma la misión de adecuar la enseñanza universitaria a las necesidades prácticas de la nación, en este siglo de industrialismo y acentuando esta afirmación, condena explícitamente la orientación de

los propugnadores de una cultura abstractista, clásica, exenta de preocupaciones utilitarias. Pero el rectorado de la nueva era de la Universidad —que en sus aspectos esenciales se parece a la vieja— ha sido encargado al doctor Deustua que, si es entre nosotros un tipo de estudioso y universitario concienzudo, es además el más conspicuo de los patrocinadores de la tendencia de la cual hace justicia sumaria el discurso presidencial. Esta contradicción no se explicaría fácilmente en ninguno de aquellos países donde ideológica y doctrinalmente se tiene el hábito de la coherencia. El Perú, ya lo sabemos, no es de esos países. El estatuto —cuya apreciación general no cabe en esta breve nota— establece los medios de crear la carrera universitaria, la docencia especializada. En este sentido, es un instrumento legal de transformación técnica de la enseñanza. La eficacia de este instrumento depende de su aplicación.

³⁴ Revista *Sagitario* de La Plata, n. 2, 1925.
³⁵ "A propósito de un cuestionario sobre la reforma de la ley de instrucción". Colección de artículos. Imp. M. A. Dávila, 1914, p. 56. Véase también *La cultura superior en Italia*, E. Rosay impresor, Lima, 1912, p. 145 y ss.
³⁶ F. Lefèvre, *Une heure avec,* segunda serie, p. 172.
³⁷ M. V. Villarán, op. cit., p. 52.
³⁸ P. Henríquez Ureña, *Utopía de América.*
³⁹ Expresivas del orientamiento renovador de los normalistas son las publicaciones aparecidas en Lima y provincias en los últimos años: *La Revista Peruana de Educación*, Lima, 1926; *Revista del Maestro* y *Revista de Educación*, Tarma; *Ideario Pedagógico,* Arequipa; *El Educador Andino*, Puno.
⁴⁰ El ministro de Instrucción doctor Oliveira, en un discurso pronunciado en el congreso en la legislatura de 1927, ha reconocido la vinculación del problema de la educación indígena y el problema de la tierra, aceptando una realidad eludida invariablemente por sus predecesores en ese cargo.

El factor religioso

¹ Waldo Frank, *Our America.*
² James George Fraser, *The Golden Bough.*
³ Antero Peralta Insurgente en un artículo publicado en el n.15 de *Amauta* contra la idea, corrientemente admitida, de que el indio es panteísta. Peralta parte de la constatación de que el panteísmo del indio no es asimilable a ninguno de los sistemas panteístas conocidos por la historia de la filosofía. Habría que observar a Peralta, cuyo aporte a la investigación de los elementos y características de la religiosidad del indio confirma su aptitud y vocación de estudioso, que su limitación previa del empleo de la palabra "panteísmo" peca de arbitraria. Por mi parte, creo que queda claramente expresado que atribuyo al indio

del Tawantinsuyo *sentimiento* panteísta y no una *filosofía* panteísta.

[4] Frazer, op. cit.

[5] Frazer, op. cit.

[6] Los más celosos custodios de la tradición latina y del orden romano —más paganos que cristianos— se amparan en Santo Tomás como en la más firme ciudadela del pensamiento católico.

[7] Unamuno, *La mística española*.

[8] "El Cuzco católico" en *Amauta* n. 10, diciembre de 1927.

[9] Frazer, op. cit.

[10] Unamuno, *La agonía del cristianismo*.

[11] F. García Calderón, *Le Perou contemporain*.

[12] Unamuno, *La mística española*.

[13] García Calderón, op. cit.

[14] Javier Prado, *Estado social del Perú durante la dominación española*.

[15] F. Engels, *Socialismo utópico y socialismo científico*.

[16] Karl Marx, *El Capital*.

[17] Ramiro de Maeztu, "Rodó y el poder", en *Repertorio Americano*, t. VII, n. 6, 1926.

[18] René Johannet, *Eloge du bourgeois français*.

[19] Sorel, *Introduction a l'économie moderne*, p. 289. Santo Tomás, *Secunda secundae*.

[20] Papini, *Pragmatismo*.

[21] Waldo Frank, *Our America*.

[22] Luchaire, *L'Eglise et le seizième siècle*.

[23] M. V. Villarán, *Estudios sobre educación nacional*, pp. 10 y 11.

[24] Luchaire, op. cit.

[25] Javier Prado, op. cit.

[26] A. Aulard, *Le christianisme et la révolution française*. p. 88.

[27] Ibid., p. 162

[28] Lucien Romier, *Explication de notre temps*, pp. 194 y 195.

[29] García Calderón, op. cit.

[30] "La Convención de 1856 y don José Gálvez", *Revista de Ciencias Jurídicas y Sociales*, n. 1, p. 36.

[31] Véase el artículo "González Prada y Urquieta" en el n. 5 de *Amauta*, enero de 1927.

[32] El líder de las YMCA, Julio Navarro Monzó, predicador de una nueva reforma, admite en su obra *El problema religioso en la cultura latinoamericana* que: "habiendo tenido los países latinos la enorme desgracia de haber quedado al margen de la Reforma del siglo XVI, ahora era ya demasiado tarde para pensar en convertirlos al protestantismo".

Regionalismo y centralismo

[1] *Declaración de Principios del Partido Demócrata*, Lima, 1897, p.14.

[2] Carta de Eugenio d'Ors con motivo del Centenario de la Independencia de Bolivia. En *Repertorio Americano?*

[3] Herriot, *Creer,* t. II, p. 191.

[4] El valor de la montaña en la economía peruana —me observa Miguelina Acosta— no puede ser medido con los datos de los últimos años. Estos años corresponden a un periodo de crisis, vale decir a un periodo de excepción. Las exportaciones de la montaña no tienen hoy casi ninguna importancia en la estadística del comercio peruano; pero la han tenido y muy grande, hasta la guerra. La situación actual de Loreto es la de una región que ha sufrido un cataclismo.

Esta observación es justa. Para apreciar la importancia económica de Loreto es necesario no mirar sólo a su presente. La producción de la montaña ha jugado hasta hace pocos años un rol importante en nuestra economía. Ha habido una época en que la montaña empezó a adquirir el prestigio de un El Dorado. Fue la época en que el caucho apareció como una ingente riqueza de inmensurable valor. Francisco García Calderón, en *El Perú contemporáneo*, escribía hace aproximadamente veinte años que el caucho era la gran riqueza del porvenir. Todos compartieron esta ilusión.

Pero, en verdad, la fortuna del caucho dependía de circunstancias pasajeras. Era una fortuna contingente, aleatoria. Si no lo comprendimos oportunamente fue por esa facilidad con que nos entregamos a un optimismo panglossiano cuando nos cansamos demasiado de un escepticismo epidérmicamente frívolo. El caucho no podía ser razonablemente equiparado a un recurso mineral, más o menos peculiar o exclusivo de nuestro territorio.

La crisis de Loreto no representa una crisis, más o menos temporal, de sus industrias. Miguelina Acosta sabe muy bien que la vida industrial de la montaña es demasiado incipiente. La fortuna del caucho fue la fortuna ocasional de un recurso de la floresta, cuya explotación dependía, por otra parte, de la proximidad de la zona —no trabajada sino devastada— a las vías de transporte.

El pasado económico de Loreto no nos demuestra, por consiguiente, nada que invalide mi aserción en lo que tiene de sustancial. Escribo que económicamente la montaña carece aún de significación. Y, claro, esta significación tengo que buscarla, ante todo, en el presente. Además tengo que quererla parangonable o proporcional a la significación de la sierra y la costa. El juicio es relativo.

Al mismo concepto de comparación puedo acogerme en cuanto a la significación sociológica de la montaña. En la sociedad peruana distingo dos elementos fundamentales, dos fuerzas sustantivas. Esto no quiere decir que no distinga nada más. Quiere decir solamente que todo lo demás, cuya realidad no niego, es secundario.

Pero prefiero no contentarme con esta explicación. Quiero considerar con la más amplia justicia las observaciones de Miguelina Acosta. Una de éstas, la esencial, es que de la sociología de la montaña se sabe muy poco. El peruano de la costa, como el de la sierra, ignora al de la montaña. En la montaña, o más propiamente hablando, en el antiguo departamento de Loreto, existen pueblos de costumbres y tradiciones propias, casi sin parentesco con las costumbres y tradiciones de los pueblos de la costa y de la sierra. Loreto tiene indiscutible individualidad en nuestra socioloqía y nuestra historia. Sus capas biológicas no son las mismas. Su evolución social se ha cumplido diversamente.

A este respecto es imposible no declararse de acuerdo con la doctora Acosta Cárdenas, a quien toca, sin duda, concurrir al esclarecimiento de la realidad peruana con un estudio completo de la sociología de Loreto. El debate sobre el tema del regionalismo no puede dejar de considerar a Loreto como una región. (Es necesario precisar: a Loreto, no a la "montaña".) El regionalismo de Loreto es un regionalismo que más de una vez ha afirmado insurreccionalmente sus reivindicaciones. Y que, por ende, si no ha sabido ser teoría, ha sabido en cambio ser acción. Lo que a cualquiera le parecerá, sin duda, suficiente para tenerlo en cuenta.

⁵ En *Mundial,* septiembre de 1925, a propósito de *De la vida incaica.*

⁶ Carlos Concha, *El régimen local,* p. 135.

⁷ *Extracto Estadístico del Perú* de 1926, p. 2.

⁸ Lucien Romier, *Explication de notre temps.* p. 50

⁹ En *Le vie d'Italia dell'America Latina,* 1925.

¹⁰ Conforme al *Extracto Estadístico del Perú,* las importaciones por el puerto de Talara ascendieron en 1926 a Lp. 2 453 719 y las exportaciones a Lp. 6 171 983, ocupando el segundo lugar después de las del Callao.

¹¹ En su libro *Por la emancipación de la América Latina* (pp. 90 y 91) Haya de la Torre opone y compara el destino colonial de México al del Perú. "En México —escribe— se han fundido las razas y la nueva capital fue erigida en el mismo lugar que la antigua. La ciudad de México y todas sus grandes ciudades están emplazadas en el corazón del país, en las montañas, sobre las mesetas altísimas que coronan los volcanes. La costa tropical sirve para comunicarse con el mar. El conquistador de México se fundió con el indio, se unió a él en el propio corazón de sus sierras y forjó una raza que, aunque no sea absolutamente una raza en el estricto sentido del vocablo, lo es por la homogeneidad de sus costumbres, por la tendencia a la definitiva fusión de sangres, por la continuidad sin soluciones violentas del ambiente nacional. En el Perú no ocurrió eso. El Perú serrano e indígena, el verdadero Perú, quedó tras de los Andes occidentales. Las viejas ciudades nacionales: Cuzco, Cajamarca, etcétera, fueron relegadas. Se fundaron ciudades nuevas y españolas en la costa tropical donde no llueve nunca, donde no hay cambios de temperatura, donde pudo desarrollarse ese ambiente andaluz, sensual, de nuestra capital alegre y sumisa." Es significativo que estas observaciones —a cuya altura nunca llegaron generalmente las quejas y alardes del antilimeñismo— provengan de un hijo de Trujillo, esto es,

de una de "esas ciudades nuevas y españolas" cuyo predominio le parece responsable de muchas cosas que execra. Este y otros signos de la revisión actual merecen ser indicados a la meditación de los que atribuyen a la sierra la exclusiva del espíritu revolucionario y palingenésico.

El proceso de la literatura

[1] Piero Gobetti, *Opera critica*, primera parte, p. 88. Gobetti insiste en varios pasajes de su obra en esta idea, totalmente concorde con el dialecticismo marxista, que en modo absoluto excluye esas síntesis *a priori* tan fácilmente acariciadas por el oportunismo mental de los intelectuales. Trazando el perfil de Domenico Giuliotti, compañero de Papini en la aventura intelectual del *Dizionario dell'uomo salvatico*, escribe Gobetti: "A los individuos tocan las posiciones netas; la conciliación, la transacción es obra de la historia tan sólo; es un resultado." (Op. cit., p. 82.) Y en el mismo libro, al final de unos apuntes sobre la concepción griega de la vida, afirma: "El nuevo criterio de la verdad es un trabajo en armonía con la responsabilidad de cada uno. Estamos en el reino de la lucha (lucha de los hombres contra los hombres, de las clases contra las clases, de los Estados contra los Estados) porque solamente a través de la lucha se templan fecundamente las capacidades y cada uno, defendiendo con intransigencia su puesto, colabora al proceso vital."

[2] Benedetto Croce, *Nuovi saggi di estetica*, ensayo sobre la crítica literaria como filosofía, pp. 205 a 207. El mismo volumen, descalificando con su lógica inexorable las tendencias estetistas e historicistas en la historiografía artística, ha evidenciado que "la verdadera crítica de arte es ciertamente crítica estética, pero no porque desdeñe la filosofía como la crítica seudoestética, sino porque obra como filosofía o concepción del arte; y es crítica histórica, pero no porque se atenga a lo extrínseco del arte, como la crítica seudohistórica, sino porque, después de haberse valido de los datos históricos para la reproducción fantástica (y hasta aquí no es todavía historia), obtenida ya la reproducción fantástica, se hace historia, determinando qué cosa es aquel hecho que ha reproducido en su fantasía, esto es, caracterizando el hecho merced al concepto y estableciendo cuál es propiamente el hecho acontecido. De modo que las dos tendencias que están en contraste en las direcciones inferiores de la crítica, en la crítica coinciden; y 'crítica histórica del arte' y 'crítica estética' son lo mismo".

[3] Aunque es un trabajo de su juventud, o precisamente por serlo el *Carácter de la literatura del Perú independiente* traduce viva y sinceramente el espíritu y el sentimiento de su autor. Los posteriores trabajos de crítica literaria de Riva Agüero no rectifican fundamentalmente esta tesis. El *Elogio del Inca Garcilaso* por la exaltación del genial criollo y de sus *Comentarios reales* podría haber sido el preludio de una

337

nueva actitud. Pero en realidad, ni una fuerte curiosidad de erudito por la historia incaica, ni una fervorosa tentativa de interpretación del paisaje serrano, han disminuido en el espíritu de Riva Agüero la fidelidad a la Colonia. La estada en España ha agitado, en la medida que todos saben, su fondo conservador y virreinal. En un libro escrito en España, *El Perú histórico y artístico. Influencia y descendencia de los montañeses en él* (Santander, 1921), manifiesta una consideración acentuada de la sociedad incaica; pero en esto no hay que ver sino prudencia y ponderación de estudioso, en cuyos juicios pesa la opinión de Garcilaso y de los cronistas más objetivos y cultos. Riva Agüero constata que: "Cuando la Conquista, el régimen social del Perú entusiasmó a observadores tan escrupulosos como Cieza de León y a hombres tan doctos como el licenciado Polo de Ondegardo, el oidor Santillán, el jesuita autor de la *Relación anónima* y el P. José de Acosta. Y, ¿quién sabe si en las veleidades socializantes y de reglamentación agraria del ilustre Mariana y de Pedro de Valencia (el discípulo de Arias Montano) no influiría, a más de la tradición platónica, el dato contemporáneo de la organización incaica, que tanto impresionó a cuantos la estudiaron?" No se exime Riva Agüero de rectificaciones como la de su primitiva apreciación de *Ollantay*, reconociendo haber "exagerado mucho la inspiración castellana de la actual versión en una nota del ensayo sobre el *Carácter de la literatura del Perú independiente*" y que, en vista de estudios últimos, si *Ollantay* sigue apareciendo como obra de un refundidor de la Colonia, "hay que admitir que el plan, los procedimientos poéticos, todos los cantares y muchos trozos son de tradición incaica, apenas levemente alterados por el redactor". Ninguna de estas leales comprobaciones de estudioso anula empero el propósito ni el criterio de la obra, cuyo tono general es el de un recrudecido españolismo que, como homenaje a la metrópoli, tiende a reivindicar el españolismo "arraigado" del Perú.

⁴ Discuto y critico preferentemente la tesis de Riva Agüero porque la estimo la más representativa y dominante, y el hecho de que a sus valoraciones se ciñan estudios posteriores, deseosos de imparcialidad crítica y ajenos a sus motivos políticos, me parece una razón más para reconocerle un carácter central y un poder fecundador. Luis Alberto Sánchez, en el primer volumen de *La literatura peruana*, admite que García Calderón en *Del romanticismo al modernismo*, dedicado a Riva Agüero, glosa, en verdad, el libro de éste; y aunque años más tarde se documentara mejor para escribir su síntesis de *La literatura peruana*, no aumenta muchos datos a los ya apuntados por su amigo y compañero, el autor de *La historia en el Perú*, ni adopta una orientación nueva, ni acude a la fuente popular indispensable.

⁵ Francesco de Sanctis, *Teoria e storia della letteratura*, vol. I, p. 186. Ya que he citado los *Nuovi saggi di estetica* de Croce, no debo dejar de recordar que, reprobando las preocupaciones excesivamente nacionalista y modernista, respectivamente, de las historias literarias de Adolfo Bartels y Ricardo Mauricio Meyer, Croce sostiene: "que no es

verdad que los poetas y los otros artistas sean expresión de la conciencia nacional, de la raza, de la estirpe, de la clase, o de cualquier otra cosa símil". La reacción de Croce contra el desorbitado nacionalismo de la historiografía literaria del siglo XIX, al cual sin embargo escapan obras como la de George Brandes, espécimen extraordinario de buen europeo, es extremada y excesiva como toda reacción; pero responde, en el universalismo vigilante y generoso de Croce, a la necesidad de resistir a las exageraciones de la imitación de los imperiales modelos germanos.

6 Véase en *Amauta* n. 12 y 14 las noticias y comentarios de Gabriel Collazos y José Gabriel Cossio sobre la comedia quechua de Inocencio Mamani, a cuya gestación no es probablemente extraño el ascendiente fecundador de Gamaliel Churata.

7 De Sanctis, op. cit., pp. 186 y 187.

8 José Gálvez, *Posibilidad de una genuina literatura nacional*, p. 7.

9 De Sanctis, en su *Teoria e storia della letteratura*, p. 205, dice: "El hombre, en el arte como en la ciencia, parte de la subjetividad y por esto la lírica es la primera forma de la poesía. Pero de la subjetividad pasa después a la objetividad y se tiene la narración, en la cual la conmoción subjetiva es incidental y secundaria. El campo de la lírica es lo ideal, de la narración lo real: en la primera, la impresión es fin, la acción es ocasión; en la segunda sucede lo contrario; la primera no se disuelve en prosa sino destruyéndose; la segunda se resuelve en la prosa que es su natural tendencia."

10 "Son los tiempos de lucha —escribe De Sanctis— en los cuales la humanidad asciende de una idea a la otra y el intelecto no triunfa sin que la fantasía sea sacudida: cuando una idea ha triunfado y se desenvuelve en ejercicio pacífico no se tiene más la épica, sino la historia. El poema épico, por tanto, se puede definir como la historia ideal de la humanidad en su paso de una idea a otra." Ibid., p. 207.

11 José de la Riva Agüero, *Carácter de la literatura del Perú independiente*, Lima, 1905.

12 Ibid., p. 155.

13 En *Sagitario*, n. 3, 1926 y en *Por la emancipación de la América Latina*, Buenos Aires, 1927, p. 139.

14 Op. cit., p. 139.

15 En una carta a *Amauta*, n. 4, Haya, impulsado por su entusiasmo, exagera, sin duda, esta reivindicación.

16. Federico More, "De un ensayo sobre las literaturas del Perú", en *El Diario de la Marina* de la Habana (1924) y *El Norte* de Trujillo (1924).

17 Véase en este volumen el ensayo sobre "Regionalismo y centralismo".

18 De *Nuestra Epoca*, julio de 1918, se publicaron sólo dos números, rápidamente agotados. En ambos números, se esboza una tenden-

cia fuertemente influenciada por *España*, la revista de Araquistain, que un año más tarde reapareció en *La Razón*, efímero diario cuya más recordada campaña es la de la reforma universitaria.

[19]   González Prada, *Páginas libres*.

[20]   González Prada, op. cit.

[21]   González Prada, op. cit.

[22]   González Prada, op. cit.

[23]   González Prada, op. cit.

[24]   M. Iberico Rodríguez, *El nuevo absoluto*, p. 45.

[25]   Ibid., pp. 43 y 44.

[26]   Pedro Henríquez Ureña, *Seis ensayos en busca de nuestra expresión*, pp. 45-47.

[27]   Gálvez, op. cit., pp. 33 y 34.

[28]   Ibid., p. 90.

[29]   El humorismo de Valdelomar se cebaba donosamente en las disonancias mestizas o huachafas. Una tarde, en el Palais Concert, Valdelomar me dijo: "Mariátegui, a la leve y fina libélula, motejan aquí chupajeringa." Yo, tan decadente como él entonces, lo excité a reivindicar los nobles y ofendidos fueros de la libélula. Valdelomar pidió al mozo unas cuartillas. Y escribió sobre una mesa del café meliflumamente rumoroso uno de sus "diálogos máximos". Su humorismo era así, inocente, infantil, lírico. Era la reacción de un alma afinada y pulcra contra la vulgaridad y la huachafería de un ambiente provinciano monótono. Le molestaban los "hombres gordos y borrachos", los prendedores de quinto de libra, los puños postizos y los zapatos con plástico.

[30]   En el *Boletín Bibliográfico* de la Universidad de Lima, n. 15 diciembre de 1915. Nota crítica a una selección de poemas de Eguren hecha por el bibliotecario de la Universidad, Pedro S. Zulen, uno de los primeros en apreciar y admirar el genio del poeta de *Simbólicas*.

[31]   No escasean en los versos de Eguren los italianismos. El gusto de las palabras italianas —que no lo latiniza— nace en el poeta de su trato de la poesía de Italia fomentado en él por las lecturas de su hermano Jorge que residió largamente en ese país.

[32]   Una buena parte de la obra de Eguren es romántica, y no sólo en *Simbólicas* sino en *Sombras* y aún en *Rondinelas*, las dos últimas jornadas de su poesía.

[33]   Antenor Orrego, *Panoramas*, ensayo sobre César Vallejo.

[34]   Orrego, op. cit.

[35]   Jorge Basadre juzga que en *Trilce* Vallejo emplea una nueva técnica, pero que sus motivos continúan siendo románticos. Pero la más alquitarada "nueva poesía", en la medida en que extrema su subjetivismo, también es romántica, como observo a propósito de Hidalgo. En Vallejo hay, ciertamente, mucho de viejo romanticismo y decadentismo hasta *Trilce*, pero el mérito de su poesía se valora por los grados en que supera y

trasciende esos residuos. Además, convendría entenderse previamente sobre el término romanticismo.

[36] Estudio sobre el nativismo en *La Cruz del Sur* (Montevideo).

[37] *De la vida incaica,* por Luis E. Valcárcel, Lima, 1925.

[38] Una nota del libro de López Albújar que se acuerda con una nota del libro de Valcárcel, es la que nos habla de la nostalgia del indio. La melancolía del indio, según Valcárcel, no es sino nostalgia. Nostalgia del hombre arrancado al agro y al hogar por las empresas bélicas o pacíficas del Estado. En "Ushanam Jampi" la nostalgia pierde al protagonista. Conce Maille es condenado al exilio por la justicia de los ancianos de Chupán. Pero el deseo de sentirse bajo su techo es más fuerte que el instinto de conservación. Y lo impulsa a volver furtivamente a su choza, a sabiendas de que en el pueblo lo aguarda tal vez la última pena. Esta nostalgia nos define el espíritu del pueblo del sol como el de un pueblo agricultor y sedentario. No son ni han sido los quechuas aventureros ni vagabundos. Quizá por esto ha sido y es tan poco aventurera y tan poco vagabunda su imaginación. Quizá por esto, el indio objetiva su metafísica en la naturaleza que lo circunda. Quizá por esto, los jircas, o sea los dioses lares del terruño, gobiernan su vida. El indio no podía ser monoteísta.

Desde hace cuatro siglos las causas de la nostalgia indígena no han cesado de multiplicarse. El indio ha sido frecuentemente un emigrado. Y, como en cuatro siglos no ha podido aprender a vivir nómadamente, porque cuatro siglos son muy poca cosa, su nostalgia ha adquirido ese acento de desesperanza incurable con que gimen las quenas.

López Albújar se asoma con penetrante mirada al hondo y mudo abismo del alma del quechua. Y escribe en su divagación sobre la coca: "El indio, sin saberlo, es schopenhauerista. Schopenhauer y el indio tienen un punto de contacto, con esta diferencia: que el pesimismo del filósofo es teoría y vanidad y el pesimismo del indio, experiencia y desdén. Si para uno la vida es un mal, para el otro no es ni mal ni bien, es una triste realidad, y tiene la profunda sabiduria de tomarla como es."

Unamuno encuentra certero este juicio. También él cree que el escepticismo del indio es experiencia y desdén. Pero el historiador y el sociólogo pueden percibir otras cosas que el filósofo y el literato tal vez desdeñan. ¿No es este escepticismo, en parte, un rasgo de la psicología asiática? El chino, como el indio, es materialista y escéptico. Y, como en el Tawantinsuyo, en China, la religión es un código de moral práctica más que una concepción metafísica.

[39] El prologuista de *Cuentos andinos*, señor Ezequiel Ayllón, explica así la justicia popular indígena: "La ley sustantiva, consuetudinaria, conservada desde la más oscura antigüedad, establece dos sustitutivos penales que tienden a la reintegración social del delincuente, y dos penas propiamente dichas contra el homicidio y el robo, que son los delitos de trascendencia social. El Yachishum o Yachachishum se reduce a amonestar al delincuente haciéndole comprender los inconve-

nientes del delito y las ventajas del respeto recíproco. El Alliyáchishum tiende a evitar la venganza personal, reconciliando al delincuente con el agraviado o sus deudos, por no haber surtido efecto morigerador el Yachishum. Aplicados los dos sustitutivos cuya categoría o trascendencia no son extraños a los medios que preconizan con ese carácter los penalistas de la moderna escuela positiva, procede la pena de confinamiento o destierro llamada Jitarishum, que tiene las proyecciones de una expatriación definitiva. Es la ablación del elemento enfermo, que constituye una amenaza para la seguridad de las personas y de los bienes. Por último, si el amonestado, reconciliado y expulsado, roba o mata nuevamente dentro de la jurisdicción distrital, se le aplica la pena extrema, irremisible, denominada Ushanam Jampi, el último remedio, que es la muerte, casi siempre, a palos, el descuartizamiento del cadáver y su desaparición en el fondo de los ríos, de los despeñaderos, o sirviendo de pasto a los perros y a las aves de rapiña. El Derecho Procesal se desenvuelve pública y oralmente, en una sola audiencia, y comprende la acusación, defensa, prueba, sentencia y ejecución."

40 Vilfredo Pareto, *Trattato di sociologia generale*, t. III, p. 265.

41 Los estudios de Hildebrando Castro Pozo, sobre la "comunidad indígena", consignan a este respecto datos de extraordinario interés, que he citado ya en otra parte. Estos datos coinciden absolutamente con la sustancia de las aserciones de Valcárcel en *Tempestad en los Andes*, a las cuales, si no estuviesen confirmadas por investigaciones objetivas, se podría suponer excesivamente optimistas y apologéticas. Además, cualquiera puede comprobar la unidad, el estilo, el carácter de la vida indígena. Y sociológicamente la persistencia en la comunidad de los que Sorel llama "elementos espirituales del trabajo", es de un valor capital.

42 *El libro de la nave dorada*, Ed. de El Norte, Trujillo, 1926.

43 Reconozco, además, la ausencia en este ensayo de algunos contemporáneos mayores, cuya obra debe aún ser estimada más o menos susceptible de evolución o continuación. Mi estudio, lo repito, no está concluido.

Impresión:
Encuadernación Técnica Editorial, S. A.
Calz. San Lorenzo 279, 45-48, 09880 México, D.F.
15-IV-2002

Biblioteca Era

Alberto Blanco
  Cuenta de los guías
José Joaquín Blanco
  Función de medianoche
  Un chavo bien helado
  Mátame y verás
  El Castigador
Jorge Boccanera
  Sólo venimos a soñar. La poesía de Luis Cardoza y Aragón
Carmen Boullosa
  Son vacas, somos puercos
  La Milagrosa
  Llanto
Coral Bracho
  La voluntad del ámbar
Nellie Campobello
  Cartucho. Relatos de la lucha en el Norte de México
Claudia Canales
  El poeta, el marqués y el asesino. Historia de un caso judicial
Luis Cardoza y Aragón
  Pintura contemporánea de México
  Ojo/voz
  Lázaro
Rosario Castellanos
  Los convidados de agosto
Carlos Chimal
  Cinco del águila
  Crines. Otras lecturas de rock
  Lengua de pájaros
Will H. Corral (comp.)
  Refracción. Augusto Monterroso ante la crítica
Olivier Debroise
  Crónica de las destrucciones. In Nemiuhyantiliztlatollotl
Gilles Deleuze y Félix Guattari
  Kafka. Por una literatura menor
Christopher Domínguez
  Tiros en el concierto. Literatura mexicana del siglo V
  William Pescador

Antonio Gramsci
Cuadernos de la cárcel [6 tomos]
Hugo Hiriart
La destrucción de todas las cosas
Disertación sobre las telarañas
Sobre la naturaleza de los sueños
Cuadernos de Gofa
Discutibles fantasmas
David Huerta
Incurable
El azul en la flama
Efraín Huerta
Transa poética
Bárbara Jacobs
Las hojas muertas
Darío Jaramillo Agudelo
Cartas cruzadas
José Lezama Lima
Paradiso
Oppiano Licario
Muerte de Narciso. Antología poética
Diarios (1939-49 / 1956-58)
Malcolm Lowry
Bajo el volcán
Oscuro como la tumba donde yace mi amigo
Piedra infernal
Un trueno sobre el Popocatépetl
Héctor Manjarrez
No todos los hombres son románticos
Canciones para los que se han separado
Pasaban en silencio nuestros dioses
El camino de los sentimientos
Ya casi no tengo rostro
El otro amor de su vida
Rainey, el asesino
José Carlos Mariátegui
Siete ensayos de interpretación de la realidad
peruana

Antonio Marimón
    Mis voces cantando
Juan Vicente Melo
    La obediencia nocturna
Segio Missana
    Movimiento falso
Carlos Monsiváis
    Días de guardar
    Amor perdido
    A ustedes les consta. Antología de la crónica en México
    Entrada libre. Crónicas de la sociedad que se organiza
    Los rituales del caos
    Nuevo catecismo para indios remisos
    Salvador Novo. Lo marginal en el centro
Augusto Monterroso
    La Oveja negra y demás fábulas
    Obras completas (y otros cuentos)
    Movimiento perpetuo
    Lo demás es silencio
Edith Negrín
    *Nocturno en que todo se oye. José Revueltas ante la
        crítica*
José Clemente Orozco
    Autobiografía
    Cartas a Margarita
José Emilio Pacheco
    Los elementos de la noche
    El reposo del fuego
    No me preguntes cómo pasa el tiempo
    Irás y no volverás
    Islas a la deriva
    Desde entonces
    Los trabajos del mar
    Miro la tierra
    Ciudad de la memoria
    El silencio de la luna
    Álbum de zoología
    La arena errante

Alejandro Toledo
El imperio de las voces. Fernando del Paso ante la crítica
Lev Tolstói
Diarios. 1847-1894
Marina Tsvietáieva
Natalia Goncharova. Retrato de una pintora rusa
Gabriela Vallejo Cervantes
La verdadera historia del laberinto
Remedios Varo
Cartas, sueños y otros textos
Eduardo Vázquez Martín
Naturaleza y hechos
Hugo J. Verani
La hoguera y el viento. José Emilio Pacheco ante la crítica
José Javier Villarreal
Portuaria
Paloma Villegas
La luz oblicua
Juan Villoro
Efectos personales
Jorge Volpi
La imaginación y el poder. Una historia intelectual de 1968
Paul Westheim
Ideas fundamentales del arte prehispánico en México
Eric Wolf
Pueblos y culturas de Mesoamérica
Saúl Yurkiévich
El sentimiento del sentido
Varios autores
El oficio de escritor [Entrevistas con grandes autores]
Sergio Pitol. Los territorios del viajero